# Photo Numérique POUR LES NULS

15e édition

# Photo Numérique

# POUR LES NULS

## 15e édition



Julie Adair King

FIRST
> Interactive

**Photo Numérique pour les Nuls (15e édition)**

Titre de l'édition originale : *Digital Photography For Dummies 7th Edition*



Collection dirigée par Jean-Pierre Cano
Traduction : Daniel Rougé
Mise en page : maged

Edition française publiée en accord avec Wiley Publishing, Inc.

Éditions First, un département d'Édi8
12 avenue d'Italie
75013 Paris
Tél. : 01 44 16 09 00
Fax : 01 44 16 09 01
E-mail : firstinfo@efirst.com
Web : www.editionsfirst.fr
ISBN : 978-2-7540-7434-6
Dépôt légal : 2e trimestre 2015

Imprimé en France

# Sommaire

# Introduction

Dans les années 1840, une quinzaine d'années après l'invention de la photographie par Nicéphore Niepce, William Henry Fox Talbot inventa à son tour le *calotype*. Ce procédé permettait de tirer de multiples épreuves d'après un négatif sur papier, ouvrant ainsi la voie à la technique photographique moderne. Au fil des ans, les travaux de Talbot furent améliorés et la photographie se démocratisa. Les portraits de famille se multiplièrent sur les bureaux, sur les cheminées et dans les portefeuilles.

La photographie a connu ces dernières années une nouvelle révolution : la photographie numérique et avec elle, une nouvelle manière d'aborder la photographie. Elle s'est rapidement imposée chez les amateurs, ravis de ne plus dépenser des fortunes en pellicules et en tirages, mais aussi chez les professionnels. Les photojournalistes apprécient la possibilité d'envoyer presque instantanément les images à leur agence ou rédaction, et les photographes de publicité et de mode exploitent avec créativité les immenses possibilités de la retouche et du montage numériques.

Un appareil photo numérique et une imprimante suffisent pour s'initier à ces nouvelles techniques, mais vous irez plus loin avec, en plus, un ordinateur et un logiciel de retouche. Même si vous ne connaissez que peu l'informatique, vous parviendrez à exprimer votre créativité, notamment par des montages réalisés à partir de plusieurs images, ou par des effets pratiquement impossibles à obtenir sur film. Vous pourrez aussi retoucher les photos et leur appliquer des corrections, comme le recadrage ou l'amélioration de la netteté, qui exigeaient autrefois du matériel spécialisé.

La prise de vue est désormais plus facile. Grâce à l'écran à cristaux liquides qui permet de visionner immédiatement les images, vous savez exactement lesquelles sont satisfaisantes et lesquelles doivent être refaites. Vous n'avez plus à attendre le développement et découvrir brutalement que les photos auxquelles vous teniez le plus sont ratées !

La photo numérique permet également de transmettre instantanément vos images à tous ceux que vous connaissez, n'importe où dans le monde. Quelques minutes après la prise de vue, vos proches, amis, collègues, voire des inconnus, peuvent admirer vos images, soit parce que vous les avez envoyées par courrier électronique, soit parce que vous les avez placées sur un site Web ou un réseau dit social. Vous pouvez même créer votre propre galerie d'exposition.

Née du mariage de la photographie et de l'informatique, la photo numérique est à la fois un fabuleux moyen d'expression et un remarquable outil de communication. De plus, l'appareil photo numérique est agréable à utiliser. Ce n'est, hélas, pas toujours le cas d'un ordinateur.

## Pourquoi ce livre Pour les Nuls ?

La photographie numérique existe depuis à peu près une quinzaine d'années, mais son prix était plutôt dissuasif et ses performances médiocres. Quelle évolution depuis cette époque! Aujourd'hui, les modèles d'entrée de gamme valent une centaine d'euros, permettant au commun des mortels de goûter aux joies de cette technologie innovante. Ce qui justifie aussi l'existence de ce livre.

À l'instar de tout ce qui est nouveau, l'appareil photo numérique peut être intimidant. Les termes techniques et acronymes mystérieux – capteur CCD, mégapixel, JPEG… – pullulent. Ils sont sans doute clairs pour un fana de photo, mais peut-être pas pour vous, face à un vendeur qui vous affirme que « ce modèle est équipé d'un capteur CMOS de 12 millions de pixels et stocke jusqu'à 300 images compressées au format JPEG sur une carte SDHC de 8 giga-octets ». Vous seriez tenté de répondre : « oncques telles choses ne furent ouïes », ce qui risque de ne pas arranger la situation.

Il y a mieux à faire : lisez *La Photo numérique Pour les Nuls, 16e édition.* Ce livre explique tout ce qu'il faut savoir pour devenir un photographe numérique accompli. Il n'est pas nécessaire d'être un fana de photo ou d'informatique pour comprendre de quoi il s'agit. *La Photo numérique Pour les Nuls* est écrite en langage de tous les jours, avec en prime un brin d'humour.

## Que contient ce livre ?

*La Photo numérique Pour les Nuls* aborde tous les aspects de la photographie numérique, du choix de l'appareil jusqu'à la préparation des images pour l'impression ou la publication sur le Web.

Une partie de ce livre est consacrée aux informations à connaître pour bien choisir votre équipement photo et un logiciel de retouche.

D'autres chapitres expliquent comment utiliser l'appareil photo numérique – parfois appelé « APN » ou encore « photoscope » – et aussi comment éditer les images afin de régler leur luminosité et leur contraste, ou réaliser des montages photographiques.

Pour l'édition et la retouche, nous utiliserons un logiciel connu : Adobe Photoshop Elements alternativement dans ses versions 11 et 12. Mais si vous avez un autre logiciel, ou une autre version de Photoshop Elements, n'allez pas croire que ce livre ne s'adresse pas à vous. Les outils d'édition de base dont il est question ici sont transposables, car leur principe est identique d'un logiciel à un autre. Vous pourrez donc vous référer à ce livre chaque fois que vous aurez besoin d'éclaircissements sur telle ou telle tâche.

Bien que le livre s'adresse aux photographes numériques débutants ou ayant une petite expérience en la matière, je présume que vous avez quelques notions d'informatique. Par exemple, vous devez savoir comment démarrer un programme, ouvrir et fermer des fichiers, et connaître l'environnement Windows ou Macintosh. Si vous n'y connaissez vraiment rien aux ordinateurs, je vous recommande de lire l'un des livres *Pour les Nuls* consacrés aux PC et aux Mac.

À l'intention des utilisateurs de Mac, je tiens à préciser que si l'essentiel des figures de ce livre ont été réalisées avec un ordinateur tournant sous Windows, les instructions fournies concernent aussi bien le Mac que Windows.

Après cette mise au point sur la stérile controverse entre tenants de l'un ou l'autre de ces ordinateurs, voyons un peu ce que contient *La Photo numérique Pour les Nuls*.

## Première partie : Premiers pas dans le numérique

C'est ici que commence votre initiation à la photo numérique. Les deux premiers chapitres vous expliquent ce qu'est un appareil photo numérique et comment l'utiliser. Le Chapitre 3 vous aide à trouver l'appareil le plus approprié au type de photographies que vous désirez prendre, tandis que le Chapitre 4 présente quelques équipements et accessoires qui faciliteront vos prises de vues.

## Deuxième partie : La prise de vue sans prise de tête

Vos images sont trop claires, trop foncées, floues ou tout bêtement insignifiantes ? Avant de remiser l'appareil au fond d'un placard, lisez cette partie du livre.

Le Chapitre 5 explique comment régler l'appareil. Le Chapitre 6 révèle les secrets d'une image bien au point et parfaitement exposée, tandis que le Chapitre 7 prodigue des conseils pour obtenir des images plus fortes et plus attrayantes. Vous apprendrez aussi comment prendre plusieurs vues pour en faire un panorama, comment maîtriser des éclairages difficiles et comment exploiter les différents réglages prédéfinis.

## Troisième partie : De l'appareil à l'ordinateur

Après avoir pris des photos, il faut les sortir de l'appareil et les donner à voir. Plusieurs chapitres sont consacrés à ces tâches.

Le Chapitre 8 explique comment transférer les images vers l'ordinateur et les archiver. Le Chapitre 9 décrit les diverses techniques d'impression. Au Chapitre 10, vous découvrirez comment visionner et distribuer les images électroniquement, en les envoyant par courrier électronique, en les affichant sur le Web ou en créant des calendriers personnalisés.

## Quatrième partie : Sélection et correction des photos

Dans cette partie du livre, vous vous initierez à l'édition des images. Le Chapitre 11 est consacré aux corrections élémentaires. Après avoir assimilé la Deuxième partie du livre, vous devriez ne plus rater de photos.

Le Chapitre 12 explique comment retoucher des images simplement. Vous verrez aussi comment éliminer des défauts ou des éléments indésirables.

# Le lexique

Vous vous êtes sans doute rendu compte que la photo numérique est truffée de jargon technique. Vous trouverez dans le lexique une définition succincte de la plupart des termes et acronymes utilisés dans ce livre.

# Les icônes utilisées dans ce livre

Comme tous les ouvrages de la collection *Pour les Nuls,* celui-ci est émaillé de petites icônes qui attirent l'attention sur les points importants :

Ainsi que nous l'avons déjà mentionné, nous utiliserons essentiellement Adobe Photoshop Elements 13. Cette icône signale des informations spécifiques à ce logiciel. Si vous en utilisez un autre, lisez néanmoins ces informations car elles peuvent être adaptées aux autres logiciels.

Cette icône reprend une information déjà rencontrée, ou que vous avez tout intérêt à mémoriser.

Du texte signalé par cette icône est un peu technique. Vous n'êtes pas obligé d'assimiler cette information, mais si vous vous en donnez la peine, votre culture informatique n'en sera que meilleure.

Cette icône vous fera gagner du temps. Elle signale des astuces permettant d'obtenir de meilleures images et de résoudre divers problèmes.

Soyez sur vos gardes si vous rencontrez cette icône. Elle signale en effet un sérieux risque et vous explique comment l'éviter.

# Les conventions utilisées dans ce livre

En plus des icônes, *La Photo numérique Pour les Nuls* utilise d'autres conventions. Le choix d'une commande dans un menu est indiqué par le nom du menu suivi d'un signe « plus grand que » et du nom de la commande. Par exemple, pour choisir la commande Couper, dans le menu Édition, vous lirez : « choisissez Édition > Couper ».

Il est parfois plus rapide de choisir une commande à partir d'une combinaison de touches du clavier. Ces raccourcis se présentent sous la forme « Ctrl+A » : la touche Ctrl enfoncée, appuyez sur la touche A puis relâchez les deux touches. Le raccourci pour les PC est suivi de celui pour le Mac, s'il est différent.

## Que dois-je lire d'abord ?

La réponse dépend de vous. Il est possible de commencer par le Chapitre 1 et de lire jusqu'à la fin, si vous le désirez. Ou alors, vous pouvez ne lire que les parties qui vous intéressent.

*La Photo numérique Pour les Nuls* a été conçu pour que vous puissiez lire n'importe quel chapitre sans avoir forcément ouvert ceux qui précèdent. De ce fait, si vous avez besoin d'une information sur un sujet précis, vous pouvez y aller directement.

La photographie numérique est une véritable révolution. Vous trouverez dans *La Photo numérique Pour les Nuls* toute l'information indispensable pour maîtriser cette nouvelle technologie rapidement, facilement et dans la bonne humeur.

# Première partie

# Premiers pas dans le numérique

"Si je n'ai pas pris de poids, comment se fait-il que cette photo numérique a 3 Mo de plus que la même prise il y a six mois ?"

## Dans cette partie...

Lorsque j'étais au lycée, le professeur de biologie insistait sur le fait que la meilleure méthode pour apprendre la constitution et le fonctionnement d'une créature consistait à la disséquer.

Même avec une bonne dose de courage et de volonté, il m'est difficile de soutenir cette opinion, par respect pour les pauvres grenouilles et autres cobayes qui n'ont certainement pas souhaité, de leur vivant, léguer leur corps à la science ou à la médecine.

En revanche, je reste favorable à une dissection des nouvelles technologies. Le meilleur moyen pour connaître le fonctionnement d'un appareil, quel qu'il soit, est de fouiller ses entrailles. Cette opération est parfaitement indolore pour la plupart des équipements qui nous entourent, ce qui ne veut pas dire qu'elle soit sans risque pour leur fonctionnement.

Cette partie du livre dissèque sans retenue les appareils photo numériques. Le Chapitre 1 énumère les différences fondamentales entre le numérique et l'argentique (certes presque moribond, mais qui va nous permettre de préciser certaines notions fondamentales), en précisant leurs avantages et inconvénients respectifs. Le Chapitre 2 soulève le couvercle du monde numérique et de ses secrets, tandis que le Chapitre 3 passe à la loupe tous les éléments à connaître pour bien choisir un appareil photo selon vos besoins. Enfin, le Chapitre 4 décrit les accessoires et les logiciels.

Voilà! Maintenant que tout le monde est prêt, nous pouvons débuter l'étude de nos spécimens numériques, en prenant soin de ne pas laisser les câbles et les circuits imprimés envahir la pièce.

# 1

# Folklore numérique

*Dans ce chapitre :*

- Comprendre les différences entre la photographie numérique et la photographie traditionnelle.
- Apprendre à utiliser les appareils photo numériques.
- Comparer appareils photo numériques et autres outils de numérisation.
- Estimer les avantages et les inconvénients des appareils numériques.
- Calculer l'impact du numérique sur votre portefeuille.

Vous ne pouvez imaginer mon bonheur lorsque les premiers appareils photo numériques abordables sont apparus sur le marché. Voilà en effet un outil qui fut en son temps totalement révolutionnaire, et qui me permet aujourd'hui non seulement de gagner du temps et de l'énergie dans mon travail quotidien, mais qui s'adapte aussi aux loisirs et à la famille.

Si l'on est intéressé par cette technologie (et que le minuscule capteur d'un téléphone portable ne paraisse pas être le fin du fin de la capture d'images), il est difficile de ne pas se laisser séduire par l'offre du marché. Il faut toutefois réfléchir avec circonspection avant de se lancer dans un tel achat. Il convient de répondre à cette question essentielle et existentielle : gadget ou outil de travail ? Nombreux sont ceux qui aiment jouer les précurseurs en se jetant délibérément sur tous les nouveaux appareils high-tech du marché. Résultat, ces acquisitions sont faites avec précipitation et finissent leur vie au fond d'un tiroir. Certaines personnes sont très souvent désappointées par leur achat ou constatent très vite qu'il n'est pas du tout adapté à leurs besoins.

Rien n'est plus excitant qu'un nouveau jouet. Les appareils photo numériques n'échappent pas à la règle. Pourtant, leur utilité et leur polyvalence en font un équipement à part, rapidement devenu un produit de masse. Décortiquons ensemble cet outil et analysons ses avantages et ses inconvénients en toute impartialité.

## Traitement antipelliculaire

Comme le montre la Figure 1.1, les appareils numériques existent en différentes présentations et tailles. Outre ces aspects esthétiques, leurs caractéristiques et leurs possibilités varient considérablement d'un modèle à l'autre, même s'ils ont un objectif commun : simplifier le processus d'acquisition des images.

Figure 1.1 : Ces modèles fabriqués par Pentax, Sony, Nikon, Canon, Panasonic et Olympus illustrent la diversité des appareils photo numériques.

Juste une parenthèse. Si vous n'y connaissez absolument rien, sachez que le terme *image numérique* – et non « digitale », un malheureux anglicisme – fait référence à des images que vous pouvez visualiser et modifier sur un ordinateur. Les images numériques, comme tout ce qui est affiché sur un écran moderne, ne sont rien de plus qu'une succession de données informatiques (des 0 et des 1 !) analysées par votre ordinateur et affichées sous une forme graphique. Pour de plus amples renseignements sur le fonctionnement des images numériques, lisez le Chapitre 2.

La notion d'*image numérique* n'est pas nouvelle. Les utilisateurs de logiciels de retouche comme Photoshop en créent depuis des années. La grande différence est qu'autrefois, lorsque vous photographiiez un paysage ou un coucher de soleil avec un appareil classique, vous deviez préalablement faire développer vos diapos ou vos films négatifs et les tirer éventuellement sur papier, puis les *numériser* (les traduire en fichier informatique) à l'aide d'un *scanner* (le terme français est *scanneur*, mais qui l'utilise ?). Encore fallait-il disposer d'un tel périphérique ! Tout ce processus, notamment le développement, peut exiger plusieurs jours et demander un certain budget. Même avec un service de développement rapide, il est difficile d'obtenir ses images dans la demi-heure qui suit les prises de vue. Les appareils numériques offrent une souplesse d'utilisation considérable. Pas de pellicule, pas de développement, pas de numérisation des photos sur papier. L'ensemble des photographies prises est directement accessible *via* votre ordinateur, sans intermédiaire (quoi que, le cas échéant, en passant par un lecteur de carte mémoire ou bien encore par une clé USB). Une seule petite opération de transfert et le tour est joué ! Nombre de modèles permettent même d'imprimer directement à partir de l'appareil relié à une imprimante grâce à un câble USB. Difficile de faire plus rapide !

## Les images numériques, c'est bien ; mais pour quoi faire ?

Comparés à la photographie traditionnelle, les avantages et les possibilités artistiques du numérique sont innombrables. Sans prétendre les énumérer tous, apprécions ceux qui suivent :

- **Une plus grande créativité :** en photographie traditionnelle, il est impossible pour un amateur de modifier les photos. Une fois développées, leur qualité dépend des réglages à la prise de vue (vous ne pourrez en aucune manière revenir en arrière) ainsi que du tirage lui-même. Une photographie numérique n'est, en revanche, jamais définitive. À tout moment, il est, en effet, possible de reprendre un cliché pour améliorer son aspect : corriger les couleurs, augmenter le contraste, régler la luminosité, *etc.* N'importe quel logiciel de retouche sait faire cela.

  Les Figures 1.2 et 1.3 illustrent cette particularité. La photo du haut représente la photographie originale. On peut remarquer qu'elle est plutôt sous-exposée, un peu terne, et que son cadrage n'est pas des plus réussis. Le trottoir occupe beaucoup trop de

**Figure 1.2 :** La photo originale de ces enfants est sous-exposée. Son cadrage n'est pas des plus heureux.

**Figure 1.3 :** Après quelques manipulations dans un logiciel de retouche, voilà une photo nettement plus plaisante !

place. Grâce à un logiciel de retouche, ces défauts ont été rapidement corrigés, comme en témoigne la Figure 1.3.

Certains affirmeront qu'il est possible d'obtenir un résultat identique avec une photographie argentique : soit en amont, à la prise de vue, en réglant mieux le diaphragme de l'appareil et en prenant garde de cadrer correctement le sujet ; soit en aval, en commandant à un laboratoire de recadrer l'image et de rattraper l'exposition. Si la première solution a l'avantage d'être la plus simple, il est toujours difficile de réussir un cadrage parfait du premier coup, notamment sur un sujet en mouvement. La seconde solution est davantage une question de budget. Comme vous pouvez vous en douter, ce type de prestation est loin d'être gratuit.

- **Le partage immédiat et facile des photos :** vous pouvez envoyer une image à des amis, des proches ou des clients en la joignant à un courrier électronique. C'est beaucoup plus commode que de les confier à la poste, et moins cher que d'acheter des enveloppes et des timbres.

  En plus d'envoyer des photos par courrier électronique, vous pouvez les donner à voir en les affichant sur une page Web personnelle, ou au travers d'un réseau social comme Facebook (`www.facebook.com`), ou bien d'un site spécialisé dans le partage de photographies tel que Picasa ou Flickr (`www.flickr.com`), comme l'illustre la Figure 1.4. Le Chapitre 10 explique en détail comment faire pour préparer les photos pour le partage en ligne ou tout affichage sur une page Web.

- **Des présentations plus intéressantes :** vous pouvez utiliser les photos dans une présentation réalisée avec un logiciel comme

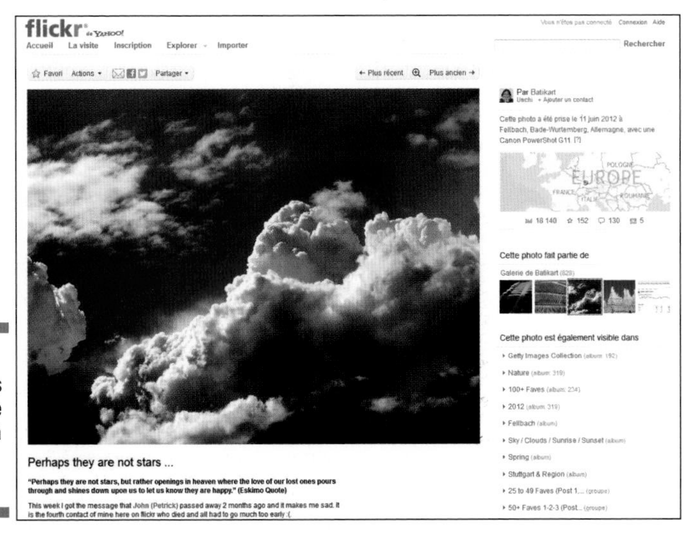


**Figure 1.4 :** Partagez vos photos sur le Web grâce à un album en ligne.

Microsoft PowerPoint. Mais si vous ne disposez pas de cet outil, vous pourrez créer des diaporamas directement depuis Windows grâce au bouton Diaporama (voir la Figure 1.5) qui se trouve dans la barre d'outils du dossier Images et de ses sous-dossiers, ou sur un Mac avec la fonction Diaporama des applications Aperçu ou iPhoto.

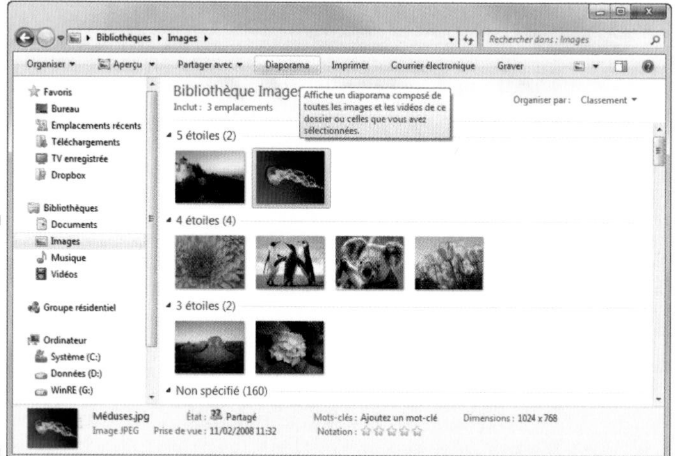


**Figure 1.5 :** À l'instar du Mac, Windows possède une fonction Diaporama bien pratique.

- **Des bases de données professionnelles ou privées plus visuelles :** vous pouvez inclure des images dans une base de données. Si votre société dispose, par exemple, d'un programme de téléachat, il est commode d'y insérer des photos de vos différents produits. Associée à un descriptif, chaque référence pourra être incorporée dans un catalogue électronique accessible à tous vos clients. Il est aussi possible d'insérer des photos d'objets divers destinés à un inventaire ou un catalogue, comme l'illustre la Figure 1.6.

- **Développer son sens artistique :** vous prendrez beaucoup de plaisir à exploiter vos talents. Un logiciel de retouche permet d'appliquer une foule d'effets. Peignez d'affreuses moustaches sur le portrait d'une belle jeune fille ou déformez son corps à outrance (un beau jeune garçon, cela marche aussi).

  Vous ferez des photomontages et appliquerez des effets picturaux qui transforment une photo en croquis, en aquarelle, en peinture à l'huile et autres techniques classiques, comme l'illustre la Figure 1.7.

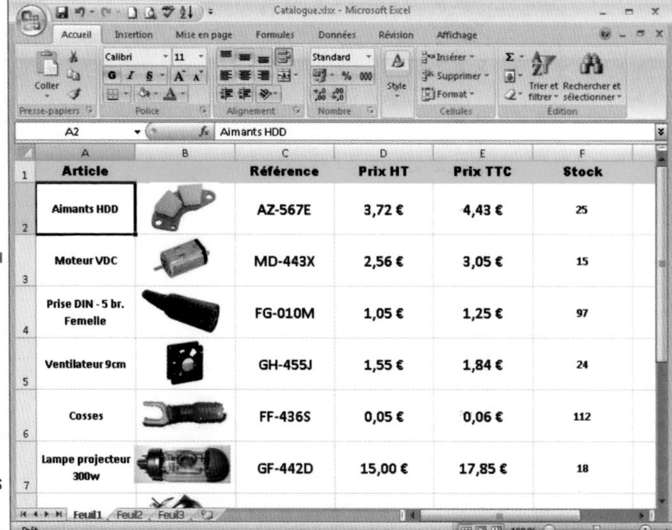


| Article | | Référence | Prix HT | Prix TTC | Stock |
|---|---|---|---|---|---|
| Aimants HDD | | AZ-567E | 3,72 € | 4,43 € | 25 |
| Moteur VDC | | MD-443X | 2,56 € | 3,05 € | 15 |
| Prise DIN - 5 br. Femelle | | FG-010M | 1,05 € | 1,25 € | 97 |
| Ventilateur 9cm | | GH-455J | 1,55 € | 1,84 € | 24 |
| Cosses | | FF-436S | 0,05 € | 0,06 € | 112 |
| Lampe projecteur 300w | | GF-442D | 15,00 € | 17,85 € | 18 |

**Figure 1.6 :** Cet inventaire est une simple feuille de calcul Excel illustrée avec les photos des différents articles.

**Figure 1.7 :** La photo en haut à gauche a été transformée en une peinture au couteau grâce à un filtre.

Vous pouvez produire toutes sortes d'objets ou de cartes personnalisées. Comme le montre la Figure 1.8, les possibilités d'édition d'une image numérique ne se résument pas aux re-

Figure 1.8 : Créez vos propres cartes de vœux, cartons d'invitation ou cartes de visite.

touches et aux améliorations visuelles. Ici, vous créez une carte de vœux à partir d'une de vos photos. Rien ne vous interdit d'ajouter des textes et de créer des compositions comme bon vous semble.

Après avoir travaillé la photo, vous l'imprimerez sur un papier photo semblable à ceux que vendent Kodak, Canon, Epson, HP et d'autres fabricants. Si votre imprimante n'est pas capable d'imprimer des photos, vous confierez cette tâche à une boutique spécialisée (de nos jours, il n'est plus nécessaire de transporter tout votre matériel : une clé USB suffit), ou vous enverrez les photos par Internet vers l'un des innombrables services de développement de photos numériques en ligne.

Ce ne sont là que quelques-unes des raisons qui ont fait le succès de la photographie numérique, dont la polyvalence, la souplesse et le plaisir de la création numérique ont pratiquement éliminé le film argentique.

## Quels sont les inconvénients du numérique ?

Grâce aux progrès dans les technologies et dans la fabrication, les problèmes qui avaient découragé les photographes au début – un coût élevé pour une qualité discutable – sont désormais résolus. Mais quelques inconvénients subsistent, qui ne sauraient être passés sous silence :

- Aujourd'hui, les appareils photo numériques produisent des images aussi bonnes que les appareils argentiques. Mais la résolution des appareils de très bas de gamme peut parfois être limitée. Les images produites sont très acceptables pour un affichage sur une page Web, mais insuffisantes pour obtenir une taille et une qualité d'impression rivalisant avec les photos traditionnelles (la résolution est expliquée au Chapitre 2).
- Après avoir déclenché, le système électronique de l'appareil peut réclamer quelques instants pour transférer l'image en mémoire. Pendant ce laps de temps, appelé « latence », vous ne pouvez pas prendre d'autre photo. Fort heureusement, sur les appareils d'aujourd'hui, ce temps de latence est généralement inférieur à la seconde, ce qui est certes encore trop long, surtout pour la photo d'action, mais pas prohibitif.

  Le temps de latence des appareils les plus perfectionnés est encore plus réduit, parfois de moins d'un dixième de seconde, ce qui autorise la prise de vue en rafale.

- Presque tous les appareils offrent maintenant un mode vidéo plus ou moins perfectionné (en gros, du niveau webcam standard jusqu'au Full HD) permettant de réaliser de petits films. Ce *Pour les Nuls* étant consacré à la photographie et non à la vidéo numérique, nous n'aborderons pas ce domaine. Mais s'il vous intéresse, ne manquez pas de lire *La vidéo numérique Pour les Nuls*.
- Devenir un photographe numérique averti exige l'acquisition de notions nouvelles. Si les ordinateurs vous sont familiers, vous ne devriez pas rencontrer trop de difficultés pour maîtriser cette technologie. Mais si vous êtes novice en la matière, vos premiers pas dans l'univers numérique risquent, en revanche, de vous paraître plus compliqués que le maniement d'un appareil photo jetable. Quelle que soit votre situation, ne désespérez pas ! Ce livre est justement là pour vous venir en aide.

Les constructeurs sortent de nouveaux modèles à une cadence plus ou moins infernale (ce qui ne veut pas dire qu'il y ait à chaque fois progrès technologique). Si le consommateur peut se sentir perdu face à ce déferlement de nouveaux appareils, il n'est pas interdit en revanche de s'enthousiasmer devant cette débauche. En effet, au fil du temps, les appareils numériques sont de plus en plus performants tout en étant moins chers et plus faciles à manier.

# Quel matériel dois-je utiliser ?

Il est toujours délicat de suggérer tel ou tel matériel. Pourquoi l'un plutôt que l'autre ? En effet, l'échelle des prix et la diversité des modèles provoquent souvent des hésitations. Il convient malgré tout de préciser aux profanes que la possession d'un ordinateur et d'une imprimante est nécessaire pour exploiter au mieux les photographies (d'accord, vous avez le droit de vous contenter de l'écran de votre téléviseur, mais ce serait tout de même dommage). Concernant l'ordinateur, il n'est pas indispensable d'avoir une machine hors de prix. Pour un budget de 400 à moins de 1 000 euros, vous pouvez acquérir une machine tout à fait performante, capable de prendre en charge tous vos travaux graphiques.

Les prix cités sont donnés à titre indicatif, la durée de vie des modèles et la constante évolution des coûts dans le domaine informatique étant très aléatoires. Si le prix d'achat paraît élevé, je vous rappelle que vous n'achèterez plus jamais de pellicule et ne paierez plus de développement. Si une photo est ratée, effacez-la de la mémoire de l'appareil ou de la carte. Si vous avez l'habitude de « mitrailler » tous azimuts, vous aurez tôt fait de rentabiliser le choix du numérique.

## Les appareils photo

Les prix des appareils photo numériques grand public s'échelonnent entre environ 100 euros pour les tout premiers modèles et sensiblement plus de 1 500 euros pour le haut de gamme (je ne parle pas ici des appareils professionnels valant plusieurs milliers d'euros). Comme vous vous en doutez, les prix les plus bas concernent essentiellement des modèles n'offrant qu'une qualité d'image généralement correcte, mais limitée, et quand même très suffisante pour un usage sur le Web voire un simple visionnage à l'écran.

Le moyen et haut de gamme se caractérisent par un capteur plus grand, de meilleurs objectifs (en verre optique, et non en résine acrylique), un écran de contrôle plus confortable, des réglages poussés de la vitesse et du diaphragme, *etc.* Nous y reviendrons au Chapitre 3.

## Les cartes mémoire

La mémoire interne de la plupart des appareils photo numériques est insuffisante pour stocker un grand nombre de photos. En revanche, ils sont dotés d'un compartiment qui accueille une carte mémoire.

Le prix des cartes mémoire a bien chuté (explosion du marché du numérique oblige). Mais cela reste un investissement auquel il convient de bien réfléchir. Le coût augmente en fonction de la capacité de stockage. Les cartes mémoire les plus utilisées actuellement sont les cartes Secure Digital (SD) de 4 à 32 Go, dont le prix débute à quelques euros, et Secure Digital High Capacity (SDHC) de 4 à 32 Go, un peu plus onéreuses, voire même Secure Digital XC (on atteint ici la barre des 128 Go), nettement plus chères (normal, puisque leur capacité est bien plus importante).

La prudence s'impose avant de craquer pour les cartes SDHC ou SDXC à grande capacité. Vous devez tout d'abord vérifier que votre appareil photo sera capable de les utiliser. Certains appareils acceptent les cartes de 4, 8, 16, 32 ou encore 64 Go – la capacité maximale utilisable figure dans le manuel – qui doivent impérativement être estampillées SDHC (*Secure Digital High Capacity*) ou SDXC (*Secure Digital Xtreme Capacity*). Ce n'est pas le cas de toutes. Comment les reconnaître ? Rien de plus facile : c'est écrit dessus, ainsi que le montre la Figure 1.9. Seule la mention SDHC ou SDXC garantit qu'elle est véritablement certifiée « grande capacité ». Oubliez celles qui ne le sont pas.

Vous n'arrivez pas à vous séparer de votre vieil ordinateur sous Windows XP ? Dommage ! Il n'accepte pas les cartes mémoire de plus de 2 Go. Il va être temps de passer à Windows 8…

## C'est quoi un octet ?

Tout au long de cet ouvrage, il sera beaucoup question d'octets, notamment sous la forme de kilo-octets, de méga-octets et de giga-octets, voire de téraoctets. Tout cela est bien beau, mais que représente exactement un octet ?

En informatique, tout tourne autour du *calcul binaire*, que l'on doit au philosophe et mathématicien allemand Gottfried Wilhem Leibnitz (1646-1716). Sans entrer dans les détails, le binaire, c'est quand tout se ramène à des zéros et à des uns. Au cœur de l'ordinateur, la plus belle de vos photos n'est qu'une succession de millions et de millions de 1 et de 0, que l'on appelle *bits*. Chaque bit correspond à la magnétisation ou non d'une microscopique partie d'un disque. Un *octet* est un ensemble de huit bits, comme 01100100 ou 11011101. Vous découvrirez un aspect plus pratique au prochain chapitre, dans l'encadré « Un mot sur la profondeur de bits ».

Si le sujet vous intéresse – le calcul binaire est une excellente gymnastique mentale –, je vous recommande de visiter le site `http://www.laurent-bloch.org/spip.php?article98` qui reproduit le texte de Leibnitz. On n'a pas fait plus clair depuis.

**Figure 1.9 :** Une carte Secure Digital certifiée à grande capacité.

Il existe aussi des cartes mémoire à écriture ultra rapide (revoyez l'illustration de la Figure 1.9), qui réduisent considérablement le temps de latence après une prise de vue. Elles font le bonheur des photographes d'action, mais là encore, leur achat n'est justifié que si votre appareil sait gérer cet accroissement des performances (reportez-vous au manuel). Pour le reste, elles sont utilisées comme n'importe quelle autre carte. Le nombre de photos susceptibles d'être stockées sur une carte mémoire dépend certes de la capacité de celle-ci, mais aussi de la résolution de l'image et de sa compression, deux notions expliquées dans les deux prochains chapitres.

Prévoyez des cartes mémoire supplémentaires dans le budget de votre équipement numérique. Une carte mémoire a beau pouvoir contenir plusieurs centaines de vues, vous constaterez vite qu'en voyage ou lors d'un événement (fête folklorique, mariage…), les photos s'accumulent à une vitesse vertigineuse, surtout lorsque vous appuyez plusieurs fois de suite sur le déclencheur pour « assurer » la bonne photo. Une carte mémoire s'utilise pratiquement *ad vitam aeternam*, puisque vous la videz périodiquement après avoir transféré les photos dans le disque dur de l'ordinateur.

## Matériel, logiciels et imprimantes

En plus de l'appareil lui-même, la photographie numérique exige un certain nombre de périphériques et de logiciels. L'ordinateur doit être assez puissant pour visionner, archiver, éditer et imprimer les images. Sa mémoire vive (ou RAM) doit être d'au moins 2 Go (mais les ordinateurs actuels sont généralement fournis avec 4 Go de RAM, ce qui ne sert d'ailleurs pas forcément à grand-chose avec Windows en version 32 bits, car il n'est capable de gérer que 3 Go) et le disque dur de bonne capacité – 500 Go ou plus – afin de pouvoir y stocker les centaines, voire les milliers d'images que vous ferez. Prévoyez dans les 500 à 900 euros pour un tel équipement.

Tirer les images sur papier exige, bien évidemment, une imprimante couleur. On trouve aujourd'hui à partir d'une centaine d'euros, voire moins, des modèles à jet d'encre qui offrent une excellente qualité d'impression. Pour obtenir le meilleur résultat, il est indispensable d'utiliser du papier photo, plus cher que le papier ordinaire, mais qui vous permettra d'obtenir une qualité optimale. Beaucoup de fabricants d'imprimante utilisent pour leurs modèles grand public un moteur d'impression identique à celui du haut de gamme. C'est pourquoi vous pouvez obtenir d'excellents résultats même avec un investissement réduit. Les modèles plus onéreux offrent une vitesse d'impression plus élevée ainsi que des fonctionnalités supplémentaires, comme la mise en réseau, l'impression directe depuis une carte mémoire, un écran de contrôle à cristaux liquides intégré et l'impression en grand format.

Il ne faut pas négliger l'achat d'un logiciel de retouche, de périphériques de transfert et de stockage ainsi que des consommables (papiers spéciaux, piles…). Si vous êtes un fana de photo, vous achèterez sans doute des objectifs supplémentaires (si votre appareil accepte ce genre de fantaisie), des éclairages, un trépied et autres accessoires.

Eh oui, la photo numérique peut s'avérer onéreuse. Mais, dans le temps, ça l'était encore plus avec la photographie argentique. Tout compte fait, la photo numérique s'est imposée en raison de ses immenses avantages. Si tout cela vous fait réfléchir, découvrez aux Chapitres 3, 4 et 9 les différents éléments qui entrent en jeu, avec en prime quelques astuces pour arrondir votre budget.

2

# Un peu de technique

### *Dans ce chapitre :*

- Comment l'appareil numérique enregistre les images.
- Comment l'œil et l'appareil perçoivent les couleurs.
- La notion de pixel.
- Examiner les résolutions.
- Analyser la relation entre la résolution et la taille d'une image.
- Diaphragme, vitesse et autres paramètres d'exposition.
- Les modèles colorimétriques
- Plongée dans les profondeurs de bits d'une image numérique.

Vous ne deviendrez jamais un photographe numérique digne de ce nom sans un minimum de connaissances techniques. Mais pas de panique : vous trouverez dans ce chapitre tout ce qui concerne des notions aussi importantes que le diaphragme, la vitesse, la résolution, *etc.* Vous apprendrez aussi les caractéristiques fondamentales des objectifs photographiques et leurs contraintes.

## De l'œil à la mémoire de votre appareil photo

Dans un appareil photographique argentique, l'image est produite en laissant la lumière passer à travers un objectif qui la projette sur le film. Ce dernier est recouvert d'une émulsion chimique photosensible qui réagit à la lumière, produisant une image latente –

encore invisible – qui ne sera révélée que par un traitement chimique approprié.

Les appareils photo numériques se servent aussi de la lumière pour créer l'image. À la place du film se trouve une matrice de capteurs CCD (*Charge Coupled Device,* dispositif à transfert de charge) formée d'un réseau de composants électroniques sensibles à la lumière appelés « photosites ». Il existe aussi un autre type de capteurs plus évolués, appelés CMOS (*Complementary MetalOxide Semiconductor,* semi-conducteur à oxyde métallique complémentaire). La Figure 2.1 montre un capteur CMOS.

**Figure 2.1 :** Un capteur photo-sensible. Son rôle ? Remplacer la pellicule.

*Avec l'aimable autorisation de Eastman Kodak Company*

D'accord, pour être complet, il faudrait aussi parler de capteurs MOS, BSI-CMOS, 3MOS ou encore SuperCCD. Mais comme il s'agit essentiellement d'améliorations récentes, voire en devenir, des technologies CCD et CMOS, autant ne pas s'encombrer le cerveau avec tous ces nouveaux sigles.

Les capteurs CCD et CMOS diffèrent sensiblement, comme nous le verrons au Chapitre 3, même si leur rôle reste identique. Lorsqu'ils sont frappés par la lumière, ils convertissent les particules lumineuses en charges électriques. Le résultat est analysé, puis transféré sous forme d'un flux électrique dont les valeurs sont enregistrées dans un fichier informatique par le microprocesseur contenu dans l'appareil.

Les valeurs électriques converties en données numériques sont sauvegardées dans la mémoire de l'appareil photo. Cette dernière peut se présenter sous plusieurs formes : une mémoire interne fixe, une carte mémoire amovible, voire un disque enregistrable. Pour accéder en dehors de l'écran de l'appareil photo (ou du smartphone, le principe étant exactement le même) aux images ainsi stockées, vous devrez les transférer de l'appareil vers votre ordinateur, ou dans un disque dur multimédia permettant de les visionner sur un téléviseur ou les imprimer directement sans avoir besoin d'un ordinateur.

La plupart des appareils numériques peuvent être connectés directement un téléviseur, mais la lecture des images est généralement bien plus lente par cette méthode.

N'oubliez pas que ces explications vont à l'essentiel, justement pour éviter les malaises évoqués en préambule. On pourrait facilement écrire un chapitre entier sur les différents types de capteurs, mais ce serait affreusement technique. Ne pensez donc qu'à l'appareil photo que vous envisagez d'acheter. Les Chapitres 3, 4 et 8 présentent des aspects aussi importants que les puces, la mémoire et le transfert d'images, autrement plus utiles pour vous.

Voici tout de même un point important à mentionner : à nombre de pixels identique, plus le capteur est grand et meilleure est la qualité de l'image. Et plus l'appareil est cher... Mais nous y reviendrons dans le Chapitre 3.

# Les secrets de la couleur

Le terme « photographier » signifie, littéralement et étymologiquement, « écrire avec la lumière ». Mais comment l'appareil numérique fait-il pour analyser et restituer les couleurs du sujet photographié ? Le processus utilisé par ces appareils n'est pas très éloigné de celui de l'œil humain.

Pour comprendre comment un appareil numérique et vos yeux perçoivent les couleurs, vous devez savoir que la lumière peut être décomposée en trois composantes primaires : le rouge, le vert et le bleu (le fameux système RVB). Dans l'œil, la rétine est tapissée par divers récepteurs – les bâtonnets –, sensibles chacun à l'une de ces trois couleurs. Ils réagissent à la longueur d'onde émise par une couleur particulière. Le cerveau reçoit les informations émises par ces millions de récepteurs pour élaborer une représentation en couleur de la scène environnante.

Dans la mesure où cette opération est réalisée sans que nous ayons besoin d'en avoir conscience, elle n'est pas toujours bien comprise. Imaginez que vous soyez dans une pièce entièrement plongée dans le noir et que trois faisceaux lumineux, l'un rouge, l'autre bleu et le dernier vert se concentrent au même endroit sur un mur. La synthèse des trois faisceaux produit du blanc, comme le montre la Figure 2.2. Là où il n'y a pas de lumière, vous obtenez du noir.

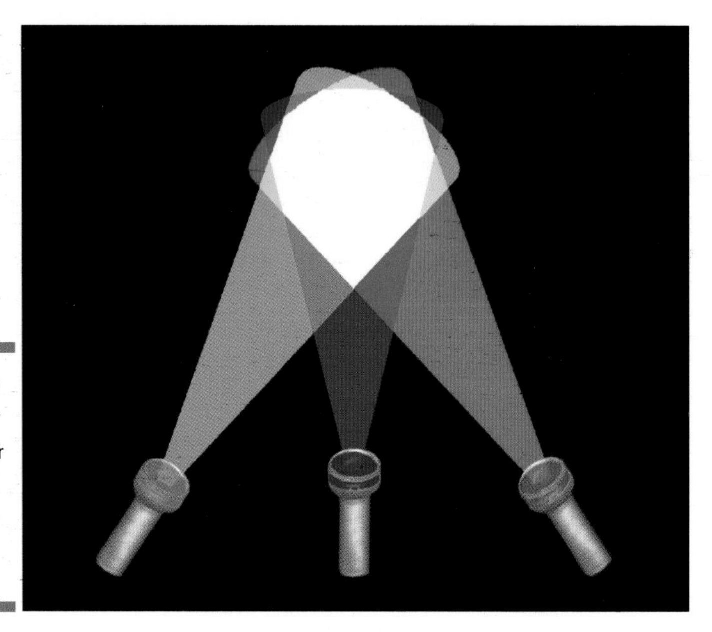

**Figure 2.2 :** Une image RVB est produite par la synthèse additive du rouge, du vert et du bleu.

Sur l'illustration, les projecteurs sont à pleine puissance. Dans les parties où seulement deux faisceaux se superposent, trois autres couleurs sont produites : du magenta, du cyan et du jaune. En faisant varier l'intensité de chacun des projecteurs, nous obtenons toutes les couleurs du spectre visible de la lumière.

À l'instar de l'œil, un appareil photo réagit à l'intensité de ces couleurs primaires, c'est-à-dire à la luminosité des composantes rouge, verte et bleue. En infographie, chacune de ces luminosités est représentée par un canal de couleur appelé *couche chromatique.* Ce sont les valeurs des pixels dans la couche Rouge, dans la couche Vert et dans la couche Bleu qui produisent, par synthèse, l'image en couleur finale.

Les images composées des trois couleurs primaires sont appelées *images RVB* (rouge, vert, bleu). Ce système colorimétrique est utilisé pour l'affichage des images sur un moniteur informatique, sur un téléviseur ou encore sur l'écran de votre téléphone portable.

Dans un logiciel de retouche sophistiqué, comme Adobe Photoshop, il est possible de visualiser et de travailler séparément sur chacune des couches de couleur primaire, et ceci indépendamment des autres. La Figure 2.3 montre une image décomposée en couches chromatiques Rouge, Vert et Bleu dans le programme Adobe Photoshop. Remarquez

**Figure 2.3 :** Une image RVB (en haut à droite) est composée de trois couches chromatiques, une par couleur primaire.

que chacune de ces couches est en niveaux de gris, car ce sont des luminosités qui sont représentées.

Dans chacune de ces couches, les parties claires indiquent une valeur de luminosité élevée. Par exemple, le ciel apparaît dans un gris léger dans la couche Bleu, mais gris foncé dans les couches Vert et Rouge. De même, les feuilles dans la suspension sont plus claires dans la couche Vert, ainsi que les fleurs dans la couche Rouge. Quant aux petits nuages, ils sont blancs dans toutes les couches chromatiques (signe de beau temps !). Plus la quantité de rouge, de vert et de bleu est élevée, et plus le résultat tend vers le blanc dans les couches chromatiques.

Il convient de préciser que toutes les images numériques ne sont pas constituées d'exactement trois composantes. Si vous convertissez une image RVB en niveaux de gris, par exemple, les trois couches seront fusionnées pour n'en former qu'une seule, appelée « couche composite ». De la même façon, vous pouvez changer le système colorimétrique RVB en *modèle de couleurs CMJN*. Il s'agit d'un système reposant, non plus sur trois couleurs de base, mais sur quatre (cyan, magenta, jaune, et noir). Il est essentiellement utilisé pour l'impression des images (voir « RVB, CMJN et compagnie », un peu plus loin dans ce chapitre).

Ne vous laissez pas impressionner par les modèles de couleurs. Tant que vous ne serez pas devenu un infographiste accompli, vous n'aurez pas besoin de ces notions. Je ne les ai mentionnées que pour information, mais aussi parce qu'avoir certaines notions sur la couleur et la luminosité ne peut être que très profitable à tout amateur de photographie.

# Les (bonnes) résolutions

L'un des facteurs clés pour la qualité de vos images repose sur la notion de *résolution*. La qualité mais aussi l'impact de vos images sur l'écran ou sur papier sera plus ou moins grande selon la résolution choisie.

Autrement dit, lisez attentivement cette section !

## Pixels : L'unité de base de l'image numérique

Avez-vous déjà vu le tableau *Un dimanche à La Grande Jatte* du peintre Georges Seurat ? Il fut l'inventeur d'une technique picturale appelée pointillisme, qui consiste à élaborer une peinture à partir d'une myriade de petits points colorés. Lorsque vous regardez une œuvre de ce genre à une distance respectable, le graphisme paraît uniforme, sans solution de continuité. Il faut s'en approcher pour apercevoir la multitude de points qui la composent.

Les images numériques fonctionnent sur un principe apparenté au pointillisme. Elles sont toutes composées de petits points disposés régulièrement les uns à côté des autres, les *pixels*. Ils représentent la plus petite unité graphique d'une image numérique.

À une échelle normale, il est difficile de discerner ces pixels. En revanche, si vous agrandissez une partie de l'image, vous les verrez de façon flagrante, comme l'illustre la Figure 2.4.

Chaque image numérique est représentée par un nombre précis de pixels. Nous y reviendrons au Chapitre 5. La plupart des appareils photo actuels en enregistrent entre 12 et 16 millions, plus d'une vingtaine de millions sur les appareils 24 × 36 professionnels, et jusqu'à 60 Mo pour le fabuleux Hasselblad H4D-60, un appareil moyen format utilisé en photo de mode et de publicité (sans même parler de l'Hasselblad H4D-200MS, qui atteint 200 Mo grâce à un système d'exposition multiple !).

Des graphistes utilisent l'expression « dimension en pixels » pour définir la taille (le nombre de pixels en largeur et en hauteur) d'une image. D'autres préfèrent le terme de « taille d'image ». Cela peut provoquer quelques confusions, car ce terme sert également à définir la taille physique (en centimètres ou en pouces) d'une image. Pour plus de clarté, j'utiliserai l'expression « dimension en pixels » pour spécifier le nombre de pixels d'une image, et « taille d'image » pour en définir les dimensions physiques.

**Figure 2.4 :** Agrandir une image révèle les pixels qui la composent.

Comme je le préciserai dans les sections qui suivent, le nombre de pixels affecte trois aspects importants d'une photo numérique :

- La taille maximale d'un tirage de bonne qualité.
- La taille d'affichage sur un écran informatique ou sur un téléviseur.
- L'encombrement du fichier d'image sur la carte mémoire ou le disque dur, exprimé en méga-octets.

# Résolution d'image et qualité d'impression

Avant d'imprimer une image, vous devez spécifier sa résolution d'impression dans le logiciel graphique, autrement dit le nombre de pixels par pouce (ppp) sur le tirage. La Figure 2.5 montre la boîte de dialogue

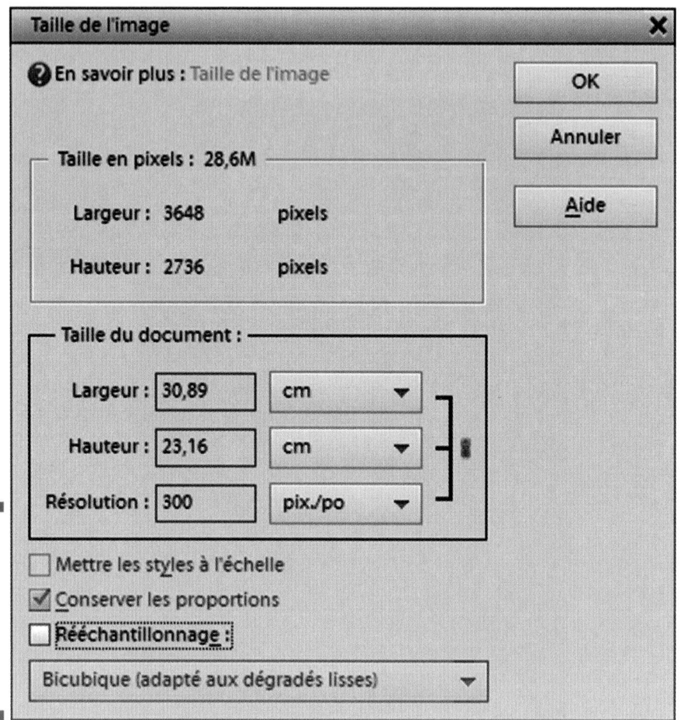


**Figure 2.5 :** La résolution joue un rôle prédominant sur la qualité de l'impression.

qui sert au réglage de la résolution dans Photoshop Elements, et c'est pareil chez son grand frère Adobe Photoshop (les détails se trouvent au Chapitre 5).

La *résolution* fait référence au nombre de pixels par pouce de votre image. Un pouce équivaut à 2,54 centimètres. Cette mesure anglo-saxonne est couramment employée pour l'impression. Plus la résolution est grande, autrement dit plus le nombre de points par pouce est élevé, plus l'image est précise et de meilleure qualité comme le montrent les Figures 2.6 à 2.8. La résolution de la première illustration est de 300 pixels par pouce (300 ppp), celle de la deuxième de 150 ppp, et celle de la troisième est de 75 ppp.

Notez que la résolution représente le nombre de pixels par pouce linéaire et non par pouce carré. Cela signifie qu'avec une image de 72 ppp, vous aurez 72 pixels disposés horizontalement sur une longueur d'un pouce, et 72 pixels disposés verticalement, soit 5625 pixels par pouce carré. Faites le calcul vous-même…

**300 ppp**

**Figure 2.6 :** Une résolution de 300 ppp produit une image précise et détaillée.

**150 ppp**

**Figure 2.7 :** À 150 ppp, la netteté est moindre et des détails disparaissent.

Pourquoi l'image de 75 ppp de la Figure 2.8 paraît-elle moins détaillée que l'image de 300 ppp, alors que leur taille physique est identique ? Tout simplement à cause de ses pixels : ils sont bien plus gros ! L'image à 75 ppp possède en fait quatre fois moins de pixels, tant horizontalement que verticalement, que son homologue à 300 ppp (300/75 = 4). Comme la surface imprimée est la même, il a fallu compenser le nombre de pixels perdus en augmentant leur taille. C'est pourquoi

**75 ppp**

Figure 2.8 : À 75 ppp, l'image imprimée est nettement dégradée.

l'image de 300 ppp, composée d'un plus grand nombre de points, est plus précise que ses consœurs. Logique, non ?

Examinez attentivement la bordure noire qui entoure chacune de ces trois images. Elle devient de plus en plus épaisse à mesure que le nombre de points par pouce diminue. À 150 ppp, la bordure est deux fois plus grosse qu'à 300 ppp, et quatre fois plus grosse à 75 ppp.

## Résolution d'image et qualité d'affichage à l'écran

L'affichage d'une image sur un écran souffre moins des problèmes de résolution que son impression. Cela tient au fait qu'un moniteur (c'est-à-dire un écran d'ordinateur) ne tient compte que de la dimension de l'image exprimée en pixels, et non pas de la quantité de pixels contenue dans un pouce. Autrement dit, le nombre de pixels contrôle la taille d'affichage d'une image sur un moniteur.

À l'instar des appareils photo numériques, les moniteurs informatiques (ou les téléviseurs numériques) utilisent des pixels pour représenter une image. Dans le système d'exploitation de votre machine, vous sélectionnez toujours une résolution d'écran, c'est-à-dire une dimension d'affichage des images sur le moniteur. Les résolutions communément rencontrées sont 1 024 x 768, 1 280 x 1 024, 1 440 x 900, 1 680 x 1 050, 1 920 x 1 080 (c'est le Full HD !), voire même parfois davantage. La plage des résolutions disponibles sur votre propre ordinateur dépend de la quantité de mémoire de votre carte graphique, du nombre de couleurs que vous souhaitez afficher simultanément et du type d'écran.

Lorsque vous affichez une image issue d'un appareil photo numérique, le moniteur ne se soucie pas de la résolution d'impression (ppp). Il alloue un pixel de l'écran à chaque pixel de l'image. En d'autres termes, si vos photographies ont une résolution de 800 x 600, elles occuperont un rectangle de la même taille à l'écran. La Figure 2.9 montre une photo affichée sur l'écran d'un ordinateur portable de 17 pouces de 1 440 x 1 050 pixels. Les dimensions de la photo du papillon sont de 800 x 600 pixels. C'est exactement la taille qu'elle occupe à l'écran.

**Figure 2.9 :** Une photo avec un petit nombre de pixels occupe néanmoins une bonne partie de l'écran.

Ceci est intéressant pour les photographes ne disposant que d'un budget très restreint, qui ne peuvent s'offrir qu'un vieil appareil d'occasion à trois sous. Même en basse résolution, leurs photos couvrent une partie significative du moniteur. La qualité de la photo n'est en rien altérée. Seule sa taille à l'écran varie.

## Pixels et taille de fichier

Chaque pixel d'une image contribue à augmenter sa taille. Par exemple et à titre comparatif, la photo des pièces de monnaie, sur la Figure 2.6, fait 1 110 pixels de large sur 725 pixels de haut, soit un total de 804 750 pixels. Ce fichier occupe environ 3,2 méga-octets sur le disque dur. En revanche, la photo de la Figure 2.8 mesure 278 pixels sur 181, soit 50 318 pixels en tout, et n'occupe que 153 kg-octets.

Pour ne pas surcharger l'ordinateur – ni mettre la patience des internautes à rude épreuve, sur le Web –, vos images doivent être d'une taille raisonnable. Le nombre de pixels doit toujours être approprié au périphérique de sortie, écran ou imprimante ou au taux de transfert d'une connexion Internet, et rien de plus. Vous trouverez les détails de la préparation des images pour l'impression au Chapitre 9, et celle de la préparation pour l'affichage à l'écran au Chapitre 10.

Gardez aussi à l'esprit le fait qu'une image en couleur est plus volumineuse qu'une image en niveaux de gris. Une photo en couleur nécessite en effet trois couches chromatiques (rouge, vert et bleu) alors que la photo en niveaux de gris n'en a qu'une seule. Par exemple, les dimensions des deux photos de la Figure 2.10 sont identiques : 750 x 940 pixels. Mais celle en couleur occupe 2,1 méga-octets tandis que celle en niveaux de gris n'occupe que 714 kg-octets, soit le tiers seulement.

2,1 Mo

714 Ko

**Figure 2.10 :** L'encombrement d'un fichier d'image en couleur est plus élevé que celui d'un fichier d'image en couleur.

## Combien de pixels faut-il ?

Puisque les imprimantes et les écrans considèrent les pixels de façon différente, les besoins varient en fonction de la destination finale de l'image.

- **Affichage à l'écran :** si vous comptez utiliser la photo sur le Web, dans une présentation multimédia ou tout autre usage à l'écran, peu de pixels suffisent. Comme nous l'avons vu précédemment, il suffit que l'image couvre la surface qui lui est réservée. Dans la majorité des cas, 800 x 600 (voire 640 x 480) pixels sont largement suffisants et, pour quelques projets, vous pouvez même diviser cette résolution par deux. Pour une visualisation sur un écran Full HD, la taille d'image optimale est de 1920 x 1080 pixels, soit une résolution de 2 Méga pixels, et c'est tout ! Les écrans du futur (dits 4K) auront une résolution de 3840 x 2160, soit « seulement » 8 Mo ! Et vos enfants connaîtront le *8K* (7680 x 4320 pixels), soit 32 Mo, mais il faudra casser un peu plus que sa tirelire pour s'offrir ces bijoux de technologie...

- **Impression :** si vos photos sont destinées à être sorties sur des imprimantes à jet d'encre, à sublimation thermique ou à laser, il est préférable de travailler avec des résolutions plus importantes, de l'ordre de 200 à 300 ppp. Ce chiffre varie selon l'imprimante. Certaines se contentent de moins de pixels, d'autres – comme des modèles fabriqués par Epson – peuvent exiger 360 ppp. Reportez-vous au manuel de votre imprimante, et aussi au Chapitre 9 où vous en apprendrez plus sur l'impression.

- Pour déterminer le nombre de pixels requis, multipliez la taille d'impression par la résolution désirée. Par exemple, pour obtenir un tirage en 10 x 15 cm, soit 4 x 6 pouces, à 300 ppp, il faut au moins 1200 x 1800 pixels. Les matheux trouveront leur bonheur au Chapitre 5.

Comme j'ai longuement insisté sur le fait que plus de pixels signifie une meilleure impression, vous serez tenté de penser qu'une résolution de 400 ppp ou plus est sans doute meilleure qu'une résolution de 300 ppp. Ce n'est pas le cas. Les imprimantes sont conçues pour sortir des images à une certaine résolution. Si vous leur confiez des images dont la résolution est plus (et donc trop) élevée, elles ignoreront ou élimineront les pixels excédentaires.

Certains appareils haut de gamme permettent d'enregistrer deux versions de chaque image, l'une pour l'impression, l'autre pour l'affichage à l'écran. Si votre appareil ne possède pas cette fonction et que vous ne savez pas, *a priori,* comment vous utiliserez vos photos, faites comme si elles devaient être imprimées. Si par la suite vous désirez utiliser des photos sur le Web, vous pourrez toujours en réduire la résolution en supprimant des pixels. L'inverse est plus problématique : l'ajout de pixels ne donne pas de bons résultats.

## Plus de pixels produit des fichiers plus volumineux

Bon nombre de logiciels de retouche permettent d'ajouter ou d'ôter des pixels d'une photo. Ce procédé est appelé *rééchantillonnage.* L'ajout de pixels paraît simple. Le problème est que, pour définir leur couleur, le programme se contente d'effectuer une moyenne plus ou moins sophistiquée des pixels environnants. Or, même avec un logiciel haut de gamme, le résultat de cette opération n'est pas acquis d'avance, comme le révèle la Figure 2.11.

75 ppp rééchantillonné à 300 ppp

**Figure 2.11 :** Voici le résultat du rééchantillonnage de la photo à 75 ppp de la Figure 2.8 en photo à 300 ppp.

Pour obtenir cette figure, j'ai ouvert la photo de la Figure 2.8, à 75 ppp, dans Adobe Photoshop, l'un des meilleurs logiciels de retouche. Comparez le résultat avec la version en basse résolution, et vous constaterez qu'il n'est pas fameux.

Certaines images supportent parfaitement une faible augmentation de l'échantillonnage, de l'ordre de 10 à 15 %. Mais avec d'autres, une dégradation sera perceptible même lors d'une opération apparemment minime. Les images comportant des aplats résistent mieux que celles comportant beaucoup de détails. Reportez-vous au Chapitre 9 pour savoir comment procéder au moment de l'impression.

Si l'image contient trop de pixels, ce qui est fréquemment le cas de celles qui sont destinées au Web, ou même à un affichage sur un téléviseur, vous pouvez sans problème réduire l'échantillonnage. Sachez cependant que chaque pixel éliminé est une information en moins et qu'à la longue, l'image en souffrira. Essayez de ne pas rééchantillonner en réduction à plus de 25 % et conservez toujours une copie de sauvegarde de la photo, au cas où…

La procédure à suivre pour augmenter la quantité de pixels des images à imprimer est décrite au Chapitre 9, et la réduction du nombre de pixels des photos à afficher à l'écran est décrite au Chapitre 10.

## Quelques précisions complémentaires sur la résolution

La résolution n'est pas uniquement liée à la taille d'une image ou au nombre de pixels qu'elle contient. Ce terme est également employé pour décrire les possibilités graphiques de nombreux périphériques informatiques : appareils photo numériques, moniteurs, imprimantes... Aussi, lorsque vous entendez le mot *résolution*, gardez en mémoire ce qui suit :

- **Résolution de l'appareil :** les appareils photo numériques utilisent très souvent le terme de « résolution » pour décrire le nombre de pixels des images qu'ils génèrent. Par exemple, on parlera d'une résolution de 1 920 x 1080 pixels, ou encore d'une résolution de 12 millions de pixels. Dans un tel cas, le mot « résolution » ne décrit plus le nombre de pixels par pouce, mais les dimensions en pixels de l'image. Vous pouvez déterminer cette valeur dans le logiciel de retouche, comme nous le verrons au Chapitre 9. Bien sûr, il est toujours possible de se baser sur le nombre de pixels de l'appareil pour obtenir la résolution finale. Reportez-vous pour cela à la section précédente, « Combien de pixels suffisent ? »

- **Résolution d'écran :** les fabricants de moniteurs parlent aussi de résolution. Ainsi, il sera plutôt question de résolutions d'affichage ou d'écran, de 640 x 480 (VGA), 800 x 600 (SVGA), 1 024 x 768 (XGA), 1 280 x 1 024 (SXGA), 1 440 x 900 et 1 650 x 1 050 (tous deux WSXGA), Full HD (1 920 x 1 080) et ainsi de suite. Tout est alors fonction des capacités du moniteur et de la carte graphique. Comme pour les dimensions d'une photographie prise à l'aide d'un appareil numérique, la résolution décrit ici le nombre de pixels horizontaux et verticaux pouvant être affichés conjointement.

  Reportez-vous au Chapitre 10 pour plus de détails sur la relation entre résolution de l'écran et résolution de l'image.

- **Résolution de l'imprimante :** elle n'est pas exprimée en pixels, mais en *points par pouce* (*ppp*). Le terme anglais *dpi* (*dots per inch*) est fréquemment utilisé car il permet de différencier les pixels par pouce (ppp) des points par pouce (ppp aussi). C'est pourquoi, dans le restant de ce livre, nous parlerons de *dpi* pour la résolution d'impression. Plus cette valeur de dpi est élevée, plus les points sont petits et meilleure est la qualité d'impression. Ne croyez pas pour autant qu'un matériel offrant un nombre de dpi très élevé sera plus performant qu'un autre. Les nombreux modèles d'imprimantes disposent de technologies d'impression très différentes, faisant ainsi varier considérablement la qualité de chaque dispositif. Une imprimante à 300 dpi peut donc donner de meilleurs résultats qu'une imprimante à 600 dpi.

- Nombreux sont ceux – fabricants d'imprimantes et programmeurs de logiciels – qui affirment que les dpi et les ppp (pixels par pouce) sont équivalents. La vérité est que les points par pouce ne sont absolument pas des pixels par pouce. Il convient donc de ne pas les confondre. La mesure *ppp* est employée pour la quantité de pixels d'une image, tandis que les *dpi* font référence aux points utilisés par une imprimante afin de représenter ces pixels. C'est d'ailleurs pourquoi la taille n'est pas identique entre une image affichée à l'écran et la même image imprimée sur papier.

## Aide-mémoire sur la résolution

Tout ça vous paraît affreusement compliqué ? Pour vous aider, voici quelques points importants qui résument l'ensemble du contenu des sections précédentes :

- **Nombre de pixels d'un côté de l'image divisé par la taille de ce côté de l'image imprimée, en pouce = résolution d'image (ppp).** Exemple : 1 200 pixels divisés par 4 pouces (10,16 cm) = 300 ppp.
- **Pour une bonne qualité d'impression, efforcez-vous de choisir une résolution de 200 à 300 ppp.** Le Chapitre 9 fournit tous les renseignements utiles.
- **Pour un affichage à l'écran, pensez en termes de pixels, et non de résolution de sortie.** Reportez-vous au Chapitre 10 pour les détails.
- **Agrandir une image risque de dégrader sa qualité.** Quand vous agrandissez une image, deux événements peuvent survenir. Soit les pixels sont eux-mêmes agrandis de manière à atteindre le format défini, soit le programme crée de nouveaux pixels pour remplir les nouvelles limites de la photographie. Dans ce dernier cas, il s'ensuit généralement un effet de moirage ou de flou sur l'ensemble de l'image.
- **Pour augmenter en toute sécurité la résolution de sortie d'une image, réduisez sa taille d'impression.** Je le répète, l'ajout de pixels pour augmenter la résolution de sortie ne donne jamais de bons résultats. Il est préférable de conserver le nombre de

pixels existants et de réduire les dimensions d'impression de l'image. Le Chapitre 9 donne toutes les explications nécessaires au redimensionnement des images par cette méthode.

- **Dans la plupart des cas, prenez les photos à la taille maximale permise par l'appareil.** Vous pourrez toujours éliminer des pixels par la suite pour obtenir une image à plus faible résolution, alors que l'ajout de pixels la dégrade inévitablement. Si aujourd'hui vous avez besoin d'une photo pour le Web, gardez à l'esprit que plus tard, vous aurez peut-être à imprimer cette même photo. Il vaut mieux, pour cela, disposer d'un original en haute résolution.
- **Plus de pixels alourdit le fichier.** Même si vous disposez de disques durs de très grande capacité, vous devez penser à la taille des fichiers pour deux raisons :
  - Dans l'ordinateur, les images volumineuses nécessitent énormément de mémoire vive (RAM), d'où un ralentissement du logiciel de retouche.
  - Sur une page Web, une image volumineuse est plus longue à télécharger (d'accord, en haut débit, cela n'est pas tellement un problème).

## Lumière, objectif et exposition

La luminosité d'une image dépend de son exposition, autrement dit de la quantité de lumière qui frappe la surface photosensible, quelle que soit la nature de celle-ci. Plus elle est importante, plus l'image sera claire. Trop de lumière produit une *surexposition,* avec des couleurs délavées. Un manque de lumière produit une *sous-exposition*. La photo est alors trop sombre.

La plupart des appareils numériques, à l'image de certains modèles d'appareils compacts bas de gamme, n'autorisent qu'un contrôle très limité de l'exposition. Celle-ci est le plus souvent réglée automatiquement, pour une plus grande facilité d'utilisation. Seuls les appareils plus haut de gamme permettent d'effectuer manuellement tous ces réglages.

De nombreux paramètres déterminent l'exposition d'une prise de vue : l'ouverture du diaphragme, la vitesse d'obturation, ou encore la sensibilité ISO de la « pellicule ». En jouant sur ces facteurs, vous pourrez évaluer les limites de votre matériel.

## Ouverture du diaphragme, vitesse d'obturation : La manière traditionnelle

Avant d'examiner le fonctionnement d'un appareil numérique lors de la prise de vue, il faut d'abord comprendre celui d'un appareil traditionnel équipé d'un film tout aussi classique. Tous les appareils numériques ne disposent pas des mêmes options que leurs prédécesseurs, et la plupart restent plus limités quant aux contrôles de prise de vue.

La Figure 2.12 montre de manière simplifiée le schéma d'un appareil photo argentique. Même si les éléments peuvent varier d'un modèle à l'autre, on y retrouve l'ensemble des caractéristiques habituelles, notamment l'obturateur placé tout près du plan du film (la pellicule) et l'objectif, qui transmet la lumière. Lorsque l'appareil n'est pas utilisé, l'obturateur est fermé afin de protéger le film de toute exposition. Quand vous prenez une photo, l'obturateur s'ouvre durant un bref instant afin de laisser la lumière impressionner le film.

Vous pouvez contrôler de deux manières la quantité de lumière dont dépendra la prise de vue : en réglant la durée de l'exposition, ou en modifiant l'ouverture du diaphragme. Comme le révèle la Figure 2.12, le *diaphragme* est un mécanisme à lamelles mobiles situé à l'intérieur de l'objectif. La lumière est dosée par ce diaphragme avant de parvenir sur le film. Pour augmenter la quantité de lumière transmise à travers l'objectif, vous devez ouvrir davantage le diaphragme. Si vous voulez moins de lumière, il faudra au contraire le fermer.

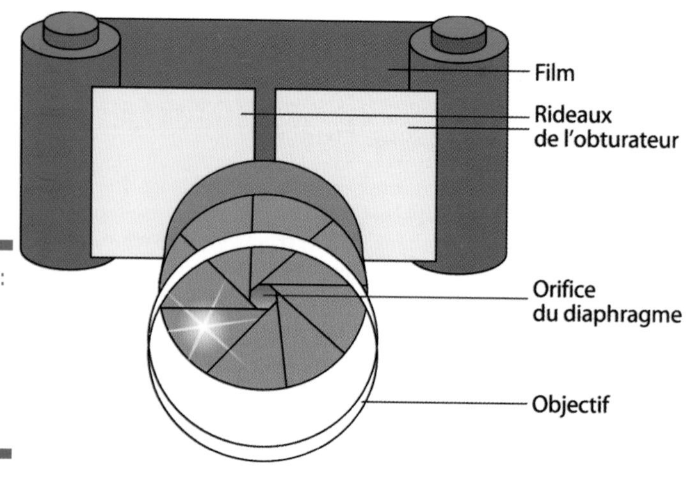


**Figure 2.12 :** Principaux éléments entrant en compte lors d'une prise de vue.

La taille de l'ouverture est définie par la lettre *f* suivie d'une valeur plus ou moins grande selon le diamètre de l'orifice. Les valeurs d'ouverture suivent une progression arithmétique : f/1.4, f/2.8, f/4, f/5.6, f/8, f/11, f/16 et f/22.

Pour les matheux, les chiffres du diaphragme sont le produit de la longueur focale divisée par le diamètre de l'orifice. De ce fait, lorsqu'un objectif de 50 mm est réglé de manière à ce que le diamètre de l'orifice soit de 12,5 mm, la valeur du diaphragme est f/4. Un petit calcul mental vous apprendra que lorsque cet objectif est réglé à f/8, le diamètre de l'orifice est de 6,25 mm.

Plus la valeur du diaphragme est élevée, plus son ouverture est petite. Chaque nombre représente une ouverture du double, en termes de surface de l'orifice, de la précédente. Par exemple, un appareil transmettra deux fois moins de lumière avec une ouverture de f/16 qu'à f/11. Pour vous faire une idée plus précise de ce principe, jetez donc un œil à la Figure 2.13.

La vitesse d'obturation est mesurée en fractions de seconde. Une vitesse de 1/60$^{e}$ signifie, par exemple, que la surface sensible reçoit de la lumière pendant un soixantième de seconde. C'est une vitesse relativement lente. Pour figer un mouvement rapide, il faut travailler au moins au 1/500$^{e}$.

Sur les appareils permettant le contrôle de la vitesse d'obturation *et* l'ouverture du diaphragme, vous devez régler conjointement ces deux paramètres pour doser correctement la lumière. Par exemple, si vous faites des prises de vue d'un sujet en mouvement et en plein jour, disons d'un coureur de 100 mètres au cours d'une compétition diurne, vous pouvez combiner une vitesse rapide avec une ouverture réduite. Pour photographier la même image, mais à la tombée de la nuit, vous devrez utiliser une ouverture beaucoup plus importante pour la même vitesse d'obturation.

## Ouverture du diaphragme, vitesse d'obturation : La manière numérique

Comme sur une pellicule, l'exposition d'une image numérique est déterminée par la quantité de lumière transmise par l'objectif. Mais la plupart des appareils d'entrée de gamme ne disposent pas de réglages de la vitesse ou du diaphragme. Les capteurs photosensibles qui fixent l'image se contentent de récupérer la lumière pendant un certain laps de temps, temps qui peut être réglé automatiquement ou manuellement.

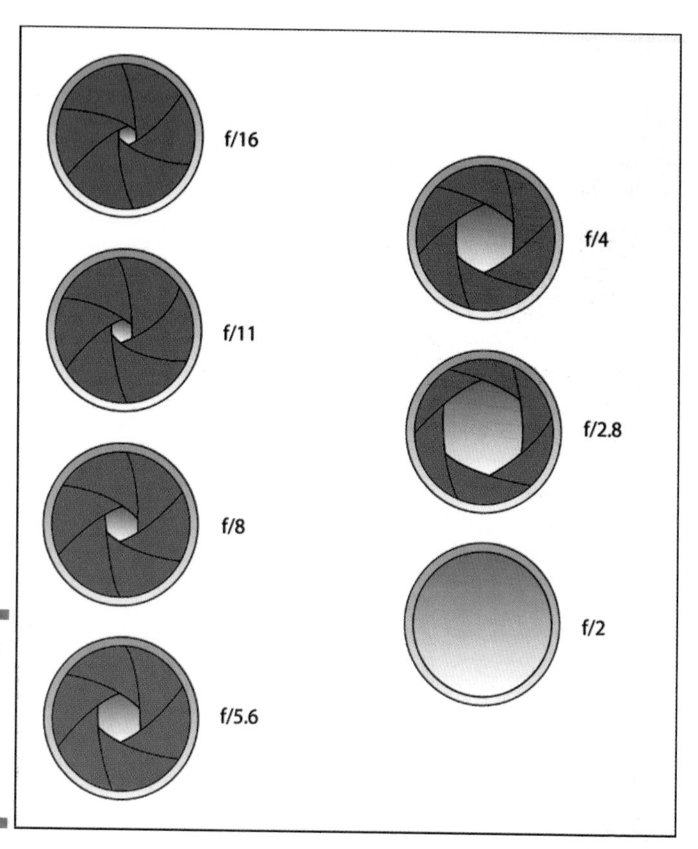


Figure 2.13 : Plus la valeur de diaphragme est élevée, plus l'orifice est petit.

Les appareils permettant de régler la durée d'exposition proposent des options sous forme d'icônes qu'il est possible de sélectionner dans un menu. La durée est prédéfinie à la manière des réglages d'ouverture du diaphragme d'un appareil traditionnel.

D'autres paramètres interviennent en plus du temps d'exposition, notamment la sensibilité du capteur, comme l'explique la section suivante.

## Un mot sur la profondeur de bits

Un bit est une unité informatique élémentaire valant 0 ou 1. La profondeur de bits est le nombre de bits utilisé pour coder une couleur. Plus il est élevé, plus le nombre de couleurs de l'image est élevé.

Creusons-nous un peu la tête. Un seul bit autorise la représentation de deux couleurs, du noir et blanc, selon que le bit est à 0 (éteint) ou à 1 (allumé). Deux bits autorisent quatre couleurs : 00 (zéro-zéro) pour le noir, 01 (zéro-un) pour du gris foncé, 10 (un-zéro) pour un gris clair et 11 (un-un) pour du blanc. Quatre bits (0000) permettent d'afficher 16 combinaisons, soit autant de couleurs. Remarquez que le nombre produit par les bits est une puissance de deux soit, dans ces exemples, 21, 22 et 24. Un codage sur 24 bits, soit 224, permet d'enregistrer 16 777 216 couleurs.

La profondeur de bits se rapporte soit à l'image elle-même, soit au nombre de bits par couches. Par exemple, une image RVB standard est codée sur 8 bits (autrement dit, 256 niveaux de coloration possibles) pour chacune des trois couches Rouge, Vert et Bleu, soit effectivement un total de 24 bits. Adobe Photoshop est même capable de travailler sur des fichiers de 16 ou 32 bits par couche.

Le codage sur 24 bits, qui produit 16,7 millions (et quelques) de couleurs, est plus que suffisant pour l'amateur. Quel est l'avantage d'une profondeur de bits plus élevée ? Pour les professionnels qui corrigent ou retouchent finement les photos, un codage sur 16 bits par couche évite l'apparition d'un effet de bande ou d'une isohélie (disons d'une réduction du nombre de valeurs pour chaque couche) susceptibles de compromettre le modelé d'une image ou un dégradé très délicat. Théoriquement, plus la profondeur de bits des couches est élevée, mieux la photo s'accommode des retouches.

Cela dit, travailler sur 16 bits par couche RVB (48 bits en tout) ne garantit en rien qu'aucun défaut n'apparaîtra. Ces images présentent aussi quelques inconvénients : leurs fichiers sont très volumineux, beaucoup de logiciels de retouche sont incapables de l'ouvrir ou alors, s'ils y parviennent, toutes les commandes et filtres ne sont pas utilisables.

Pour ma part, je m'en tiens aux images 24 bits sauf si je photographie sous des éclairages délicats, auquel cas j'opte pour le codage sur 48 bits. Dans le logiciel de retouche, je procède aux corrections d'exposition ou de couleur qui m'apparaissent nécessaires, puis je convertis l'image en 24 bits afin de bénéficier de tous les outils d'édition. Pour réaliser cette conversion dans Photoshop Elements, choisissez Image > Mode > 8bits/couche.

## La sensibilité ISO

La sensibilité d'une pellicule est caractérisée par une valeur exprimée en ISO, une unité sensitométrique internationalement reconnue. Les valeurs les plus courantes sont 100, 200 ou 400 ISO. Plus le chiffre est élevé, plus la pellicule est sensible ou, si vous préférez, rapide, permettant de photographier même si la lumière ambiante est faible. L'inconvénient d'un film de haute sensibilité est son *grain* : les fines particules d'halogénure d'argent qui réagissent à la lumière deviennent visibles à l'œil nu. En photo numérique, l'équivalent du grain est le *bruit*. C'est le nom donné aux pixels colorés, généralement bleutés ou verdâtres, qui apparaissent dans les parties les plus sombres de l'image et produisent une désagréable impression de salissure.

Beaucoup d'appareils numériques affichent la sensibilité nominale du capteur photosensible, qui est généralement de 80 ou 100 ISO. Ils nécessitent donc une bonne quantité de lumière.

Les appareils photo numériques moyen ou haut de gamme permettent de sélectionner différentes sensibilités ISO. Cependant, cette correspondance n'est pas l'équivalent de l'ISO argentique, en ce sens que ce n'est pas le capteur qui est plus ou moins sensible. Lorsque vous augmentez la sensibilité ISO d'un appareil numérique, il ne fait qu'amplifier le signal électrique produit par le capteur. Le revers de ce procédé est une augmentation sensible du bruit électronique susceptible de parasiter l'image. Le Chapitre 6 traite en détail des problèmes d'exposition.

## RVB, CMJN et compagnie

Si vous avez lu la section « Les secrets de la couleur », plus haut dans ce chapitre, vous savez que les appareils photo, les smartphones, les scanners, les moniteurs et les téléviseurs utilisent un codage RVB pour l'affichage des images en mélangeant le rouge, le vert, et le bleu.

En informatique, le système RVB n'est pas le seul prétendant au codage des couleurs de vos images. Il existe une multitude de modèles colorimétriques qu'il est bon de connaître (ne fut-ce que pour votre culture générale). Pour vous aider dans cette démarche, passons en revue les principaux :

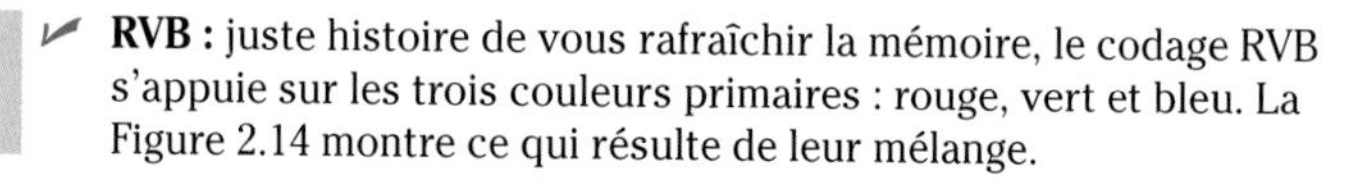

- **RVB :** juste histoire de vous rafraîchir la mémoire, le codage RVB s'appuie sur les trois couleurs primaires : rouge, vert et bleu. La Figure 2.14 montre ce qui résulte de leur mélange.

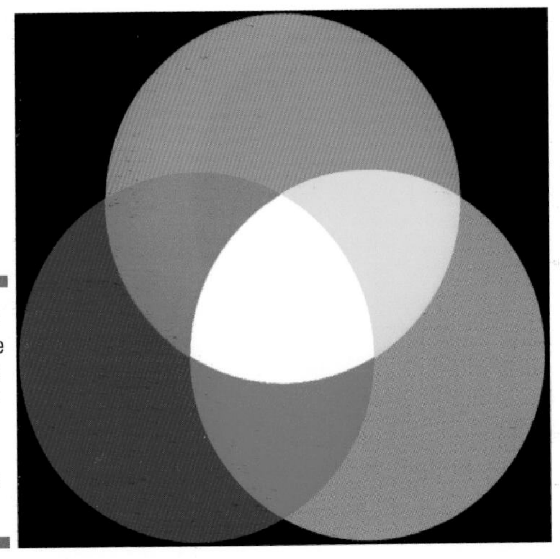

**Figure 2.14 :** Le modèle de couleur RVB est basé sur la synthèse du rouge, du vert et du bleu.

- **sRVB :** c'est une variante du modèle RVB qui offre une gamme de teintes plus restreinte. La raison de son apparition vient de la volonté de réduire les différences chromatiques entre les documents affichés et leur équivalent imprimé. Les images RVB peuvent contenir beaucoup plus de couleurs qu'une imprimante ne peut en produire. En réduisant la palette RVB, il est possible d'obtenir des résultats plus cohérents entre l'affichage à l'écran et l'impression sur papier. Le modèle sRVB permet aussi de définir les couleurs de telle manière que, sur le Web, elles soient identiques d'un moniteur à un autre.

  Le modèle de couleur sRVB est sujet à controverse. Beaucoup de puristes n'en veulent pas. Pour d'autres, il est la nécessaire solution aux problèmes de concordance de couleurs. Si votre appareil permet de choisir entre un mode RVB ou sRVB, je vous recommande d'opter pour le RVB afin de bénéficier d'une plus vaste palette de couleurs. Pour la même raison, je vous conseille d'effectuer le même choix dans le logiciel de retouche. Vous pourrez toujours créer une version sRVB de vos images ultérieurement, si vous en avez besoin pour le Web. Si vous rencontrez des problèmes de fidélité des couleurs, reportez-vous au Chapitre 9 pour trouver quelques solutions envisageables.

- **CMJN :** les imprimantes et les documents imprimés utilisent le modèle de couleur CMJN, basé sur trois couleurs primaires (celles de la peinture cette fois), le bleu cyan, le magenta, le jaune (voir Figure 2.15) auxquelles s'ajoute du noir. Contrairement au système RVB, ce modèle repose sur la *synthèse sous-*

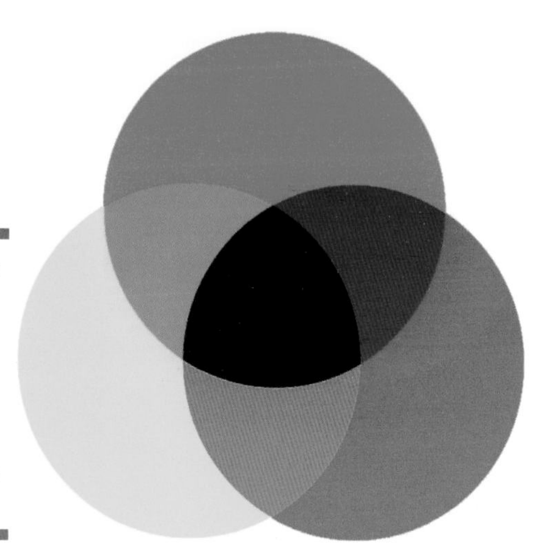

**Figure 2.15 :** Le modèle de couleur CMJN est basé sur un mélange d'encres cyan, magenta, jaune et noire.

*tractive,* dans laquelle le mélange des trois couleurs de base (le cyan, le magenta et le jaune) produit du noir. Pourquoi du noir est-il ajouté au modèle? Simplement parce que la combinaison des pigments cyan, magenta et jaune d'une imprimante CMJN ne produit jamais un noir parfait. L'ajout d'une encre supplémentaire permet d'améliorer le rendu des tirages.

- L'état naturel d'un écran, quand il n'est pas illuminé, c'est le noir. Partant de ce noir, on superpose, ou additionne, le rouge, le vert et le bleu pour obtenir du blanc. C'est la *synthèse additive.* À l'inverse, le papier sur lequel on imprime est blanc. Pour obtenir du noir, il faut en quelque sorte retirer de la couleur, plus précisément ce qui est complémentaire du rouge, du vert et du bleu, autrement dit le cyan, le jaune et le magenta. C'est la *synthèse soustractive.*

- Un détail important : les couleurs du modèle RVB de la Figure 2.14 et celles du modèle CMJN de la Figure 2.15 paraissent identiques. Mais, dans la réalité, les couleurs RVB sont beaucoup plus vives. En fait, l'illustration du mode RVB est restituée sur papier en CMJN, ce qui est en quelque sorte aberrant. À vrai dire, ce n'est qu'à l'écran que le RVB apparaît dans toute sa splendeur. Pour en savoir plus à ce sujet, reportez-vous au Chapitre 9.

- **Niveau de gris :** une image en niveaux de gris ne comporte que du noir, des nuances de gris et du blanc. C'est ce que l'on appelle en photo une *image en noir et blanc.* Un document composé uniquement de noir et de blanc, sans nuances intermédiaires, est appelé « dessin au trait ».

- De nombreux modèles d'appareils photo numériques permettent de photographier en niveaux de gris ou encore en sépia, mais il est préférable d'effectuer ces manipulations après coup, dans un logiciel graphique. Une photo en couleur peut en effet être convertie en niveaux de gris à tout moment, mais l'inverse n'est pas vrai.

- **CIE Lab, TSL :** ces appellations se rapportent à deux modèles colorimétriques, mais tant que vous ne serez pas devenu un surdoué de la retouche d'image, vous n'en aurez pas vraiment l'utilité (d'ailleurs, ils ne sont pas proposés par Photoshop Elements). Le modèle *CIE Lab* définit les couleurs à partir de trois couches chromatiques. Une couche contient les valeurs de luminosité, tandis que les deux autres, appelées *a* et *b,* définissent les couleurs. Le modèle TSL code les couleurs selon la teinte (la couleur), la saturation (pureté et intensité des couleurs) et la luminosité.

  Ces options colorimétriques ne vous intéresseront qu'au moment où vous aurez à éditer vos images dans un logiciel de retouche professionnel comme Adobe Photoshop. Dans Photoshop Elements (ou autre), vous ne serez amené que très rarement à sélectionner un modèle colorimétrique. Le choix ne sera pas difficile car ce logiciel n'en propose que deux : RVB et sRVB, les deux premiers de la liste ci-dessus. Pour en sélectionner un, choisissez Image > Convertir le profil de couleur, puis sélectionnez Conversion en profil sRVB ou Conversion en profil Adobe RVB.

3

# Connaître le matériel

*Dans ce chapitre :*

- Déterminer le nombre de mégapixels indispensable.
- Déterminer les fonctions dont vous avez besoin.
- Comprendre l'objectif et le flash.
- Appareils reflex, compacts et autres.
- Quelques questions fondamentales avant d'acheter.

Dès la mise sur le marché des premiers modèles d'appareils numériques à prix raisonnable, de nombreuses entreprises se sont mises sur les rangs. On compte parmi elles Canon, Kodak, Fuji, Leica, Nikon, Olympus et parmi celles issues de l'électronique et de l'informatique : Casio, Panasonic, Ricoh, Samsung, Sony et d'autres. Toutes fabriquent à présent des appareils photo numériques.

Cette concurrence est la fois une bonne et une mauvaise chose. Davantage de concurrence signifie de meilleurs produits, un plus vaste choix et des prix plus bas. En revanche, la diversité qui en résulte complique le choix de l'appareil qui vous convient. Les fabricants ont élaboré différentes stratégies pour gagner le cœur des consommateurs, et faire le tri des options proposées est un véritable casse-tête.

Ne comptez pas sur moi pour vous indiquer exactement le modèle qu'il vous faut, ou encore combien vous allez devoir débourser. Le choix final est extrêmement personnel et aucun appareil ne répond à tous les besoins. Celui qui convient à quelqu'un ne plaira pas forcément à autrui. Vous opterez peut-être pour un modèle équipé de nombreuses commandes alors que votre voisin préférera un modèle plus bas de gamme peut-être, mais sans complications.

Même s'il m'est impossible de vous diriger vers tel ou tel appareil, je peux vous aider à déterminer les fonctionnalités qui vous seront vraiment utiles. Vous trouverez aussi dans ce chapitre une liste de questions à vous poser pour comparer les différents modèles.

# Mac ou PC, lequel choisir ?

Ce n'est plus une question cruciale car les appareils photo numériques d'aujourd'hui fonctionnent normalement aussi bien dans un environnement Windows que dans un environnement Mac OS. Par « fonctionner », je veux dire qu'il vous sera possible de transférer les photos vers l'ordinateur à l'aide d'un câble, voire d'une liaison sans fil. Bien sûr, si les photos sont stockées dans une mémoire amovible, vous pourrez acheter un lecteur de cartes qui élimine l'obligation de brancher l'appareil directement à l'ordinateur. De nombreux PC sont équipés en standard de ces lecteurs. Nous en reparlerons dans la section « Les types de mémoire ».

Vous n'aurez pas à vous soucier de savoir si votre ami équipé d'un Mac pourra ouvrir vos photos provenant d'un PC, ou inversement. Les formats d'image sont en effet compatibles avec n'importe lequel de ces ordinateurs. Il existe des logiciels graphiques pour PC et pour Mac, bien que sur ce dernier, la gamme soit peu plus restreinte. Reportez-vous au Chapitre 4 pour trouver des conseils sur le choix d'un logiciel.

# À propos de la qualité d'image

Comme pour n'importe quel appareil photo, la qualité de l'objectif, la précision de la mise au point et du système d'exposition jouent un rôle décisif. À cela s'ajoutent trois paramètres numériques : la résolution (nombre de pixels), le format de fichier et la sensibilité ISO.

Les deux prochaines sections prodiguent des conseils pour choisir un appareil offrant la résolution et les formats de fichier appropriés au type de photographie que vous désirez prendre. La section « L'exposition exposée », plus loin dans ce chapitre, aborde la notion de sensibilité ISO.

Notez que sur de nombreux appareils, la résolution et le format de fichier sont choisis par une même commande ayant pour nom « Bon, Mieux, Maximum », ou « Fine, Basic, Normal ». Les appareils équipés de commandes séparées pour la résolution et le format offrent bien sûr plus de souplesse, mais elles ne sont pas indispensables pour l'utilisateur occasionnel.

# Quelle résolution adopter ?

Le Chapitre 2 explique la notion de résolution. Elle repose sur le nombre de pixels que l'appareil peut enregistrer. Les pixels sont de minuscules carrés colorés formant l'image numérique.

Le terme *mégapixel* est une unité de mesure égale à un million de pixels. Un appareil à 10 mégapixels contient environ 10 millions de pixels (« environ », car une très faible partie des pixels est utilisée pour d'autres tâches, comme l'étalonnage du noir).

Il y a quelques années, le nombre de mégapixels (MP) était l'unique argument de vente. Depuis, et grâce au matraquage publicitaire, les consommateurs exigent toujours plus de pixels, même s'ils ne savent pas exactement pourquoi.

La notion de mégapixel était primordiale à l'époque où l'on ne trouvait rien au-dessus de 4 ou 5 mégapixels. Or, il en faut au moins un pour imprimer en petit format, et bien davantage pour un tirage en 13 x 18 cm ou plus.

Faut-il en déduire qu'au-delà de 4 mégapixels, c'est de l'argent gaspillé ? Pas nécessairement. D'autant que le moindre appareil actuel affiche fièrement sa douzaine de mégapixels. En fait, le nombre requis dépend de ce que vous désirez faire de vos photos. La liste suivante aide à définir vos besoins en matière de résolution :

- **Résolution VGA** (640 x 480 pixels) : si vous trouvez un appareil photo offrant cette définition, c'est soit une vénérable antiquité, soit une webcam, autrement dit une caméra vidéo rudimentaire destinée à la visiotéléphonie sur le Web ou à la vidéosurveillance. La plupart sont capables de prendre des images fixes, ce qui n'en fait pas pour autant un appareil photo digne de ce nom. Cette résolution est aussi celle des séquences vidéo que certains appareils photo (ou téléphones portables) bas de gamme sont capables de réaliser.
- **Un mégapixel :** impression de tirages en petit format. Valable aussi pour l'affichage à l'écran.
- **Deux mégapixels :** pour de très bons tirages en 13 x 18 cm et acceptables en 20 x 25.

- **Trois mégapixels :** bons tirages en 20 x 25 cm. C'est la résolution de l'appareil photo intégré à bon nombre de téléphones portables, même si les plus évolués mettent en avant leurs 5 ou 8 MP.
- **Quatre mégapixels et plus :** pour des tirages en 20 x 25 et davantage.
- **...et plus :** les appareils photo récents, qu'ils soient compact, bridge ou reflex (ces différents types sont décrits un peu plus loin dans ce chapitre), offrent une résolution de 12 à 16 mégapixels ; celle des appareils professionnels varie entre 18 et 25 mégapixels (pour faire simple, puisqu'un matériel très haut de gamme peut parfaitement se contenter de 14 mégapixels, tout en étant hors de portée de votre budget).

Disposer de plus de pixels présente deux avantages. Le premier est de donner une meilleure latitude pour recadrer les photos et tirer la partie restante à une taille décente. Par exemple, photographier un animal en gros plan est souvent difficile sans un zoom puissant. L'illustration de gauche, à la Figure 3.1, montre le cadrage le plus serré que j'ai pu obtenir au zoo. Fort heureusement, l'excellente résolution de l'appareil m'a permis d'éliminer l'arrière-plan confus et d'obtenir ainsi une meilleure composition.

**Figure 3.1 :** Quand le nombre de mégapixels le permet, l'image vue dans le viseur (à gauche) peut être recadrée (à droite).

Le deuxième avantage est plus technique : lorsque le capteur produit une image JPEG ou TIFF, un processeur graphique – en fait, un véritable petit ordinateur incorporé à l'appareil photo –, lisse la photo afin de lui donner un plus beau modelé. Lorsque la résolution est faible, ce lissage peut provoquer un léger flou, d'où un aspect « enveloppé » de l'image. En revanche, lorsque les pixels sont nombreux, ce lissage se produit sur un nombre plus élevé de pixels. Il est donc beaucoup plus discret tout en étant au moins aussi efficace.

Un nombre élevé de pixels peut aussi être un inconvénient. En effet, pour pouvoir en loger plus dans la même surface du capteur, les fabricants miniaturisent à outrance les petits éléments photosensibles, ou photosites. Or, plus un photosite est petit, moins il reçoit de lumière, et par conséquent, plus le bruit tend à augmenter. Voilà pourquoi un appareil photo équipé d'un excellent capteur de 14 mégapixels, par exemple, est parfois supérieur à un appareil de 16, 20 ou même 24 MP qui peine à capter la lumière.

Vérifiez qu'un appareil photo permet de photographier à moins de pixels qu'annoncé, c'est-à-dire à des résolutions moindres. Pourquoi ? Parce vous pourrez ainsi stocker davantage de photos dans la mémoire. De plus, la photo à la résolution maximale est plus longue à traiter et à enregistrer, d'où une latence plus élevée. Les meilleurs appareils proposent au moins trois résolutions, que vous sélectionnerez selon la mémoire disponible et la cadence à laquelle vous désirez déclencher.

## CCD et CMOS

Le capteur photosensible, c'est-à-dire le composant chargé de l'acquisition des images, existe essentiellement sous deux formes : CCD (*Charge Coupled Device,* dispositif à transfert de charge) et CMOS (*Complementary Metal-Oxide Semiconductor,* semiconducteur à oxyde métallique complémentaire).

Les capteurs CCD présentaient autrefois une meilleure sensibilité que les composants CMOS (les dernières générations repoussent les limites encore plus loin). La sensibilité des capteurs les plus récents est d'environ 25 600 ISO, voire plus, même si à ces valeurs la montée en flèche du bruit est inévitable. Mais il faut noter que de nouvelles générations de capteurs CMOS améliorent sensiblement la réactivité de ceux-ci dans des conditions de faible éclairement.

Les capteurs CMOS sont moins chers à fabriquer que les capteurs CCD, ce qui se répercute sur le prix de l'appareil, et ils consomment moins, d'où une autonomie accrue de la batterie.

Les capteurs CMOS restituent mieux les reflets brillants (bijouterie, éclats de soleil sur l'eau...). Contrairement aux capteurs CCD, ils ont moins tendance à produire un effet de frange autour des reflets brillants.

# La souplesse des formats de fichier

Le nombre de pixels compte en photo numérique, mais le format de fichier dans lequel vous enregistrez les images joue lui aussi un rôle clé. Le *format de fichier* est la manière dont les données graphiques sont stockées dans le fichier informatique.

Il existe une multitude de formats, dont quelques-uns seulement appropriés à la photographie numérique, les plus connus étant JPEG, TIFF, Raw et DNG.

Le Chapitre 5 décrit ces formats en détail. En attendant, voici une brève description de chacun d'eux :

- **JPEG :** c'est le format de fichier standard pour les images numériques. Tous les navigateurs Web et tous les logiciels de messagerie sont capables de l'afficher. De ce fait, les photos peuvent migrer directement de l'appareil vers le cyberespace. Le JPEG a cependant des défauts : au moment où il est créé, il est *compressé* afin d'occuper moins de place dans la mémoire. Or, ce processus détruit certaines informations.

  Des fichiers plus compacts, c'est génial, car vous pouvez ainsi stocker davantage de photos dans la mémoire et, sur Internet, la durée de téléchargement est réduite. Mais, si les effets d'un faible taux de compression sont à peine discernables, un taux de compression élevé dégrade sérieusement l'image.

- **TIFF :** contrairement au JPEG, aucune donnée n'est perdue lors de la compression. La qualité de l'image est ainsi maximale, mais le fichier est autrement plus volumineux que son équivalent JPEG. De plus, vous ne pouvez pas le diffuser sur le Web sans le convertir d'abord en JPEG.

- **Raw** : quand vous photographiez en JPEG ou en TIFF, l'appareil photo applique aussitôt un traitement à l'image afin d'améliorer les couleurs, le contraste et d'autres paramètres. Rien de tel ne se produit pour le format Raw (« brut », en anglais), appelé ainsi car le fichier contient les données brutes produites par le capteur.

  Ce format a été conçu pour les photographes qui tiennent à contrôler totalement leurs images, comme au bon vieux temps des labos photo, des produits chimiques odorants et des épingles à linge pour faire sécher les tirages. Comme un fichier Raw n'est pas compressé, il est volumineux. De plus, un logiciel spécial, appelé « convertisseur Raw », est nécessaire pour ouvrir les images et indiquer à l'ordinateur ce qu'il doit en faire.

- Notez que les fabricants ont leurs propres appellations pour les fichiers Raw. Par exemple, chez Nikon, ce sont des fichiers NEF, chez Canon des fichiers CR2 et CRW, PEF chez Pentax, RAW ou RW2 chez Panasonic, *etc.*
- **DNG :** ce format a été développé par Adobe – l'éditeur de Photoshop, d'Acrobat et de nombreux autres logiciels très connus – pour apporter un peu d'ordre dans le foisonnement des fichiers Raw notoirement incompatibles entre eux. Tous les formats photo peuvent théoriquement être convertis en DNG, dont l'universalité devrait garantir une certaine pérennité aux œuvres. Ce format est décrit plus en détail au Chapitre 5.

Pour mieux comprendre l'impact du choix d'un format sur la qualité de l'image, examinez les Figures 3.2 et 3.3 qui montrent la différence entre du JPEG légèrement compressé (Figure 3.2) et fortement compressé (Figure 3.3). La différence entre du TIFF non compressé et du JPEG légèrement compressé est difficile à discerner, même dans les agrandissements. En revanche, l'effet destructeur d'un taux de compression excessif est évident. L'image présente des agglomérats de pixels et des franges caractéristiques de la compression JPEG.

Figure 3.2 : Seul un examen attentif permet de déceler la différence entre du TIFF non compressé (à gauche) et du JPEG légèrement compressé (à droite).

Si vous avez lu les Chapitres 2 ou 5, vous avez remarqué que le sujet de la reproduction est le même que celui déjà utilisé pour illustrer les effets du nombre de pixels sur une photo. Sur les Figures 3.2 et 3.3, le nombre de pixels est égal ; seul le format de fichier est différent. Vous pouvez ainsi constater qu'une trop forte compression est tout aussi dommageable qu'un nombre de pixels trop réduit. Combinez une compression élevée avec une faible résolution, et le résultat sera vraiment affreux.

**Figure 3.3 :** Un taux de compression JPEG élevé agglomère des pixels et fausse les couleurs à certains endroits.

L'idéal est de disposer d'un appareil photo capable de travailler avec les trois formats JPEG, TIFF (plutôt rare) et Raw (le DNG n'est actuellement utilisé que par des appareils Leica, Hasselblad, Casio, Ricoh ou encore Samsung). Certains appareils offrent en plus une option Raw + JPEG ou TIFF + JPEG produisant deux versions de la même prise de vue, l'une en TIFF ou en Raw l'autre en JPEG pour l'envoi par courrier électronique, afin que le destinataire puisse se faire une idée de la qualité du reportage, par exemple.

Bien souvent, le taux de compression est indiqué par un terme imprécis, comme Fine, Normal et Basic. Par exemple, la Figure 3.4 montre les options d'un appareil Nikon proposant trois compressions JPEG, ainsi que les enregistrements aux formats TIFF, Raw et Raw + JPEG en trois qualités. Ici, l'option Fine correspond à la compression la plus faible, produisant la meilleure qualité d'image.

Chaque fabricant utilisant ses propres appellations pour la qualité d'image, reportez-vous au manuel de l'appareil. Faites le tour des sites qui testent les équipements photo.

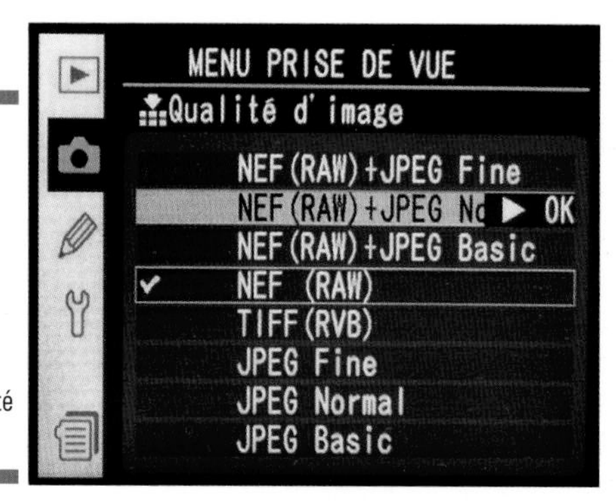


**Figure 3.4 :** Le choix du format de fichier s'effectue souvent, comme ici, dans le menu Qualité d'image.

# *À propos de la mémoire*

Dans un appareil argentique, l'information visuelle réside dans le film. Dans un appareil numérique, elle est stockée dans une *mémoire* magnétique. De nos jours, tous les modèles sont conçus pour recevoir une carte dotée d'une plus ou moins grande capacité de stockage, ainsi que le montre la Figure 3.5.

**Figure 3.5 :** Tous les appareils stockent leurs images sur des supports amovibles, comme la carte SD présentée ici.

La Figure 3.6 présente les principales cartes mémoire (les échelles sont approximatives). En haut à gauche se trouve une carte Secure Digital (SDHC) de belle capacité, sans doute l'une des plus utilisées. En haut à droite, la carte CompactFlash équipe encore des appareils photo haut de gamme et professionnels, mais elle tend à être supplantée par les cartes HD. La carte Memory Stick, en bas à gauche, est essentiellement utilisée par le matériel Sony. Enfin, en bas à droite, la carte xD-Picture, adoptée par Fujifilm et Olympus, a supplanté en son temps la carte SmartMedia, mais elle a déjà pratiquement disparu au profit du format SD.

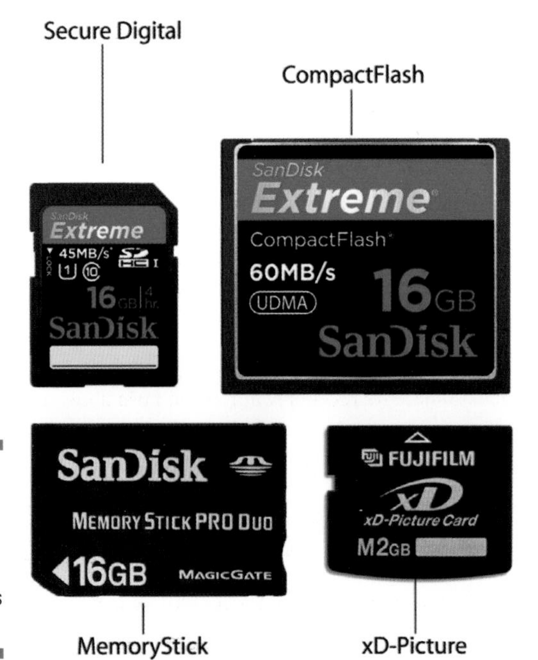


Figure 3.6 : Les appareils photo numériques utilisent diverses cartes mémoire.

Pratiquement tous les appareils photo sont équipés d'un connecteur pour carte mémoire, et parfois même de deux connecteurs différents (SD et CompactFlash).

Réfléchissez aussi à ces quelques points :

- Pensez à une carte mémoire supplémentaire. Il suffit de l'insérer à la place de celle qui est pleine pour continuer à photographier. L'idéal est d'acheter une carte de très grande capacité que vous laissez à demeure dans l'appareil. Vous aurez ainsi une autonomie allant de plusieurs centaines à quelques milliers de photos.

- Combien ça coûte ? En moyenne, le prix du gigaoctet se situe entre moins de 1 € et environ 3 €. Autrement dit, une carte SDHC « standard » ayant une capacité de 8 Go vous coûtera entre 6 et 10 €. Et comptez entre 20 et 30 € pour une très grande capacité de 32 Go. Mais à capacité égale, n'hésitez pas à débourser un peu plus et optez pour une carte très haute vitesse, plus chère mais dont le débit est nettement supérieur (dans ce cas, la prix peut quand même être multiplé par 3). Mais vous ne le regretterez pas.
- Le transfert depuis l'appareil photo est assez long, surtout lorsque les images sont nombreuses et volumineuses en termes d'octets. Il faut relier un câble de l'appareil jusqu'au connecteur USB à l'arrière de l'ordinateur, ou mieux, en façade. L'appareil photo doit rester allumé pendant l'opération, ce qui draine la batterie ou les piles.

  Les lecteurs de carte sont avantageux car la batterie de l'appareil photo n'est pas sollicitée pendant le transfert. Il suffit d'insérer la carte mémoire dans le lecteur, et copier ou déplacer son contenu comme vous le feriez pour n'importe quel autre fichier informatique. Il existe des lecteurs de carte indépendants, tandis que d'autres sont incorporés à l'ordinateur. En fait, les ordinateurs récents sont tous équipés d'un lecteur de cartes multi formats.
- Il est possible d'imprimer directement depuis une carte mémoire, soit à l'aide d'une imprimante équipée d'un lecteur de carte, soit depuis une borne interactive dans une boutique photo (mais une clé USB sur laquelle vous aurez au préalable copié les images que vous voulez faire tirer, c'est très bien aussi). Certaines imprimantes autorisent même la connexion directe de l'appareil photo, par câble ou en WiFi.
- D'autres appareils électroniques, comme les lecteurs MP3 ou nombre de téléphones mobiles, utilisent des cartes mémoire. Elles peuvent ainsi servir à plusieurs usages.

Un dernier point concernant la mémoire : au moment d'acheter, vérifiez attentivement la capacité maximale de stockage annoncée par le fabricant, c'est-à-dire le nombre de photos que vous pouvez stocker. Le chiffre correspond en général au nombre d'images en basse résolution, ou compressée au maximum (ou les deux à la fois). De ce fait, si à capacité de mémoire égale, si un appareil A est censé stocker plus d'images qu'un appareil B, cela signifie tout simplement que l'appareil

A propose une résolution moindre et un taux de compression plus élevé, ce qui n'est pas forcément un avantage en termes de qualité, ainsi que nous l'avons vu précédemment.

# L'écran à cristaux liquides

Tous les appareils photo sont dotés d'un écran LCD (*Liquid Crystal Display,* affichage à cristaux liquides). Sur les compacts, ils servent essentiellement à la visée et affichent aussi les menus de configuration. Sur les bridges et les reflex, ils affichent les menus et peuvent, sur certains modèles, servir à composer l'image (voir la Figure 3.7). Sur tous les modèles d'appareils photo, l'écran affiche aussi les photos prises afin de les évaluer.

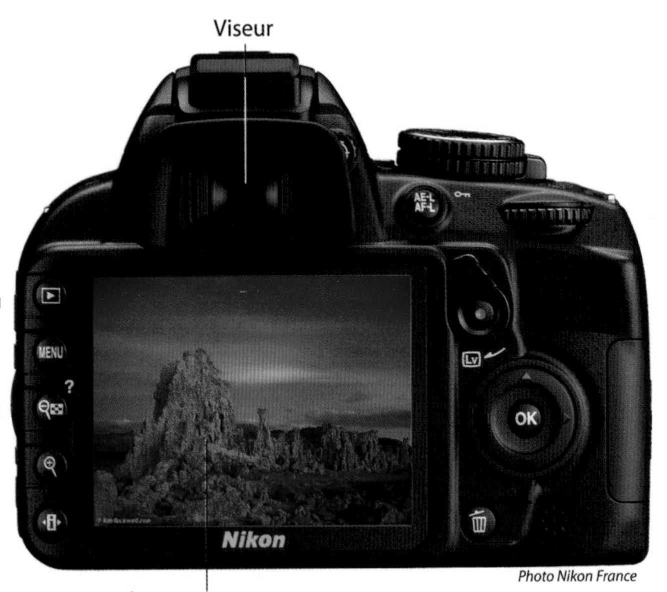


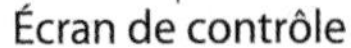


**Figure 3.7 :** L'écran à cristaux liquides, sous le viseur, permet de visionner immédiatement les photos qui viennent d'être prises.

L'écran permet de visualiser les prises de vue pour effectuer une sélection. Vous effacerez les clichés ratés ou inintéressants afin de libérer de la place sur la carte mémoire.

Sur la plupart des appareils photo, l'écran affiche un aperçu de la prise de vue. La plupart des compacts sont hélas dépourvus d'un viseur, soit parce que la marque veut réduire les coûts de fabrication, soit pour des raisons esthétiques. Personnellement, j'estime que cadrer uniquement avec l'écran LCD est pénible, car il faut éloigner l'appareil de l'œil, ce qui compromet la stabilité. Or, quand l'œil est au viseur, l'appareil est calé contre le visage. De plus, quand la lumière ambiante est intense, l'image sur l'écran est bien souvent très délavée, permettant parfois à peine de distinguer ce que l'on photographie.

Beaucoup d'utilisateurs sont satisfaits de l'écran seul, sinon, les fabricants ne continueraient pas de proposer cette formule. Sur les appareils récents, il est nettement amélioré, offrant une surface plus grande, une résolution intéressante (jusqu'à près de 1 MP) et une meilleure vision en pleine lumière.

Choisissez de préférence un appareil équipé d'un stabilisateur d'image. Demandez aussi à essayer l'appareil en plein jour pour vérifier le rendu de l'affichage. De plus, certains modèles, comme celui de la Figure 3.8, sont équipés d'un écran orientable permettant de cadrer sous des angles difficiles. Refermé, il protège aussi l'écran des chocs et des rayures pendant que l'on utilise le viseur optique.

**Figure 3.8 :** L'écran orientable facilite la photo sous des angles difficiles.

Par ailleurs, si vous tenez au viseur, sachez qu'il existe sous plusieurs formes : le traditionnel viseur optique (appareils photo compacts, appareil photo à visée télémétrique), le viseur à prisme qui renvoie sur un mini-écran LCD incorporé (bridge) ou le reflex, dans lequel la lumière qui traverse l'objectif est renvoyée vers un verre dépoli incorporé à l'appareil, observé au travers d'un viseur à prisme. Le viseur optique offre une image plus claire mais affectée d'une parallaxe (voir le Chapitre 7), et il ne consomme pas d'énergie. Le second montre exactement l'image cadrée, mais du fait de la pixellisation, elle est peu détaillée. De plus, le viseur électronique est inutilisable tant que l'appareil n'est pas en marche et, à l'usage, il consomme de l'énergie, réduisant l'autonomie. La visée réflexe ne consomme de l'énergie qu'au moment de la remontée du miroir, lorsqu'il doit permettre à la lumière d'atteindre le capteur. Il existe une variante à la visée reflex où le miroir basculant est remplacé par un miroir semi transparent fixe. Mais nous n'entrerons pas dans ces détails techniques.

# Reflex, bridge et hybrides

La plupart des appareils photo numériques sont entièrement automatiques. Ils sont de ce fait faciles à utiliser, notamment grâce à la mise au point et à l'exposition automatiques. Mais les photographes plus exigeants, désireux de contrôler l'image, opteront pour un reflex numérique ou un bridge, voire un appareil dit hybride.

## Les reflex

Tous les grands noms de la photographie, dont Canon, Nikon, Fujifilm, Pentax, Sony et d'autres proposent un choix de boîtiers reflex. La Figure 3.9 en montre quelques-uns.

Figure 3.9 : Quatre reflex numériques grand public proposés par quatre grandes marques (Canon, Nikon, Fujifilm et Pentax).

Un reflex numérique offre les mêmes caractéristiques qu'un reflex argentique, y compris les objectifs interchangeables, la mise au point et l'exposition manuelles et la connexion avec un flash externe. De plus, ils sont équipés d'automatismes débrayables, fort commodes pour la photo d'action, par exemple.

Bien sûr, un reflex est onéreux. Comptez un minimum de 300 à 500 euros rien que pour le boîtier (ne rêvez même pas aux limites supérieures !), et un budget assez conséquent pour les objectifs.

Si vous avez des objectifs provenant d'un équipement argentique, vous devriez pouvoir les utiliser sur un boîtier numérique. Généralement, les problèmes ne se posent pas au niveau de la baïonnette, mais des contacteurs électriques et des cames qui transmettent informations et réglages. Dans de nombreux cas, certains automatismes ne fonctionnent plus, ce qui incite à racheter du matériel récent. De plus, les dimensions du capteur photosensible étant différentes de celles d'une pellicule, le cadrage ne sera pas le même. Il faudra tenir compte d'un coefficient d'équivalence par lequel vous multiplierez la focale de l'objectif pour trouver la focale équivalente dans le format utilisé, le 24 x 36 par exemple. Un objectif de 50 mm dont le coefficient d'équivalence est de 1,5 (pour un Nikon) ou de 1,6 (pour un Canon) aura, monté sur un boîtier numérique, le même champ qu'un 75 mm. Autrement dit, votre objectif standard sera devenu un petit téléobjectif (la longueur focale est expliquée un peu plus loin dans ce chapitre).

## Les hybrides

Ces appareils sont aussi appelés micro 4/3, ou µ4/3. De quoi s'agit-il ? On pourrait dire qu'il s'agit d'une passerelle entre reflex et bridges qui conserve le meilleur des premiers (objectifs interchangeables, capteur de grande taille, grand choix de réglages, *etc.*) tout en abandonnant la visée reflex pour se rapprocher des technologies employées dans les bridge. Le grand promoteur de cette nouvelle voie est Panasonic avec sa série G (voir Figure 3.10), rejoint par Olympus, Ricoh, Sony et plus récemment par Nikon avec sa série « 1 ». La guerre des appareils à objectif interchangeable est peut-être engagée entre les modèles à visée reflex et ceux à visée électronique. Inutile de lire dans le marc de café : quelques années suffiront assez vraisemblablement pour que les anciennes techniques cèdent le pouvoir aux nouvelles…

## Les bridges

Extérieurement, un appareil numérique de type « bridge » ressemble à un reflex, mais en un peu plus compact (voir Figure 3.11). Dans un

**Figure 3.10 :** Le Lumix DMC-GH3 est un modèle hybride fabriqué par Panasonic.

**Figure 3.11 :** Le Cyber-shot HX200V est un bridge fabriqué par Sony.

bridge, le délicat et compliqué mécanisme de visée qui relève le miroir au moment de la prise de vue et l'abaisse ensuite est remplacé par un écran LCD. Les coûts de fabrication sont de ce fait réduits.

Un bridge n'est cependant pas un « reflex à écran LCD », un hybride donc. Il est en effet équipé d'un objectif fixé à demeure, donc non interchangeable. L'incorporation de l'écran LCD présente deux avantages sur l'écran de contrôle placé sur le dos de l'appareil : la visée est confortable même dans un environnement très lumineux, et comme l'écran est à l'intérieur du boîtier, il est à l'abri des rayures et des chocs.

Par contre, la visée ne pouvant se faire que sur écran – l'appareil étant inévitablement en marche –, les bridges sont de gros consommateurs d'énergie.

## Les cousins

La photographie n'est plus l'apanage des seuls appareils photo. Plusieurs équipements permettent d'en faire :

- **Webcam :** devenues très abordables, les webcams sont des caméras vidéo conçues pour la vidéoconférence et la téléphonie sur l'Internet. Assis devant votre webcam, votre visage est visible sur l'ordinateur de tous ceux qui sont connectés avec vous.

  Quelques webcams, peuvent devenir autonomes et être utilisées comme des appareils numériques classiques. Malgré cette souplesse d'utilisation, n'espérez pas obtenir de superbes clichés. De plus, vous ne disposez pas d'un moniteur LCD pour revoir et sélectionner vos photographies, et il est généralement impossible d'adjoindre une carte de stockage amovible.

- **Caméscope numérique :** ce sont de fabuleux petits bijoux, qui filment remarquablement, mais n'espérez pas une qualité photo comparable à celle fournie par un appareil photo numérique. À ce sujet, sachez que beaucoup d'appareils photo sont capables d'enregistrer des séquences vidéo sonorisées (y compris en mode Full HD), mais sans procurer toutes les fonctionnalités d'un caméscope. En particulier, un caméscope est nettement plus performant dans des conditions de faible éclairage, tout en offrant une qualité d'enregistrement sonore bien meilleure.

  Ceci dit, la convergence de ces technologies s'est améliorée. Si la vidéo numérique vous tente plus que la photo, pourquoi ne pas opter pour un caméscope capable de prendre des photos ?

Et si c'est l'inverse, le mode Full HD des appareils photo d'aujourd'hui vous donnera certainement satisfaction à condition de ne pas tout lui demander.

Si la vidéo numérique vous intéresse, reportez-vous à l'ouvrage *La Vidéo numérique Pour les Nuls*, édité bien entendu par First Interactive.

- **Smartphone (ou photophone) :** Les téléphones portables sont généralement capables de prendre des photos et les envoyer par courrier électronique. Ou encore, si le correspondant possède lui aussi un photophone, il peut recevoir l'image directement sur son écran. Le modèle Samsung Galaxy S III que montre la Figure 3.12 est équipé d'un capteur de 8 mégapixels et d'un objectif de très bonne qualité.

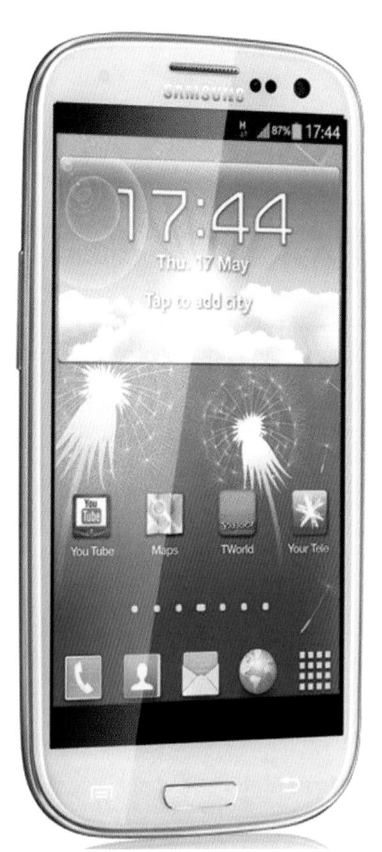


Figure 3.12 : Les photophones sont commodes pour envoyer immédiatement les photos.

La possibilité d'envoyer aussitôt la photo prise avec un téléphone mobile n'est pas un gadget. Un agent immobilier pourra ainsi alimenter sa base de données de biens en temps réel. Mais même si un modèle tel que le Samsung Galaxy S III présenté sur l'illustration atteint une résolution élevée et un très bon rendu des images, n'attendez quand même pas la même qualité optique qu'avec un véritable appareil photo!

- **Tablette :** D'accord, c'est le sujet à la mode. Mais franchement, on peut faire tellement de choses intéressantes avec une tablette que ce n'est pas parce qu'elles sont dotée d'un système de prise de vue médiocre qu'il faut s'en servir pour faire des photos… Où alors, il ne faut vraiment rien avoir d'autre sous la main.

## Le flash

Numérique ou argentique, la photo exige de la lumière. Le flash est le moyen le plus commode de la produire lorsqu'elle vient à manquer. Mais il peut aussi servir à déboucher les ombres en extérieur, compenser un contre-jour ou donner du modelé à un sujet à l'ombre.

Presque tous les appareils photo numériques sont équipés d'un flash incorporé, mais les options varient d'un modèle à un autre. Voici les principales :

- **Différents modes :** en général, trois modes sont proposés : *automatique* (activation du flash si la lumière est insuffisante), *flash d'appoint* (pour déboucher les ombres) et *flash désactivé*.
- **Atténuation des yeux rouges :** les yeux rouges sont produits par la réflexion du flash sur la rétine, lorsque la pupille est dilatée (ce qui est le cas quand la lumière est faible). Le flash est déclenché en deux temps, une fois pour obtenir, par réflexe, la contraction de la pupille et atténuer la réflexion, puis une deuxième fois, plus puissamment, pour éclairer le sujet. Le résultat n'est pas toujours à la hauteur des espérances, mais il reste possible d'éliminer cet effet indésirable dans un logiciel de retouche.
- **Les fonctions avancées :** les appareils photo haut de gamme sont équipés d'une synchro flash lente, ce qui permet d'obtenir un arrière-plan moins sombre qu'avec un flash standard. Certains appareils permettent d'augmenter ou de réduire l'intensité du flash, ce qui est commode pour doser la lumière lorsque les conditions d'éclairage sont délicates.

- **Le flash externe :** les reflex et certains appareils automatiques haut de gamme sont équipés d'une griffe porte-accessoires visible sur la Figure 3.13, ou d'une prise pour le flash. Ces éléments intéressent le photographe professionnel et l'amateur averti, mais sont de peu d'utilité pour le photographe occasionnel, qui utilise plus volontiers le flash incorporé. Notez que si votre appareil est dépourvu de connecteur pour flash externe, il reste éventuellement la possibilité d'utiliser un *flash asservi;* c'est un flash autonome qui se déclenche dès qu'il détecte l'éclair du flash incorporé.

**Figure 3.13 :** La griffe porte-accessoires permet de brancher un flash externe.

Nous reviendrons sur les problèmes du flash au Chapitre 6.

# À travers l'objectif

Quand on achète un appareil numérique, on se préoccupe des résolutions, du nombre de prises de vue, et j'en passe. Mais qui se soucie de l'objectif? C'est pourtant un composant essentiel, puisque c'est lui qui constitue le premier rempart entre l'appareil et le sujet photographié.

L'objectif est l' « œil » de l'appareil. Composé d'un ou de plusieurs groupes de lentilles, il projette l'image sur la surface photosensible, c'est-à-dire le film ou le capteur.

## À propos de la longueur focale

Chaque objectif se caractérise par sa *longueur focale*. C'est la distance, exprimée en millimètres, entre le centre du groupe optique et la surface sensible.

La longueur de la focale, plus simplement appelée « focale » par les photographes, détermine l'angle de vue de l'objectif – ou « angle de champ » – ainsi que la taille du sujet dans le viseur, et donc sur le capteur.

- **Grand-angulaire :** une courte focale se caractérise par un angle de prise de vue très étendu. Vous pouvez donc photographier plus large sans trop vous éloigner des objets ou du sujet.
- **Téléobjectif :** son champ étroit donne l'impression de se rapprocher du sujet.
- **L'objectif normal :** ni grand-angulaire, ni téléobjectif, l'objectif normal correspond, sur la plupart des appareils photo numériques grand public, à une focale de 35 mm.

- Le zoom intégré à l'objectif de nombreux appareils permet de varier la longueur focale vers le mode téléobjectif ou grand-angulaire.
- Examinez la Figure 3.14 pour vous rendre compte du champ couvert par différentes focales. Toutes les photos ont été prises du même endroit.

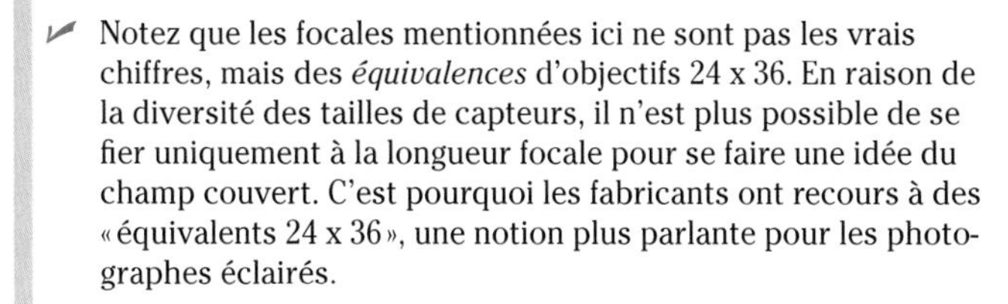

- Notez que les focales mentionnées ici ne sont pas les vrais chiffres, mais des *équivalences* d'objectifs 24 x 36. En raison de la diversité des tailles de capteurs, il n'est plus possible de se fier uniquement à la longueur focale pour se faire une idée du champ couvert. C'est pourquoi les fabricants ont recours à des « équivalents 24 x 36 », une notion plus parlante pour les photographes éclairés.

  Dans cet ouvrage, quand une focale est mentionnée, c'est toujours un « équivalent 24 x 36 ».

Maintenant que vous savez à quoi correspond le chiffre associé à l'objectif, vous pouvez choisir un appareil numérique offrant des possibilités proches de celles des appareils argentiques. Comme je l'ai dit, un « équivalent 35 mm » est parfait pour des clichés ordinaires. Si vous envisagez les grands espaces, il faudra une focale plus courte couvrant un champ plus large. Un grand-angulaire est judicieux pour photographier dans de petites pièces ; un 35 mm vous placerait trop près du

Figure 3.14 : Plus la focale est longue, plus le sujet est cadré serré.

sujet pour le cadrer en pied. Les zooms sont appréciables, et équipent la plupart des modèles.

Au moment de choisir un appareil, intéressez-vous à la valeur de focale la plus courte. Au-dessus de 28 mm, vous pourriez bien risquer la déception. Moins, c'est encore mieux.

Avec un grand-angulaire, les lignes de fuite se manifestent d'autant plus que le champ est large. La convergence des lignes qui résulte, par exemple, de la photo d'un immeuble en légère contre-plongée, n'est pas très esthétique. Mais un bon logiciel de retouche permet de redonner du parallélisme aux lignes.

## Zoom optique et zoom numérique

Comme cela est expliqué dans la précédente section, le zoom permet de varier le champ sans changer de place. Il est indispensable pour les photos de vacances et les portraits, ou pour isoler un sujet d'un arrière-plan, comme nous le verrons au Chapitre 7.

Si le zoom est pour vous un élément important, préférez le zoom optique, qui est un véritable zoom, au zoom numérique, qui n'est rien d'autre qu'un recadrage effectué à la prise de vue. Alors que le zoom optique utilise tous les pixels du capteur, le zoom numérique ne conserve que la partie centrale de l'image, prélevée directement sur le capteur, et l'agrandit. Il agit exactement comme vous le feriez dans un logiciel de retouche, en rognant l'image et en la redimensionnant ensuite (ou, avec certains appareils photo, en recadrant directement l'image dans la carte mémoire). La qualité de l'image s'en ressent évidemment. Vous avez dit « arnaque » ? On peut le dire…

Pour plus de renseignements sur la résolution, reportez-vous au Chapitre 2. Pour en savoir plus sur les zooms optiques et numériques, lisez le Chapitre 7.

## Les aides à la mise au point

Certains appareils ont une *mise au point fixe*, ce qui empêche tout réglage. Les images ainsi produites sont généralement nettes de un ou deux mètres jusqu'à l'infini.

D'autres appareils disposent d'une *mise au point manuelle* : un mode Macro pour les plans rapprochés, un mode Portrait pour les sujets situés à 4 ou 5 mètres de l'appareil et un mode Paysage pour les sujets éloignés.

Les plages de mise au point changent d'un appareil à un autre. C'est un détail important à ne pas négliger. Certains modèles permettent de photographier de très près, d'autres sont un peu moins performants de ce point de vue. Si la photo rapprochée vous intéresse, vérifiez soigneusement la distance de mise au point minimale. En raison de la très courte focale des appareils numériques compacts, ils bénéficient d'une très grande profondeur de champ, d'où une zone de netteté plus vaste qu'en photo argentique.

Les appareils dits *autofocus* opèrent une mise au point automatique. Cette fonction est généralement accompagnée d'un *verrouillage* de la mise au point : après avoir mesuré la distance sur le sujet centré dans le viseur, ce verrouillage permet de conserver le point pendant que vous changez le cadrage (il suffit généralement d'enfoncer à mi-course le bouton de déclenchement et de laisser le doigt dans cette position pendant que vous déplacez l'appareil). Même si le sujet est à présent au bord du cadre, la mise au point reste bonne car elle a été mémorisée.

Les appareils haut de gamme permettent de débrayer l'autofocus. Vous disposez alors d'un contrôle total sur la mise au point. Celle-ci se fait en fonction de la distance qui sépare l'appareil du sujet. Vous sélectionnez cette distance, soit sur la bague des distances gravée sur l'objectif d'un appareil reflex, soit dans un menu affiché par le moniteur LCD.

Mais la mise au point manuelle n'intéresse que les photographes avertis qui tiennent à contrôler étroitement le point. Les autres utilisateurs s'en remettront à l'automatisme de l'appareil. Il peut arriver que la mise au point automatique soit difficile. Prenons l'exemple d'un tigre tournant inlassablement dans sa cage (comme vous, juste avant l'achat de votre nouvel appareil numérique). En général, l'autofocus fait le point sur les barreaux de la cage, laissant le tigre flou. Dans ce cas, débrayez l'autofocus et procédez à une mise au point manuelle.

Pour plus de détails sur la mise au point, reportez-vous au Chapitre 6.

## Objectifs et filtres interchangeables

Un appareil photo numérique accepte la même diversité d'objectifs, de filtres et d'accessoires qu'un appareil argentique.

Si vous êtes passionné de photographie mais pas au point d'investir dans un reflex, optez pour un appareil de type hybride à objectifs interchangeables, ou acceptant des filtres. Beaucoup peuvent recevoir un élément optique additionnel – grand-angulaire et très grand-angulaire, téléobjectif ou macro – qui vient se visser sur l'objectif de base.

De nombreux filtres sont disponibles, notamment des filtres correcteurs qui compensent la température de couleur. Ils ne sont toutefois pas indispensables car cette compensation s'effectue en modifiant la balance des blancs, comme nous le verrons au Chapitre 5. Des filtres logiciels permettent eux aussi d'appliquer des effets photographiques. Le seul filtre que vous ne pourrez pas simuler avec un logiciel est le filtre polarisant, bien utile pourtant par exemple pour atténuer des reflets désagréables.

# L'exposition exposée

Comme nous l'expliquions au Chapitre 2, l'exposition dépend de la vitesse, du diaphragme et de la sensibilité ISO. Le Chapitre 6 explique comment ajuster l'exposition, mais ce réglage dépend aussi des commandes de l'appareil, dont voici un rapide aperçu :

- **L'exposition automatique :** l'exposition est totalement prise en charge par l'appareil qui sélectionne la vitesse et le diaphragme.
- **Priorité à l'ouverture** : vous réglez l'ouverture (le diaphragme) et l'appareil définit la vitesse d'obturation appropriée. Ce choix

permet de définir la profondeur de champ. Les appareils d'entrée de gamme ne proposent que deux réglages : l'un pour la lumière atténuée, l'autre pour la lumière vive.

- **Priorité à la vitesse :** vous réglez la vitesse en laissant à l'appareil le soin de régler le diaphragme. Vous privilégiez notamment cette fonction pour photographier des sujets en mouvement, et ainsi figer l'action.
- **Exposition manuelle :** elle permet de régler aussi bien la vitesse que l'ouverture. Cette possibilité est appréciée des photographes avertis.
- **Compensation de l'exposition :** vous décalez le couple diaphragme-vitesse – appelé « indice de lumination » ou IL – déterminé par l'exposition automatique. Ce réglage fort utile est présent sur presque tous les appareils.
- **Le bracketing** (exposition multiple) : elle permet de prendre une série de photos à différentes expositions, comme le montre la Figure 3.15. Quand la lumière est difficile à mesurer, c'est un bon moyen pour s'assurer que dans la série, une photo au moins est parfaitement exposée. Certains logiciels de retouche ou des programmes spécialisés permettent de combiner une série de photos afin de conserver, pour chacune d'elles, la partie qui est la mieux exposée. Cela permet d'obtenir une photo dans laquelle les ombres denses et les très hautes lumières sont restituées avec un maximum de détails (c'est ce que par exemple Photoshop appelle la Fusion HDR, pour *High Dynamic Range*, ou grande gamme dynamique). La Figure 3.16 illustre ce qu'il est possible de faire à partir de ce type de technique (avec un matériel assez haut de gamme, un logiciel adapté et pas mal de travail).
- **Les modes de mesure :** ils quantifient la lumière disponible en fonction de l'exposition souhaitée. Les principaux modes sont :
  - **La mesure centrale :** la lumière est mesurée dans la zone centrale de l'image.
  - **La mesure centrale pondérée :** l'ensemble de la lumière est mesuré, avec une prépondérance à la partie centrale de l'image.
  - **Mesure matricielle ou multizone :** la lumière est mesurée sur la totalité de l'image, puis pondérée par la mesure dans les zones les plus claires et les zones les plus foncées.

  Les appareils d'entrée de gamme ne disposent généralement que de la mesure multizone, parfaite pour les photos au quotidien.

Figure 3.15 : Le système d'expositions multiples automatique enregistre une série d'images dont chaque exposition est légèrement différente des autres.

Figure 3.16 : La photographie du bas a été obtenue en composant les six images successives du haut, prises par un appareil disposant d'une fonction de bracketing évoluée.

Les appareils plus perfectionnés proposent la mesure centrale et la mesure centrale pondérée, plus adaptées à la mesure des éclairages complexes.

- **Les modes Scène :** ce sont des modes d'exposition qui imposent la vitesse et le diaphragme selon l'option choisie. Par exemple, le mode Portrait règle l'appareil au mieux pour photographier des visages, tandis que le mode Neige corrige l'extrême luminosité des paysages d'hiver, le mode Sport privilégiant, lui, une vitesse élevée.

- **La sensibilité ISO :** plus elle est élevée, plus il est possible de travailler dans des conditions d'éclairage faible. Malheureusement, plus le réglage ISO est élevé, plus le capteur produit un bruit optique, c'est-à-dire des pixels colorés aléatoires. Ce problème est difficile à déceler sur l'écran LCD. Vous devrez faire des essais pour évaluer la tendance au bruit. Si les modèles les plus évolués sont capables de bien traiter le bruit jusqu'à 800 ou 1600 ISO voire plus, il est rarement recommandable de dépasser de dépasser les 400 ISO avec un appareil plus bas de gamme, et savoir se limiter à 100 ISO est un bon conseil.

### Le bazar : Est-ce vraiment une bonne affaire ?

Vous farfouillez dans l'un de ces bazars qui vendent n'importe quoi à vil prix et, entre un réveil qui ânonne l'heure avec l'accent chinois et des sets de table antidérapants, vous dénichez un appareil photo numérique à un prix défiant toute concurrence. Est-ce l'affaire du jour ?

Peut-être... Mais vous devez aussi savoir que c'est dans ces boutiques que des fabricants se débarrassent de leurs anciens modèles devenus invendables dans le circuit commercial habituel. Bien que l'appareil ne soit pas foncièrement mauvais, il est sans doute dépassé et le rapport fonctionnalités-prix n'est plus à son avantage.

# Des caractéristiques supplémentaires

Nous venons de voir les fonctions liées à la structure et au fonctionnement des appareils. Ajoutons-y quelques caractéristiques plus ou moins anecdotiques, mais qui ont le mérite d'exister.

## Je passe à la télé !

Les appareils numériques possèdent, pour la plupart d'entre eux, une sortie vidéo. Elle permet de raccorder votre appareil à un téléviseur pour y contempler les photographies, et éventuellement les enregistrer sur une clé USB ou un disque dur externe.

La sortie vidéo est une fonction sympathique, mais vous pourrez aussi acheter un périphérique capable de lire les images directement depuis la carte mémoire. Le Chapitre 10 en présente un. Des lecteurs de DVD sont équipés de lecteurs de carte mémoire.

Certains appareils disposent aussi d'une sortie HDMI permettant de les relier à l'entrée correspondante d'un téléviseur. C'est un sérieux progrès en termes de qualité et de rapidité, et certainement une tendance qui devrait se développer rapidement.

En plus de ces performances vidéo, quelques appareils sont capables d'enregistrer du son pendant la prise de vue, mais bien peu hélas disposent d'une prise pour raccorder un micro externe. À vous les commentaires enthousiastes sur cette belle vacancière qui oubliait systématiquement de mettre le haut de son bikini !

## Retardateur et télécommande

Quoi de plus frustrant que de ne jamais être sur la photo ! Evidemment, il faut que quelqu'un soit derrière l'appareil et c'est toujours vous ! Le retardateur, bien connu sur les appareils classiques, existe aussi sur la plupart des appareils numériques.

Quelques rares appareils sont même équipés d'une télécommande : pratique pour déclencher depuis le groupe de joyeux drilles dans lequel on s'est glissé, ou pour photographier des animaux sans les effaroucher.

## Il y a un ordinateur dans mon appareil !

Tous les appareils photo numériques et les ordinateurs ont des composants similaires, ne serait-ce que pour l'acquisition et le stockage des images. Les modèles les plus récents proposent cependant des fonctionnalités dignes d'un ordinateur :

- **La temporisation des prises de vue :** quelques appareils permettent de photographier à intervalles de temps définis par l'utilisateur. Commode pour enregistrer toutes les phases d'une floraison, ou le déplacement apparent du soleil vers l'horizon.
- **La détection des visages :** voilà une fonction bien alléchante et qui a remportée un franc succès. Elle permet de faciliter vos prises de vue de personnages en nombre plus ou moins grand en s'occupant de la mise au point et du réglage de la luminosité. C'est généralement efficace et utile (surtout si l'appareil photo est capable de régler automatiquement la quantité de lumière émise par le flash). Mais qui ne la propose pas de nos jours ?
- **La correction d'image intégrée :** de plus en plus fort, la correction des images à la volée. Plus besoin de transférer vos images sur ordinateur, c'est l'appareil lui-même qui les corrige. Ces fonctions de correction concernent le renforcement de la netteté, la correction chromatique, la balance de la luminosité, *etc.*

  Je ne suis pas une groupie de cette fonction car le contrôle sur la correction est rudimentaire. J'admets cependant que les fonctions de correction intégrées peuvent sauver la mise à ceux que les logiciels de retouche impressionnent, et dont l'appareil se connecte directement à une imprimante. Dans ce cas, le traitement intégré peut sensiblement améliorer la qualité d'impression, ce qui est toujours mieux que rien.

- **PictBridge :** cette technologie permet à l'appareil photo de communiquer directement avec une imprimante, à condition que tous deux soient compatibles PictBridge, et même s'ils sont de marques différentes. L'ordinateur n'est dès lors plus nécessaire.
- **Live View :** c'est la visée directe des scènes sur l'écran LCD qui se trouve au dos de l'appareil numérique. Sur les modèles compacts, la question ne se pose même pas, puisqu'il n'y a pas de viseur séparé. Ce sont les grands constructeurs de reflex, pour qui seule la visée directe comptait et dont l'écran LCD ne servait autrefois qu'aux réglages qui ont inventés ce terme. Juste pour ne pas avoir l'air de reconnaître qu'ils s'alignaient sur ces petits frères si méprisés...
- **DPOF** *(Digital Print Order Format)* : format de pilotage de l'impression numérique). Cette fonction permet de définir une tâche d'impression à partir des menus de l'appareil photo, et de marquer des photos afin de les imprimer ultérieurement. Un appareil offrant la technologie DPOF ne propose pas forcément, en plus, la technologie PictBridge.

- Si votre objectif est d'imprimer vos photos le plus rapidement possible, partez à la recherche d'un appareil qui s'interface sans problème avec une imprimante. Il faut également trouver une imprimante qui peut se connecter avec l'appareil, ou qui dispose d'un lecteur de carte mémoire adapté. De nombreux modèles à jet d'encre offrent aujourd'hui une telle fonctionnalité. Le Chapitre 9 aborde ces notions plus en détail.

## Un peu d'action !

Il n'est pas toujours facile de photographier des sujets en mouvement. La difficulté s'accentue lorsque vous souhaitez prendre plusieurs clichés successifs. Les fabricants viennent à votre secours avec le mode Rafale : les déclenchements se succèdent tant que le déclencheur est enfoncé. C'est parfois le seul moyen de contourner l'affichage systématique de l'image après chaque prise de vue.

Avec ce système, vous pouvez généralement prendre *quelques* clichés par seconde (jusqu'à quelques petites dizaines pour les plus performants des reflex). C'est une bonne cadence qui reste malgré tout insuffisante pour saisir tous les mouvements d'un sujet mobile.

Attention, le mode rafale est souvent limité aux résolutions les plus basses de l'appareil ! Comme le flash n'a généralement pas le temps de se recharger entre les prises de vue, il faudra presque certainement vous en passer. Nous y reviendrons au Chapitre 7.

La mode est aussi à l'enregistrement de séquences vidéo au format MPEG ou MOV (QuickTime). Vous pourrez ensuite visionner vos films sur un téléviseur ou sur l'écran de l'ordinateur, à condition de disposer des logiciels requis pour lire ce type de fichier.

L'excellent programme VLC Media Player de Videolan sait tout lire (`vlc-media-player.org`). Il le fait remarquablement bien, et il est en plus totalement gratuit (avec des versions pour Windows et Mac). N'hésitez pas une seconde ! D'autant qu'il est d'origine française...

## Quelques détails à ne pas négliger

Un bon appareil ne se résume pas à ses possibilités graphiques, encore faut-il qu'il soit accompagné d'un équipement efficace :

- **L'alimentation :** penser que l'alimentation d'un appareil est un élément insignifiant est une profonde erreur. Son autonomie est primordiale, surtout s'il est équipé d'un écran à cristaux liquides.

  L'alimentation peut être assurée par des piles AA au lithium (voire NiMh, NiCad), qui garantissent une autonomie trois fois supérieure à celle des piles alcalines. Leur prix est en rapport avec leur grande autonomie. Le mode de fonctionnement « normal » est assuré par une batterie rechargeable. À vous de vérifier ce qui est fourni avec l'appareil (piles ou batterie), et si un chargeur est inclus ou non dans le paquet. Sinon, c'est un achat indispensable à prévoir.

- Une batterie, c'est bien. Une seconde batterie de secours, c'est encore mieux. Voyez ce que propose le constructeur de l'appareil. Et méfiez-vous tout de même des batteries « compatibles » un peu trop bon marché. Votre appareil photo pourrait ne pas aimer du tout.

  Les piles ou les batteries sont un peu comme les cartouches d'encre des imprimantes. Du nombre de pages imprimées dépend l'économie substantielle réalisée. Aussi, essayez de savoir combien de photographies peuvent être prises avec le type d'alimentation fourni avec votre appareil photo numérique.

- **Adaptateur secteur :** certains d'appareils acceptent un adaptateur secteur qui permet de soulager les piles en le branchant sur une prise de courant. C'est notamment intéressant lors du transfert des images sur ordinateur. Mais comme l'adaptateur est livré en option, il faudra envisager de mettre une fois de plus la main à la poche.

- **L'ergonomie :** c'est une caractéristique essentiellement liée au design et à la disposition des différentes commandes. Observez si la personne qui vous montre le maniement de l'appareil est ou non à l'aise pour déclencher telle ou telle commande. La prise de vue est-elle intuitive ? La visualisation des images est-elle facile ? La résolution et la compression sont-elles aisément ajustables ? Une fois que vous éteignez l'appareil, tous les réglages sont-ils ou non réinitialisés ? Si vous ne vous sentez pas à l'aise avec votre appareil, il deviendra très vite un fardeau.

- **Un trépied :** les mouvements disgracieux provoqués par une maladie de Parkinson précoce (ou, plus simplement, par un zoom mal maîtrisé) ont tous le même effet : une photo floue, donc ratée (et ne prétendez pas qu'il s'agit d'un flou artistique). Pour assurer une parfaite stabilité, il est utile de fixer l'appareil sur un trépied. Ce matériel est optionnel (encore un achat supplémentaire à envisager). Et n'oubliez pas de vérifier que l'appareil dispose d'un pas de vis pour fixer un trépied ! La Figure 3.17 montre son emplacement.

**Figure 3.17 :** Cet orifice fileté sert à fixer l'appareil sur un trépied.

- **La robustesse :** l'appareil est-il en plastique métallisé ou en métal massif ? La trappe d'accès à la batterie et à la carte mémoire semble-t-elle solide ? Les mécanismes d'extraction de l'objectif et de zoom fonctionnent-ils en douceur et sans à-coups ?
- **La connectique :** les appareils photo savent se connecter à un port USB de l'ordinateur (mais le WiFi commence à arriver !). Si votre PC de bureau ou portable en est dépourvu, son grand âge et votre grande envie de faire de la photographique numérique devraient vous inciter à le remplacer. Sinon, sachez qu'il est possible d'installer une carte USB/FireWire pour un prix modique.

  Certains appareils pour débutants proposent parfois un « transfert d'une seule touche », à partir d'une station d'accueil. Le même système permet d'envoyer facilement les images à des correspondants *via* le Web.

  Le transfert des photos peut aussi s'effectuer à partir d'un lecteur de carte connecté ou intégré à l'ordinateur. Le cas échéant, vous aurez aussi à brancher de temps en temps l'appareil photo sur l'ordinateur pour télécharger une nouvelle version du *firmware*, le logiciel interne de l'appareil qui régit ses fonctions. Mais c'est là une procédure qui réclame un peu de doigté…
- **Le logiciel :** la plupart des appareils sont fournis avec un logiciel de transfert d'images. Vous disposerez parfois d'un programme de retouche tel que Photoshop Elements. Une pareille offre logicielle n'est pas à négliger et peut même s'avérer déterminante dans votre prise de décision finale.
- **Garantie et retour :** comme pour tout achat, vous devez vous renseigner sur la garantie et sur les modalités de retour en cas d'incident durant la période de garantie.

# Quelques conseils d'achat

Ce chapitre vous a donné les bases d'un jugement « objectif » sur le ou les équipements à acquérir. Comme notre propos n'est pas d'établir un comparatif entre les différents modèles présents sur le marché, je vous engage à vous documenter sur les produits qui vous intéressent.

De nombreux magazines et sites spécialisés traitent de la photographie numérique, avec des comparatifs poussés. Vous pourrez aussi approfondir vos connaissances *via* des pages d'information consacrées partiellement ou totalement à l'actualité de la photo numérique, avec des tests extrêmement détaillés et instructifs.

Ne vous contentez pas de ce que vous lisez dans un journal ou sur un site. Forgez-vous une opinion en comparant les résultats de plusieurs essais, mais aussi en demandant à vos relations ce qu'elles pensent de leur propre appareil photo.

Enfin, si votre curiosité n'est pas satisfaite, allez faire un tour sur les sites Internet des différents fabricants. Vous y découvrirez les caractéristiques « officielles » des modèles présents et même à venir.

# 4

# Des accessoires supplémentaires

***Dans ce chapitre :***

- Acheter et utiliser une carte mémoire.
- Transférer facilement les images dans l'ordinateur.
- L'archivage.
- Rechercher le meilleur logiciel de retouche.
- Stabiliser et éclairer.
- Protéger l'appareil photo.
- Quand la souris se fait stylet.

L'achat d'un appareil photo n'est souvent que le premier pas qui prélude à l'achat d'une foultitude d'accessoires et d'équipements plus ou moins indispensables. Ce chapitre présente tout ce que vous devez savoir sur le sujet pour mieux préparer votre prochaine commande au Père Noël.

Notez que les prix mentionnés ne sont qu'indicatifs et, comme c'est la règle en photographie numérique et en informatique, susceptibles d'une baisse rapide. Ce dont personne ne se plaindra.

## Les cartes mémoire et autres supports

Votre appareil numérique va plus que certainement stocker ses images sur un support amovible. Il est d'ailleurs peut-être livré avec une carte mémoire bon marché.

À l'époque où la résolution des images était relativement faible, 256 ou 512 Mo étaient largement suffisants. Mais aujourd'hui, avec des appareils qui affichent de 12 à 16 mégapixels et plus, il a bien fallu franchir un grand pas.

La bonne nouvelle est que le prix de ces cartes a considérablement baissé. On trouve à présent des cartes mémoires de 4 ou 8 Go pour une poignée d'euros.

Combien d'images peut contenir une carte mémoire? La réponse dépend de la résolution et du format de fichier. Tous deux contribuent en effet à rendre le fichier plus volumineux, et donc à accroître son encombrement en mémoire. Reportez-vous au Chapitre 3 pour les détails.

Le Tableau 4.1 indique le nombre approximatif d'images selon la taille de la carte mémoire. Les photos sont censées être au format JPEG, modestement compressées afin de préserver leur qualité. Si vous préférez photographier aux formats TIFF ou Raw, sachez que les fichiers seront notablement plus volumineux. Et si vous optez pour un format JPEG plus compressé, ils seront moins gros (mais avec une dégradation visible des images).

Tableau 4.1 : **Contenance approximative d'une carte mémoire.**

| Résolution | 4 Go | 8 Go | 16 Go | 32 Go |
|---|---|---|---|---|
| 3 mégapixels | 1024 | 2048 | 4096 | 8192 |
| 5 mégapixels | 614 | 1228 | 2456 | 4912 |
| 8 mégapixels | 384 | 768 | 1536 | 3072 |
| 10 mégapixels | 307 | 614 | 1228 | 2456 |
| 12 mégapixels | 256 | 512 | 1024 | 2048 |
| 15 mégapixels | 204 | 409 | 818 | 1637 |

Vous voyez qu'il y a de quoi faire!

Le manuel de votre appareil contient sans doute un tableau à peu près équivalent à celui du Tableau 4.1, mais adapté aux spécificités de votre équipement (les lignes correspondant à 3, 5 et 8 mégapixels sont surtout là pour vous aider à tester votre téléphone portable...). En emportant une ou deux cartes mémoire supplémentaires, vous bénéficierez d'une plus grande autonomie.

## Quelques conseils d'achat

Voici quelques recommandations utiles lors de l'achat d'une carte mémoire :

- Normalement, les appareils photo n'acceptent qu'un seul type de carte mémoire. Reportez-vous au manuel pour le connaître (reportez-vous au Chapitre 3 pour tout savoir sur les cartes mémoire les plus courantes). Vous n'êtes pas obligé de vous en tenir à une marque. En revanche, vous devez respecter le type : SD, SDHC, CompactFlash, Memory Stick...

- Certaines cartes sont plus rapides que d'autres. La photo est enregistrée plus vite, ce qui est un avantage pour les photographes d'action. Leur prix plus élevé n'est cependant pas toujours justifié pour un usage courant. De plus, l'appareil photo doit être capable d'exploiter cette vitesse accrue, ce qui n'est pas forcément le cas sur bon nombre de compacts. Ensuite, vous ne décèlerez peut-être pas la différence. Visitez le site du fabricant avant d'opter pour ce genre de carte mémoire. Mais bon, la différence de prix n'est pas très importante, alors pourquoi ne pas se laisser tenter ?
- En règle générale, le prix au gigaoctet baisse lorsque la capacité s'accroît. Il est donc souvent proportionnellement plus avantageux pour une carte de 16 Go que pour une carte de 8 Go.
- La carte SD (*Secure Digital*), de la taille d'un timbre-poste mais capable de contenir de 2 Go jusqu'à 64 Go de données (c'est vrai, on commence à voir apparaître des capacités de 128 Go!), s'est incontestablement imposée dans le monde des appareils photo numériques compacts. Elle existe en trois versions : standard, à grande vitesse et à *très* grande vitesse de transfert. N'achetez ces dernières que si votre appareil photo est techniquement capable d'exploiter cette fonctionnalité (le manuel le stipule clairement). Autrement, elles ne seront pas plus rapides que des cartes mémoire normales.

## Précautions d'usage sur l'utilisation des cartes mémoire

La fiabilité des cartes miniatures n'est plus à démontrer. Cependant, pour assurer leur pérennité, il est préférable de se conformer aux règles d'utilisation ci-dessous :

- Une carte mémoire doit parfois être formatée avant sa première utilisation. C'est assez rare, mais si vous devez le faire, la procédure est décrite dans le manuel de votre appareil photo numérique.

- Veillez à ne pas formater une carte contenant des photos, car elles seraient irrémédiablement effacées.
- Ne retirez jamais une carte mémoire pendant que l'appareil prend une photo, filme ou accède aux données. Bon nombre d'appareils disposent d'un voyant lumineux qui témoigne de l'activité de la carte mémoire.
- Ne coupez pas l'alimentation de votre appareil pendant qu'il accède aux données de la carte mémoire.
- Ne touchez pas les connecteurs de vos cartes. Ce sont généralement des contacteurs plaqués or.
- Nettoyez une carte avec un chiffon doux et sec. La saleté et les empreintes digitales peuvent compromettre la fiabilité et les performances d'une carte mémoire.
- Évitez de stocker vos cartes dans un endroit ensoleillé, poussiéreux ou humide. Attention aussi à l'électricité statique.
- Oubliez la rumeur selon laquelle les scanners à rayons X des aéroports détruiraient les données contenues dans les cartes mémoire.
- Pour conserver les cartes mémoire dans de bonnes conditions, rangez-les dans l'étui ou le boîtier d'origine. Pour transporter plusieurs cartes, achetez un porte-carte. Celui de Lowepro (voir Figure 4.1) est équipé d'emplacements pour des cartes et pour des piles (`www.lowepro.com`).

# Les périphériques de transfert

Le transfert des photos de l'appareil vers un ordinateur s'effectue généralement au travers d'un câble USB. Vous devez toutefois l'avoir

Figure 4.1 : Un étui pour cartes mémoire et piles supplémentaires.

sous la main chaque fois que vous comptez faire des transferts. Sachez qu'un câble prévu pour une marque d'appareil photo ne fonctionne pas forcément avec une autre, et qu'il en va de même des câbles USB d'un lecteur MP3 ou autre périphérique. C'est dire si vous devez prendre soin du câble et ne pas l'égarer (il est heureusement possible d'en racheter). L'appareil photo doit être allumé au cours du processus, ce qui pompe la batterie, à moins de disposer d'une alimentation externe.

Une meilleure solution consiste à recourir à l'un de ces accessoires :

- **Lecteur de cartes mémoire :** branché à l'ordinateur, ce dernier le considère comme n'importe quel autre lecteur (disque dur externe, clé USB…) connecté à un port USB. Ensuite, vous manipulez les fichiers de vos photos comme n'importe quel autre fichier informatique, par des glisser-déposer d'un dossier à un autre.

  Pour une (toute) petite vingtaine d'euros, vous obtiendrez un lecteur polyvalent comme celui de Sandisk, illustré sur la Figure 4.2, qui accepte tous les types de cartes. Commode si des invités équipés d'un autre matériel que le vôtre vous proposent de laisser chez vous une copie des photos de la soirée, ou encore pour une séance photos entre amis.

- La plupart des ordinateurs récents sont équipés en standard d'un lecteur de cartes mémoire intégrés à l'unité centrale.

- **Station d'accueil :** voici espèce plus que menacée, celle des *stations d'accueil*, c'est-à-dire un périphérique qui peut rester connecté en permanence au port USB de l'ordinateur, voire à une imprimante. Pour transférer des photos, placez l'appareil

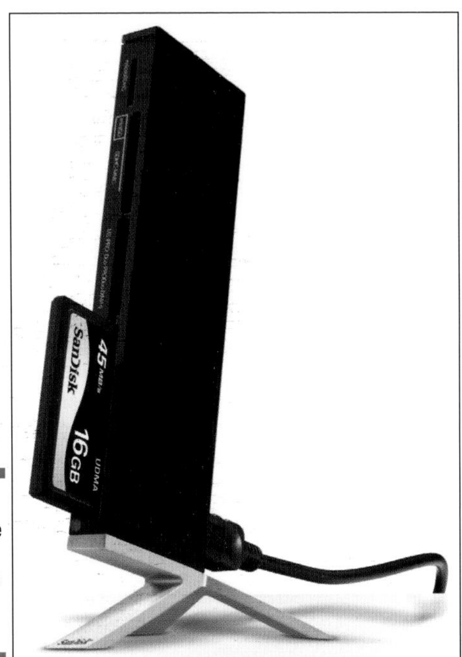


**Figure 4.2 :** Un lecteur de cartes mémoire facilite le transfert des images.

dans sa station d'accueil et appuyez sur un ou deux boutons pour lancer la procédure de transfert qui s'effectue automatiquement. Je mentionne ce type de dispositif pour mémoire, afin que les générations futures sachent qu'il n'a pas été l'apanage des iPod et autres iPhone...

- **Imprimante photo avec connecteur de carte mémoire :** si vous disposez d'une imprimante capable d'imprimer les images depuis la carte mémoire de votre appareil, vous pouvez peut-être l'utiliser pour transférer vos photos dans l'ordinateur. La présence de connecteurs pour cartes ne signifie pas que cette option de transfert est proposée. La plupart des imprimantes se contentent en effet d'afficher les images présentes sur la carte sur un mini-écran ou d'imprimer une planche, un index et bien sûr des tirages. Vérifiez bien l'existence de la fonction de transfert avant d'acheter, si vous y tenez.

# L'archivage des photos

La gestion des archives numériques – vos photos, en l'occurrence – ne doit pas être négligée. En effet, s'il était de bon ton, par le passé, d'engranger films et tirages dans des boîtes à chaussures, cette désinvolture n'est plus de mise pour les fichiers numériques. Si vous tenez à conserver vos précieux souvenirs, vous *devez* vous en occuper.

Les solutions de stockage à long terme ne manquent pas. Vous choisirez celle qui correspond le mieux à vos exigences et à votre budget. Pour commencer, envisagez l'ajout d'un deuxième disque dur à votre ordinateur ou mieux, un disque dur externe de 750 gigaoctets, voire un téraoctet (soit mille milliards d'octets, excusez du peu) ou plus. Profitez-en car les prix se sont effondrés ces derniers temps.

Examinons les supports de stockage les plus utilisés actuellement par les particuliers et dans les petites entreprises. Nous aborderons les logiciels d'archivage au Chapitre 8.

- **Le disque dur externe :** c'était le support de stockage de prédilection, à condition – ce point est impératif – que les photos soient aussi sauvegardées ailleurs, dans le disque dur de l'ordinateur par exemple, ou dans un second disque dur externe. Autrement, en cas de panne du disque dur externe, vous risqueriez tout simplement de perdre toute votre photothèque : des dizaines de milliers de photos et de précieux souvenirs ou documents volatilisés en un clin d'œil ! Le téraoctet se vend en dessous des 100 euros ces temps-ci. Il serait dommage de s'en priver. Et vous n'avez en aucun cas besoin d'un modèle dit multimédia pour stocker vos photos ! (Figure 4.3).
- **La clé USB :** cet accessoire connaît un succès qui ne se dément pas en raison de sa compacité – une « sucette » de quelques centimètres –, de sa fiabilité et de sa capacité phénoménale, qui ne cesse de s'accroître. Celle des clés les plus courantes est de 4, 8 ou 16 Go, et la capacité maximale est actuellement de 128 Go. Leur contenu peut être protégé par un mot de passe et/ou crypté. Pour fonctionner, une clé USB ne nécessite normalement aucun logiciel.
- **DVD :** proche cousin du proche défunt CD-ROM (et aucun sans doute lui-même futur défunt), le DVD offre une capacité bien plus élevée que celui-ci. Tous les ordinateurs récents sont capables de les lire et d'en graver. C'est un support plutôt bon marché, surtout s'il est acheté en quantité. Reportez-vous à l'encadré « DVD-R ou DVD-RW ? » pour en savoir plus sur les types de DVD (et de CD).

Figure 4.3 : Un disque dur externe de Seagate, un monstre de 3 To !

La capacité d'un DVD de base (simple couche) est de 4,7 Go, soit à peu près l'équivalent d'une clé mémoire USB standard. Un DVD double couche affiche environ 9 Go. À titre indicatif, vous placerez environ 1600 photos fournies par un compact de 12 mégapixels, et quelques petites centaines de photos au format Raw produites par un reflex de 16 mégapixels.

La gravure d'un DVD n'a rien de compliquée, mais elle n'est pas aussi simple que la copie sur une clé USB car :

- Des problèmes de compatibilité peuvent empêcher les vieux ordinateurs de lire tel ou tel type de DVD ou de CD-ROM.
- Pour le choix des « galettes », vous serez confronté à des notions techniques pas toujours simples à comprendre.
- La gravure a parfois tendance à échouer pour des raisons pas forcément évidentes, ce qui oblige à recommencer avec un autre disque.

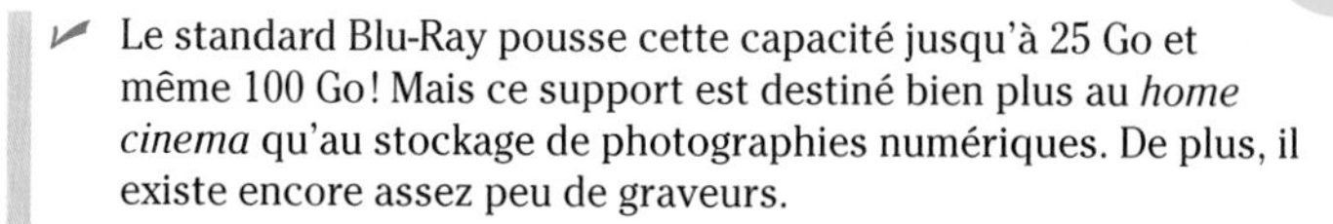

- Le standard Blu-Ray pousse cette capacité jusqu'à 25 Go et même 100 Go ! Mais ce support est destiné bien plus au *home cinema* qu'au stockage de photographies numériques. De plus, il existe encore assez peu de graveurs.

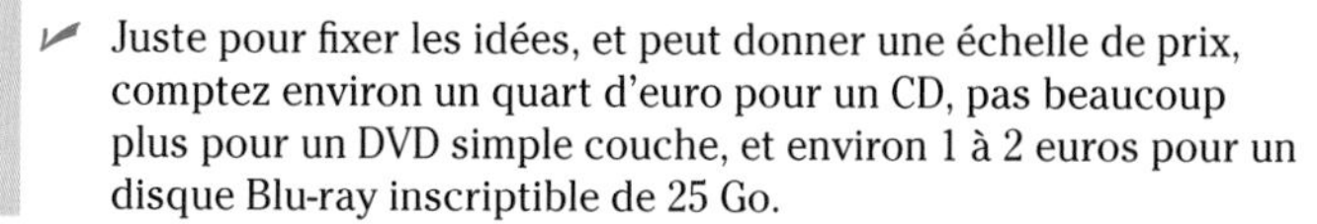

- Juste pour fixer les idées, et peut donner une échelle de prix, comptez environ un quart d'euro pour un CD, pas beaucoup plus pour un DVD simple couche, et environ 1 à 2 euros pour un disque Blu-ray inscriptible de 25 Go.

Comme toutes les données informatiques, l'image numérique se dégrade avec le temps. À quelle échéance ? Tout dépend du support. Sur les supports magnétiques, comme les disques durs et clés USB, cette dégradation risque de se manifester après une dizaine d'années. Autrement dit : n'archivez pas à long terme sur ces supports.

Le stockage sur DVD ou CD-ROM est plus sûr. Certains fabricants annoncent une durée de vie de plus de 100 ans, celle des supports réinscriptibles (DVD-RW ou CD-RW) se limitant à 30 années (mais personne ne sait ce qu'il en est en réalité, l'invention du CD-ROM par Philips datant du début des années 1980). Ces chiffres ne sont valables que

## R ou RW ?

Il existe deux types de CD et de DVD : les CD-R et DVD-R, où le « R » signifie *Recordable,* enregistrable, et les CD-RW et DVD-RW, où « RW » signifie *ReWritable,* réinscriptible. Les graveurs de CD et de DVD s'accommodent des deux.

Un CD-R ou un DVD-R peut être gravé et regravé jusqu'à ce qu'il soit plein. Mais il est impossible de supprimer des fichiers pour libérer de la place. L'avantage est que les fichiers ne risquent pas de disparaître accidentellement. Les CD-R et DVD-R sont bon marché. Je vous conseille toutefois de ne pas acheter les produits sans marque, au prix bradé mais peu fiables.

Un peu plus cher, le CD-RW ou DVD-RW s'utilise comme le R, mais si son contenu ne vous intéresse plus, vous pouvez l'effacer entièrement et graver de nouvelles données (l'effacement partiel n'est pas possible). En raison des risques d'effacement accidentel – confondre un CD avec un autre est vite fait –, CD-RW et DVD-RW ne se prêtent pas à l'archivage à long terme. De plus, ils vieillissent plus vite que le CD ou le DVD seulement inscriptible.

Enfin, il faut noter que les CD-RW ne sont pas lisibles sur la plupart des vieux lecteurs (sauf ceux qui sont conformes à la norme Multiread). Et noter également que ces remarques valent aussi pour le format Blu-ray.

si les conditions de stockage (température, hygrométrie, lumière...) sont idéales. Mais la controverse n'est pas close. Ce type de disque est fragile, se raye facilement et son substrat acrylique tend à jaunir et se craqueler. Pour plus se sécurité, gravez toujours deux DVD : l'un pour l'archivage à long terme, l'autre pour être manipulé au quotidien.

Pour encore plus de sécurité, imprimez vos photos. Ainsi, en cas d'incident avec l'informatique, il vous restera la possibilité de numériser les tirages avec un scanner – la qualité ne sera plus tout à fait celle des originaux – et obtenir ainsi de nouveaux fichiers. Le Chapitre 9 explique comment imprimer.

## Stockage et visualisation

Même si vous possédez plusieurs cartes mémoire de grande capacité, vous les aurez rapidement remplies si vous travaillez au format Raw. Nombre de fabricants proposent des disques durs multimédias, qui n'ont pas besoin d'un ordinateur pour fonctionner, et dans lesquels vous transférerez vos images, libérant ainsi vos cartes pour de nouvelles aventures.

Il existe des modèles équipés d'un écran de visualisation. Pour montrer les photos à votre entourage, cette option est plus commode que faire passer l'appareil photo de main en main pour que chacun puisse voir. Les disques durs multimédias peuvent être branchés directement sur un téléviseur, ce qui est autrement plus confortable pour regarder les photos, et aussi être connectés à une imprimante pour tirer les meilleures images. Mais après tout, la solution la plus moderne et la plus conviviale n'est-elle pas l'une de ces tablettes tactiles (Figure 4.4) si sympathiques, et dont le principal défaut semble souvent être le prix, qui peut parfois atteindre celui d'un ordinateur, certes moins déplaçable, mais tout de même plus puissant...

## Les solutions logicielles

Beaux et séduisants, les appareils photo tiennent la vedette dans le monde de l'imagerie numérique. Mais, sans un logiciel qui permette d'intervenir sur les images, votre appareil serait bien moins attrayant. C'est pourquoi les sections qui suivent sont consacrées aux logiciels qui vous aideront à mieux l'exploiter.

**Figure 4.4 :** Deux tablettes violemment concurrentes, le célèbre iPad d'Apple et la Galaxy Tab de Samsung, également talentueuse.

# Les logiciels de retouche

Un logiciel de retouche – qui appartient à la famille des logiciels graphiques – permet de faire quasiment ce que vous voulez de vos images : corriger la luminosité, le contraste, la température de couleur, recadrer l'image, appliquer des effets spéciaux et des filtres, faire des montages photo, *etc.* La Quatrième partie de ce livre est consacrée aux manipulations que vous pouvez infliger à vos photos.

Les logiciels de retouche ne manquent pas. Certains sont destinés aux débutants, d'autres aux utilisateurs plus avertis. Les sections qui suivent vous aideront à déterminer ceux qui correspondent à vos besoins.

## Les logiciels déjà installés dans votre ordinateur

La Galerie de photos Windows Live et iPhoto, les logiciels de gestion de photos qui accompagnent respectivement Windows 7 (après téléchargement des compléments Windows Live) et Mac OS X, possèdent des fonctions de retouche simples comme le réglage du contraste et de la luminosité, le recadrage ou encore la correction des yeux rouges (Figure 4.5).

Windows 8 a une gestion différente des galeries d'images de celle de versions précédentes.

Ces logiciels offrent des outils de correction de base ainsi que bon nombre de fonctions de prise en main. Dans certains cas, des *assis-*

**Figure 4.5 :** Des programmes compagnons de Windows, comme la Galerie de photos Windows Live, permettent de classer et améliorer les photos.

*tants* vous guident étape par étape pour réaliser de tâches comme la création de cartes de visite, de calendriers ou de cartes postales virtuelles.

Chaque programme essaie bien sûr de se distinguer des autres par sa simplicité ou par des fonctions inédites. Mais tous poursuivent le même but : améliorer la qualité des photographies.

## Les logiciels perfectionnés

Plus performants, mais d'un prix abordable (moins d'une centaine d'euros) voire gratuits, comme le remarquable The Gimp (`www.the-gimp.fr`), ils offrent de vastes possibilités de retouche et de montage grâce à des calques et des outils sophistiqués (Figure 4.6). Photoshop Elements, dont vous découvrirez les vastes possibilités dans les prochains chapitres, s'inscrit très bien dans cette catégorie. Son concurrent direct, PaintShop Pro (`www.corel.fr`) est lui aussi tout à fait digne d'intérêt.

## Les logiciels professionnels

Conçus pour les graphistes travaillant dans des studios de publicité ou dans des maisons d'édition et aussi pour les photographes professionnels, les logiciels haut de gamme sont plus puissants et offrent des fonctions graphiques inégalées par les logiciels grand public, mais ils sont aussi beaucoup plus chers : plus d'un millier d'euros,

Figure 4.6 : The Gimp, complet pour la plupart des usages, et surtout gratuit.

par exemple, pour Adobe Photoshop, le grand frère de Photoshop Elements.

Prenons un exemple significatif avec la retouche d'une photo surexposée. Dans un programme d'entrée de gamme, vous réduirez l'exposition sur la totalité des couleurs de l'image. Dans un logiciel professionnel, vous pourrez modifier les tonalités claires, sombres ou intermédiaires, indépendamment les unes des autres.

De plus, des outils de modification de la densité permettent d'appliquer à une photo le même traitement que sous l'objectif d'un agrandisseur : des parties de l'image peuvent être « retenues » afin qu'elles ne soient pas trop denses ou au contraire, on peut « donner de la lumière » pour éclaircir des ombres bouchées.

Avec Photoshop, il est possible de définir des scripts permettant d'appliquer automatiquement des modifications et des effets spéciaux sur un lot de nombreuses images, ce qui évite la répétition d'opérations fastidieuses.

Si les fonctions de tels programmes sont impressionnantes, il faut avouer que leur interface l'est aussi. Ne comptez pas sur des assistants, absents dans ce genre de logiciel. La seule manière de les maîtriser, c'est d'apprendre et de pratiquer. La Figure 4.7 montre l'interface de Photoshop (`www.adobe.fr`), le logiciel de retouche le plus connu. Ce n'est pas exactement ce qu'il y a de plus intuitif… Prévoyez l'achat d'ouvrages techniques.

Figure 4.7 : Photoshop est le logiciel de prédilection des photographes exigeants.

Avant de commander ou d'acheter un logiciel graphique, faites un tour sur le Web et téléchargez des versions d'évaluation. Vous pourrez ainsi essayer les produits, généralement pendant 30 jours, vous faire une idée précise de leurs fonctionnalités et opter pour celui qui vous convient le mieux.

## Les logiciels spécialisés

En plus d'un logiciel destiné à la correction et la retouche des photos, vous en trouverez d'autres concernant la photographie numérique. En voici quelques-uns :

- **Les logiciels d'archivage :** ils servent à classer rationnellement les photos et les visionner confortablement. Windows et Mac OS X sont équipés de leurs propres applications : l'Explorateur de fichiers de Windows 7 et 8 avec leurs bibliothèques (Figure 4.8) ou encore Galerie de photos Windows Vista (Figure 4.9), et iPhoto chez Apple (Figure 4.10). Tous sont parfaits pour classer les photos et les retrouver rapidement grâce à l'insertion de mots-clés directement dans les fichiers d'image, mais ils ne sont pas aussi puissants que des logiciels spécialisés comme ACDSee (`www.avanquest.fr`), qui permettent entre autres d'accéder aux métadonnées EXIF ou IPTC (ces notions sont expliquées plus loin dans ce chapitre).
- **Les logiciels d'optimisation :** assez récents, ce ne sont pas exactement des logiciels de retouche (vous ne de ferez pas de montage avec et n'appliquerez aucun filtre d'effet), mais de puissants logiciels de correction principalement destinés aux photos au

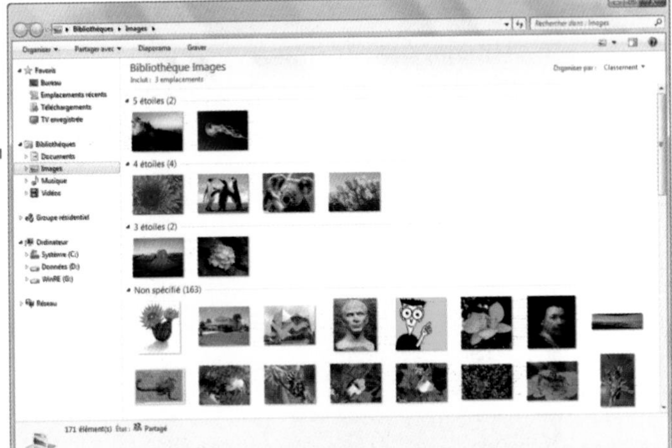


**Figure 4.8 :** L'Explorateur de Windows 7 (ou 8) permet de gérer directement des bibliothèques de documents multimédias et autres.

**Figure 4.9 :** Galerie de photos Windows est le gestionnaire de photos de Windows Vista.

format Raw (bien que les fichiers JPEG et TIFF puissent en bénéficier dans une certaine mesure). Ils servent essentiellement à corriger les réglages qui n'étaient pas parfaits à la prise de vue (exposition, balance du blanc…) ou des problèmes liés aux objectifs (aberrations géométriques et chromatiques, vignettage…). Si Photoshop, ainsi d'ailleurs que Photoshop Elements 11, dispose d'outils spécifiques à cet effet (notamment Camera

**Figure 4.10 :** iPhoto est le gestionnaire de photos de Mac OS X. Il permet même de retrouver des photos selon les lieux photographiés (par géolocalisation GPS) et les visages représentés sur les photos (la galerie de photos Windows sait le faire aussi).

Raw), les plus connus sont Lightroom, édité par Adobe pour Windows et Mac, Aperture, d'Apple, qui n'existe qu'en version Mac, Dxo Optics (du français Dxo Labs) ou encore le japonais Silkypix. Petit Cocorico : DxO Optics est accompagné de modules développés exactement pour tel ou tel objectif, et le DxO FilmPack du même éditeur peut même simuler les rendus des pellicules photos les plus connues, comme le Kodachrome de Kodak, la Velvia de Fujifilm et beaucoup d'autres. Sur le site (`www.dxo.com/fr`) les démonstrations de DxO Optics et du FilmPack sont spectaculaires.

- **Les modules pour effets spéciaux :** ils ajoutent des fonctionnalités à un logiciel graphique. L'un de mes préférés est Nik Color Efex Pro (`www.niksoftware.com`), illustré sur la Figure 4.11. Utilisable avec Photoshop et Photoshop Elements, il applique des effets habituellement obtenus avec des pellicules spéciales ou des filtres d'effets.

- **Les logiciels de peinture :** ils simulent les supports traditionnels (papier, toile…) ainsi que les instruments (pinceaux, fusains, couteaux…).

Enfin, vous pourrez envisager l'achat de logiciels carrément ludiques, comme BrainsBreaker (`www.brainsbreaker.com`), illustré sur la Figure 4.12. Ce programme transforme une photo en puzzle. Les pièces sont déplacées à la souris. Mais ce n'est qu'un exemple, et il existe bien d'autres applications de ce type.

**Figure 4.11 :** Des modules comme ceux de Nik Multimedia ajoutent des fonctionnalités spéciales au logiciel de retouche.

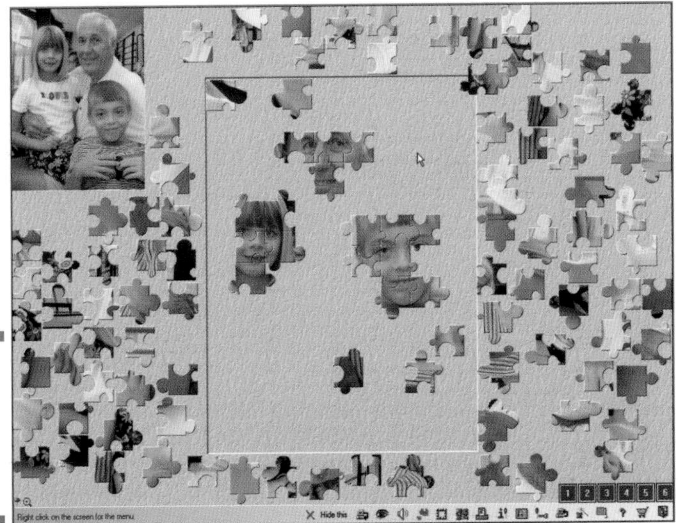


**Figure 4.12 :** Brains-Breaker transforme une photo en puzzle.

## Quelques accessoires

Outre les éléments qui facilitent les échanges entre l'appareil et l'ordinateur, il existe des accessoires qui, sans être indispensables, sont utiles à un photographe avisé.

- **Objectifs supplémentaires :** améliorez vos prises de vue en investissant dans des objectifs : grand-angulaire, macro, téléobjectif… Certains appareils acceptent des objectifs complémentaires : ce sont des éléments optiques vissés sur l'objectif fixe pour le convertir en grand-angulaire, téléobjectif ou objectif macro.
- **Trépied :** même avec un temps de pose normal, le moindre mouvement compromet la netteté de la photo. Pour réussir vos prises de vue, il est indispensable que l'appareil soit parfaitement immobile. Si vous constatez que vos images semblent un peu enveloppées, investissez dans un trépied. Il assurera une stabilité parfaite lors de la prise de vue.

- Voici un conseil pour tester la stabilité d'un trépied : déployez-le à sa hauteur maximale, rentrez la colonne centrale, puis essayez de pivoter la tête comme si elle était un bouton de porte. Si le trépied tout entier pivote aisément, il vaut mieux choisir un autre modèle plus robuste.
- **Pare-soleil :** que ce soit en vidéo ou en photo, les écrans de contrôle sont illisibles en cas de luminosité intense. Un pare-soleil y remédiera. Plusieurs fabricants en proposent. Et des constructeurs livrent certains de leurs appareils photo avec ce type d'accessoire. Il existe bien sûr aussi des pare-soleil pour les objectifs. Dans ce cas, n'oubliez pas de retirer cet accessoire *avant* de prendre des photos au flash… Il risquerait de projeter une ombre intempestive sur vos images.
- **Une boîte à lumière :** si vous devez photographier des objets de petite taille sans qu'ils projettent des ombres disgracieuses et sans que l'environnement ne se reflète dedans (c'est le cas des bijoux, des articles chromés…) placez-les dans une sorte de tente qui diffuse la lumière. Des exemples sont montrés au Chapitre 6.

- **Un fourre-tout :** les appareils photo sont fragiles. Assurez leur sécurité et leur longévité en les transportant dans un sac prévu à cet effet. Vous pourrez, en outre, y ranger tous vos accessoires. Le sac de transport est le compagnon idéal du reporter numérique.

# Quand la souris se fait stylet

Pour terminer ce chapitre, je vais parler d'un périphérique qui fait un peu bande à part : la tablette graphique.

Elle permet de dessiner à l'aide d'un stylet, restituant à l'utilisateur toutes les sensations qu'il peut avoir en maniant un crayon, un pinceau, un feutre ou un aérographe. L'essayer, c'est l'adopter.

Une tablette graphique pour professionnel est onéreuse, mais il existe des modèles grand public d'excellente qualité, comme la Bamboo Pen de Wacom (`www.wacom.fr`).

Les infographistes utilisent des tablettes de grande dimension dont le prix dépasse allègrement plusieurs centaines, voire plusieurs milliers, d'euros. Le modèle de la Figure 4.13 est doté d'une zone active d'environ 15 x 20 cm. Il en existe de plus petits, avec une surface active d'environ 10 x 13 cm, largement suffisant pour un travail sporadique.

**Figure 4.13 :** Les retouches compliquées sont beaucoup plus faciles à réaliser avec une tablette graphique.

*Wacon Technology*

## EXIF et IPTC

Peut-être pensez-vous que le fichier pondu par votre appareil ne contient que la photo que vous venez de prendre. Eh bien non. À condition de posséder un programme capable de lire les données qui s'y trouvent – Photoshop Elements le fait, comme le montre la Figure 4.14 –, vous découvrirez de nombreuses informations fort utiles que l'appareil photo a enregistrées à votre insu, en même temps que l'image, lors de la prise de vue. Ce sont notamment la marque et le modèle de l'appareil photo, la vitesse d'obturation, l'amplitude du zoom et la focale utilisée, la date et l'heure de la prise de vue, la sensibilité ISO, *etc.* Plus d'une centaine de renseignements techniques peuvent ainsi être introduits dans le fichier, selon le type d'appareil (les moins sophistiqués se contentent d'enregistrer l'essentiel, ce qui n'est déjà pas mal). Ces informations sont des métadonnées EXIF (*Exchangeable Image File,* fichier d'image échangeable).

Grâce aux métadonnées, vous n'avez plus à emporter avec vous le carnet que les passionnés de photo trimballaient autrefois partout, notant scrupuleusement les réglages de la photo qu'ils venaient de faire. Si un module GPS peut être couplé à votre appareil photo, ou s'il intègre un GPS, les coordonnées géographiques de la prise de vue figureront dans le fichier de la photo. Un logiciel comme iPhoto '11, sur le Mac, saura même les exploiter pour géolocaliser la photo et montrer sur une carte où elle a été prise.

Contrairement aux métadonnées EXIF introduites dans chaque photo par l'appareil, les données IPTC (*International Press and Telecommunications Council,* conseil international de la presse et des télécommunications), elles, sont saisies par le photographe. Ces informations sont principalement des mots-clés qui facilitent l'identification des photos. Par exemple, pour une photo de la tour Eiffel la nuit, vous spécifierez les mots-clé « Paris », « Tour Eiffel », « Nuit ». Dans votre logiciel d'archivage, vous pourrez ensuite sélectionner dans votre photothèque cette image parmi toutes les photos prises de nuit, ou parmi toutes celles de Paris, ou encore parmi toutes les photos de tour Eiffel que vous auriez prises. Dans les métadonnées IPTC, vous pouvez aussi indiquer le nom de l'auteur de la photo, une description détaillée et bien d'autres informations.

Figure 4.14 : À droite, une partie des métadonnées EXIF d'une photo affichée dans Photoshop Elements.

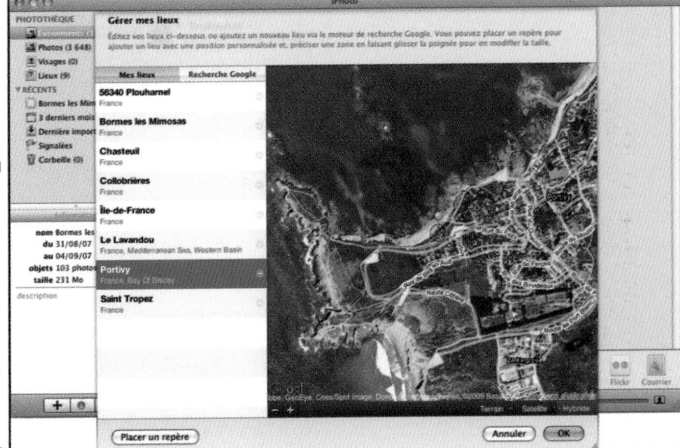


Figure 4.15 : Le logiciel iPhoto d'Apple est capable de montrer exactement où les photos ont été prises.

# Deuxième partie

# La prise de vue sans prise de tête

## Dans cette partie...

La plupart des appareils photo numériques sont à automatisme intégral. Autrement dit, vous cadrez le sujet et vous appuyez sur le bouton.

Mais, comme pour la photo argentique, la prise de vue en numérique n'est pas aussi simple que les fabricants voudraient nous le faire croire. Avant de viser et de déclencher, vous devrez tenir compte de quelques paramètres, du moins si vous tenez à faire de belles images. C'est ce que nous verrons dans cette partie du livre.

Le Chapitre 5 explique les réglages de base d'un appareil photo. Au Chapitre 6, vous découvrirez ce qui fait une belle photo : une mise au point et une exposition précises. Le Chapitre 7 est consacré à la composition, la photo d'action, l'utilisation du zoom, *etc.*

En substituant l'approche «réfléchir, déclencher» à l'automatisme «intégral et passif», vous produirez des images plus fortes. Finies les photos où le sujet est mal cadré, trop loin ou flou. Vos photos seront désormais intéressantes.

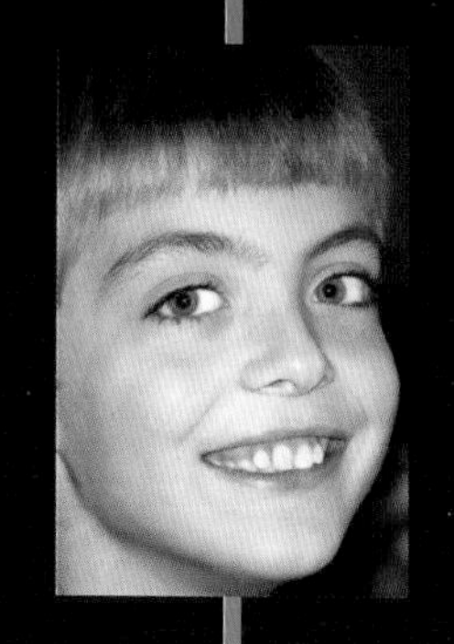

# 5

# Savoir régler l'appareil photo

*Dans ce chapitre :*

- Les réglages initiaux.
- Choisir un format de fichier.
- Qualité et taille de l'image.
- La compression JPEG.
- Les options de balance des blancs.
- Les paramètres d'amélioration de l'image.

Les fabricants d'appareils photo s'efforcent de créer des appareils qui, sitôt sortis de leur boîte, sont faciles et agréables à utiliser. Dans ce but, le mode automatique est enclenché lors de la première mise en route. Vous êtes ainsi censé obtenir de bonnes photos dès la première fois.

Les paramètres par défaut de l'appareil photo ne sont toutefois pas capables de produire la meilleure image dans toutes les conditions. Photographier un match de foot ou de handball en nocturne exige d'autres réglages que s'il se déroulait en plein soleil.

C'est pourquoi, après avoir cédé à l'excitation et pris quelques photos, plongez-vous dans le manuel et lisez-le attentivement afin de découvrir toutes les fonctionnalités de votre appareil. Pour vous aider à mieux comprendre ce qu'il dit, ce chapitre explique les bases de la prise de vue numérique, notamment les formats de fichiers, la résolution (le nombre de pixels) et la balance des blancs. Cet exposé se poursuit au Chapitre 6, largement consacré à l'exposition et à la mise au point.

## Les réglages de base

Au dos de l'appareil se trouve un bouton qui affiche un menu sur l'écran, comme le montre la Figure 5.1. En plus des options photo classiques, comme l'exposition et le flash, beaucoup d'appareils proposent les réglages de base suivants :

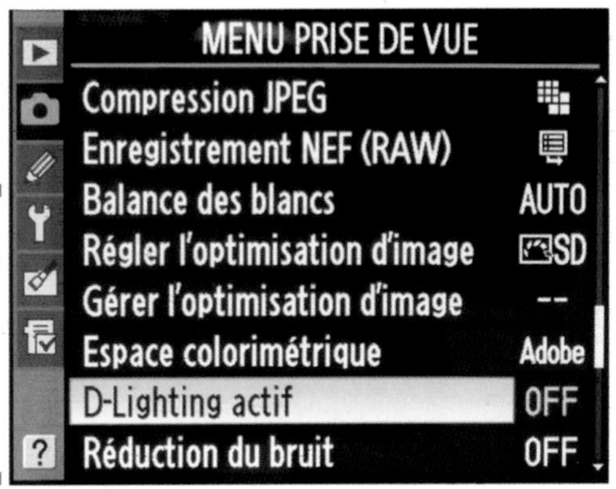


**Figure 5.1 :** Parcourez les menus pour découvrir les diverses options de l'appareil photo.

- **Date et heure :** ces paramètres d'horodatage sont plus importants qu'il n'y paraît car, au moment de la prise de vue, l'appareil photo inscrit non seulement les différents réglages dans le fichier d'image, mais aussi la date et l'heure. Ces informations, visibles dans un logiciel d'archivage ou de retouche, sont inscrites sous la forme de métadonnées EXIF (revoyez la fin du chapitre précédent).

  Régler correctement la date et l'heure permet d'utiliser la fonction de tri par date, dans un logiciel de retouche comme le montre la Figure 5.2.

- **Arrêt automatique :** afin de préserver la batterie, beaucoup d'appareils photo s'arrêtent automatiquement après quelques minutes d'inactivité, au risque de manquer une opportunité : le temps de redémarrer l'appareil, le moment décisif est passé.

**Figure 5.2 :** La date étant enregistrée dans le fichier d'image et affichée sous chaque photo, il est facile de trouver les photos prises tel ou tel jour.

- Si l'arrêt automatique ne peut pas être désactivé, vous pouvez le réinitialiser en appuyant légèrement sur le déclencheur afin de mémoriser la mise au point et l'exposition (ces notions sont expliquées au prochain chapitre). Ou alors, si l'appareil est équipé d'un zoom, actionnez-le sans insister.
- **La visualisation immédiate :** après avoir pris une photo, l'appareil l'affiche pendant quelques secondes. Vous devrez désactiver cette fonction pour déclencher à un rythme soutenu car il est impossible de prendre une autre photo tant que cet affichage est en cours. Comme il consomme du courant, le désactiver augmente l'autonomie de l'appareil.

- **La luminosité de l'écran :** modifier la luminosité de l'écran facilite la lecture de l'image dans un environnement très clair. Mais attention, car cela risque alors de fausser le rendu de l'exposition. Avant de ranger l'appareil, vérifiez les images avec la luminosité par défaut de l'écran.
- **La rotation automatique :** cette fonction pivote automatiquement le fichier d'image lorsque vous cadrez en hauteur, afin qu'elle soit affichée correctement lorsque vous visionnez vos photos. Comment le logiciel sait-il qu'une photo a été prise en hauteur ? Grâce à un capteur présent dans l'appareil photo et à une métadonnée EXIF. Que serait la photo numérique sans ces informations ?
- **Les normes télé/vidéo (PAL, NTSC) :** si votre appareil possède une sortie vidéo, qui permet de le connecter à un téléviseur ou

un lecteur de DVD, vous aurez le choix entre deux types de sortie vidéo. La norme PAL est en vigueur en Europe et le NTSC est utilisé en Amérique du Nord et au Japon.

- **Les effets sonores :** les appareils photo numériques adorent couiner. Certains émettent un jingle à l'allumage, d'autres un bip pour signaler que la mise ou point ou l'exposition ont été mesurés, voire un bruit de déclencheur à rideaux au moment de la prise de vue. J'ai même entendu un appareil dire « au revoir » au moment où on l'éteint ! Avant d'utiliser votre appareil dans une cérémonie ou dans un lieu où le silence est de mise, désactivez les options sonores, ou réduisez au moins le volume.

- Certains appareils proposent un mode Musée. Il désactive les sons et le flash, interdit dans la plupart des musées (en gros, c'est le même principe que le mode Avion des téléphones portables).

## Choisir un format de fichier

Votre appareil photo peut offrir un choix entre plusieurs types de fichiers, ou « formats », en jargon infographique. Ces formats définissent comment chacun des éléments d'une image numérique est enregistré et stocké. Ces informations sont les dimensions de l'image, sa qualité et le type de logiciel nécessaire pour la visionner et l'éditer.

Bien qu'il existe des dizaines, voire des centaines de formats d'image, les fabricants s'en sont tenus – du moins pour le moment – à trois : JPEG (pour tout le monde), TIFF (pour quelques uns) et Raw (pour les meilleurs). Chacun a ses avantages et ses inconvénients, qui dépendent du type de photos que vous faites.

Certains appareils ne proposent aucun choix de format de fichier. Ce qui signifie qu'il s'agit alors de JPEG. Ils permettent en revanche de choisir la résolution (nombre de pixels) et les dimensions de l'image. Reportez-vous au manuel pour en savoir plus.

Ne confondez pas la notion de « format de fichier » avec celle de formatage de la carte mémoire. Le formatage efface totalement son contenu. Mais pas de panique : avant de formater une carte mémoire, l'appareil vous met explicitement en garde et demande confirmation. En revanche, aucun message n'est affiché pour un changement de format de fichier.

## JPEG

Ce format est devenu un standard sur tous les appareils photo. JPEG sont les initiales de *Joint Photographic Experts Group,* « groupe de travail d'experts en photographie », l'organisme qui a développé ce standard.

Le format JPEG s'est imposé en photographie pour deux importantes raisons :

- **Il est parfait pour le Web :** tous les navigateurs Web et tous les logiciels de messagerie sont capables d'afficher des images au format JPEG. De ce fait, vos photos peuvent être partagées sur Internet quelques secondes seulement après avoir été prises.
- **Il est compact :** les fichiers JPEG sont beaucoup moins volumineux que ceux enregistrés sous d'autres formats. Vous pouvez donc en stocker davantage dans la mémoire de l'appareil. De plus, un fichier de petite taille est plus rapidement transmis sur le Web.

En infographie, il faut bien faire la différence entre la taille d'un fichier, exprimée en octets, kilo-octets ou méga-octets, et les dimensions de l'image exprimées en nombre de pixels. À nombre égal de pixels, la taille d'un fichier peut varier considérablement selon le format, le mode de couleur et le taux de compression. Revoyez à ce sujet les Chapitres 1 et 2.

L'inconvénient du JPEG est le compromis que vous devez faire entre la taille du fichier et la qualité de l'image. Pour rendre le fichier moins volumineux, le format JPEG applique une *compression à pertes de données* qui élimine des informations graphiques dans l'image originale.

Comparez le portrait non compressé de la Figure 5.3 avec celui, fortement compressé, de la Figure 5.4. Dans ce dernier, des agglomérats de pixels révèlent les pertes de données et les couleurs sont faussées. Remarquez les nuances bleutées autour des cils et autour du menton.

Fort heureusement, la compression JPEG appliquée par les appareils photo est faible, d'où une réduction de la taille du fichier sans trop compromettre la qualité de l'image. Avec une compression minimale, le format JPEG est parfait pour la plupart des photographes, hormis les plus exigeants.

La Figure 5.5 montre une version peu compressée du portrait. Le fichier est passé de 2,8 Mo à 400 Ko, et il faut y regarder de près pour déceler une perte de données.

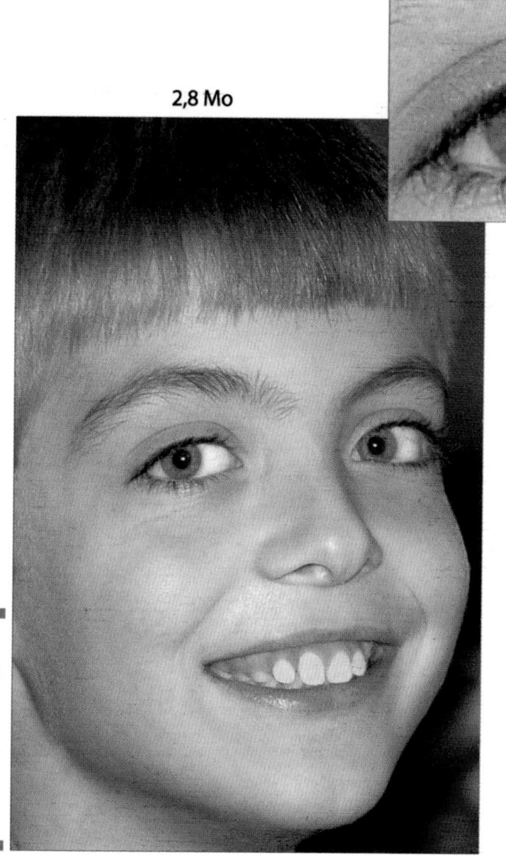


**Figure 5.3 :** L'absence de compression garantit une qualité maximale, mais le fichier est volumineux.

Pour régler les options JPEG de votre appareil, reportez-vous à son manuel. Généralement, elles sont indiquées par de vagues qualificatifs : Excellent, Normal, Réduit, par exemple.

Ces termes ne se rapportent pas au taux de compression, mais à la qualité d'image qui en résulte. En choisissant Excellent, la compression est moindre qu'en mode Normal, mais le fichier est plus volumineux. Vous stockerez moins d'images dans la mémoire de l'appareil.

Le manuel contient sans doute un tableau indiquant combien d'images peuvent être stockées dans une mémoire de telle ou telle taille selon le taux de compression. Vous devrez cependant procéder à des essais

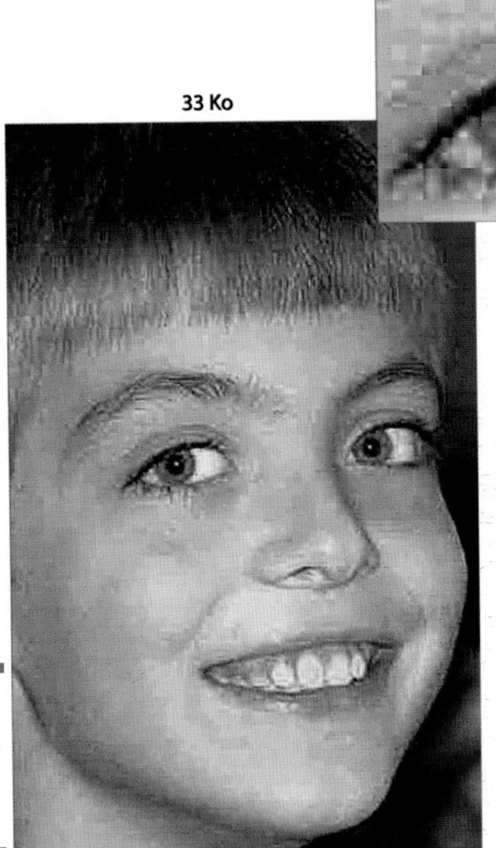


**Figure 5.4 :** Un taux de compression JPEG élevé dégrade l'image.

pour connaître les effets d'un réglage sur la qualité de l'image. Pour cela, photographiez un même sujet avec différents réglages.

Si votre appareil offre plusieurs options pour la résolution, effectuez le test de compression pour chacune d'elles. Rappelez-vous que la qualité de l'image dépend à la fois du taux de compression et de la résolution. Une basse résolution associée à une forte compression produit une image où une chatte n'y retrouverait pas ses petits.

Quand vous éditez une photo dans un logiciel de retouche, vous avez la possibilité de l'enregistrer de nouveau au format JPEG, d'où une nouvelle compression avec pertes de données. Comme chaque réenregistrement dégrade un peu plus la photo, le résultat final risque de

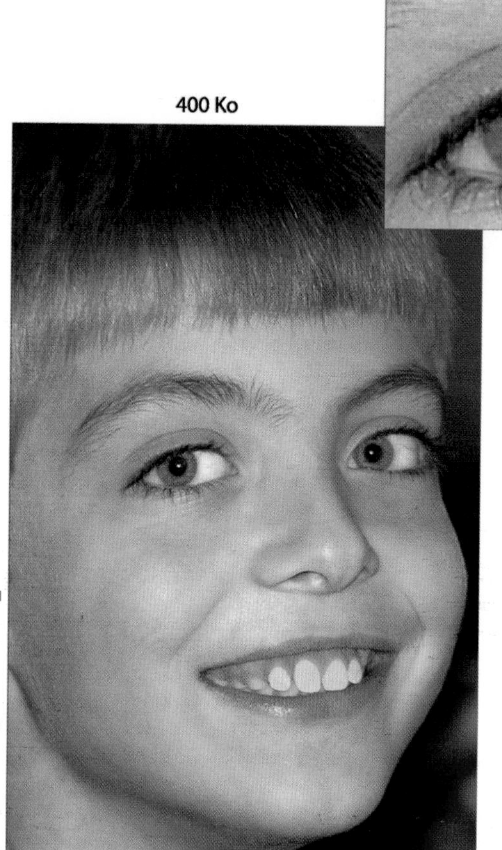


Figure 5.5 : Un taux de compression modéré réduit la taille du fichier sans trop dégrader l'image.

devenir affreux. Pour éviter cette dégradation, enregistrez le travail en cours dans un format sans perte de donnée, le TIFF par exemple, décrit à la prochaine section. Reportez-vous au Chapitre 11 pour en savoir plus sur l'enregistrement des photos modifiées, et au Chapitre 10 pour des détails sur l'enregistrement au format JPEG.

## TIFF

TIFF sont les initiales de *Tagged Image File Format,* format de fichier d'image à balises. Il se caractérise par une compression sans perte de données.

Pouvoir discerner une différence qualitative significative entre une image TIFF et une image JPEG légèrement compressée dépend de l'appareil photo. La photo de la Figure 5.3 est en TIFF, et il serait bien difficile de faire la différence avec celle en JPEG peu compressé de la Figure 5.5.

Un fichier TIFF est beaucoup plus volumineux qu'un fichier JPEG, et il ne peut pas être affiché par un navigateur Web ou dans un logiciel de messagerie. Pour cela, vous devez l'ouvrir dans un logiciel de retouche puis le convertir en JPEG. La procédure est expliquée au Chapitre 10.

Le JPEG est le choix le plus approprié, sauf si vous recherchez une qualité maximale. Vous risquerez ainsi moins de manquer de place en mémoire, et vous n'aurez pas à procéder à des conversions de formats.

## Raw

Quand vous photographiez en JPEG ou en TIFF, l'appareil applique un traitement – correction de l'exposition et des couleurs, netteté… – aux données issues du capteur photosensible avant d'enregistrer le fichier. Ces traitements sont basés sur des caractéristiques de l'imagerie qui, à en croire le fabricant, devraient plaire au plus grand nombre d'utilisateurs.

Le format Raw (« brut », en anglais), a été développé pour les puristes qui ne veulent pas des traitements imposés par le fabricant. Dans un fichier Raw, les données sont enregistrées telles qu'elles proviennent du capteur photosensible, sans aucun traitement ultérieur. Ce sont des données « brut de capteur ».

Contrairement aux formats JPEG et TIFF, le format Raw n'est pas standardisé. Chaque fabricant utilise ses propres spécifications et noms. Chez Nikon, par exemple, le format Raw s'appelle NEF et chez Canon, CR2 et CRW.

Les fichiers Raw n'étant pas compressés, ils sont nettement plus volumineux que des fichiers JPEG. De plus, pour les ouvrir, vous devez disposer d'un logiciel spécial, appelé Convertisseur Raw, qui permettra de les convertir au format TIFF ou JPEG afin de pouvoir travailler dessus. La Figure 5.6 montre le convertisseur Camera Raw d'Adobe Photoshopety Photoshop Elements. Le processus de conversion, ou « dérawtisation » en jargon photo, est expliqué au Chapitre 8.

En raison du surcroît de complications engendré par le format Raw, je recommande de s'en tenir au JPEG (ou si possible au TIFF) si vous débutez en photo. Franchement, le traitement appliqué à ces fichiers

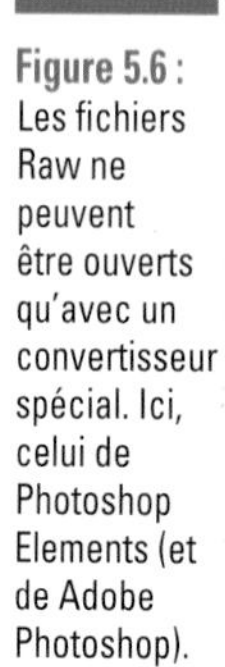

**Figure 5.6 :** Les fichiers Raw ne peuvent être ouverts qu'avec un convertisseur spécial. Ici, celui de Photoshop Elements (et de Adobe Photoshop).

d'image est au moins aussi efficace, sinon mieux, que celui que vous leur infligeriez avec un logiciel de retouche.

## DNG

En réponse à la tendance des fabricants de matériel photo à ne concocter que leurs propres formats Raw, Adobe a développé DNG (*Digital Negative*), un type de fichier qu'il espère imposer comme format universel. Il est vrai que cette tour de Babel des formats ne fait pas l'affaire des programmeurs de logiciels de retouche, qui doivent faire en sorte que leurs créations s'accommodent d'une multitude de formats, et elle ne fait pas davantage l'affaire des photographes, pour qui cette diversité est source de complications. Le problème ne se pose pas véritablement pour l'utilisateur lambda, mais bien plutôt pour les agences de photo ou de publicité qui doivent travailler sur des fichiers Raw de diverses provenances. De plus, le risque existe que les logiciels à venir cessent de supportent les premières versions de fichiers Raw, laissant leurs propriétaires avec des images qui ne peuvent plus être ouvertes (souvenez-vous du format vidéo Betamax et de l'enregistrement audio sur huit pistes, et plus récemment du format DVD-HD, évincé par le Blu-Ray).

L'objectif du DNG est d'imposer un standard de format de fichier de données brutes que tout fabricant de matériel photo pourra adopter. Plusieurs dizaines d'éditeurs de logiciels (Apple, Canto, Extensis…) l'ont déjà intégré à leurs produits et des fabricants comme Hasselblad, Leica, Ricoh ou encore Samsung l'ont incorporé à certains de leurs appareils. Si vous voulez convertir vos fichiers Raw en fichiers DNG, téléchargez l'outil gratuit DNG Converter depuis le site d'Adobe (`www.adobe.fr`). Il prend en charge les fichiers de la plupart des marques d'appareils photo. Mieux : le format Raw de l'appareil photo peut être enregistré à l'intérieur même d'un même fichier, qui contient alors deux images, celle issue du capteur de l'appareil photo, exploitable aussi longtemps que le photographe le désire, et l'image convertie en DNG, qu'il utilisera le jour où le fabricant de matériel photo aura cessé de soutenir son format propriétaire.

Rien ne garantit que le format DNG existera encore dans un siècle et, pour le moment, certains logiciels ne savent pas encore ouvrir ce genre de fichier. Mais quand on voit comment Adobe a réussi à imposer le PDF pour les documents textuels, on peut être optimiste pour le format DNG.

Pour ma part, je trouve le format Raw trop compliqué à gérer. Les seules fois où je l'utilise, c'est quand le résultat recherché ne peut être obtenu avec les formats JPEG ou bien TIFF. C'est le cas, par exemple, pour des éclairages particulièrement difficiles, quand il est quasiment impossible d'équilibrer à la fois la couleur, l'exposition et le contraste. Le format Raw permet de contrôler très étroitement ces paramètres en postproduction.

Certains appareils photo proposent un choix JPEG+Raw, ou encore TIFF+Raw. Dans ce cas, deux fichiers sont produits, dans chacun des formats. C'est commode pour disposer à la fois d'une image brute et d'une autre prête à être partagée sur le Web, mais bien sûr, cette option consomme beaucoup plus de place en mémoire.

## Régler le nombre de pixels (résolution)

Selon le modèle d'appareil photo, vous aurez le choix entre deux modes de résolutions ou davantage. Cette option définit le nombre total de pixels de l'image, et non le nombre de pixels par pouce (ppp). Vous configurez ce dernier dans le logiciel de retouche, avant d'imprimer la photo (reportez-vous au Chapitre 2 pour en savoir plus).

Le choix de la résolution se présente différemment d'un appareil à un autre. Vous aurez soit un sélecteur de dimensions, comme sur l'illustration du haut de la Figure 5.7, soit un indicateur de la quantité de pixels exprimée en mégapixels (MP), comme sur l'illustration inférieure. D'autres appareils affichent une indication plus vague, comme Normal, Fin ou Très fin, une notion qui englobe généralement le nombre de pixels, le format de fichier et le taux de compression.

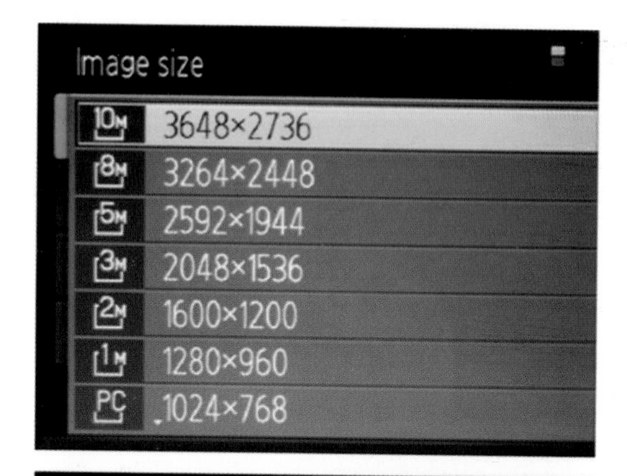


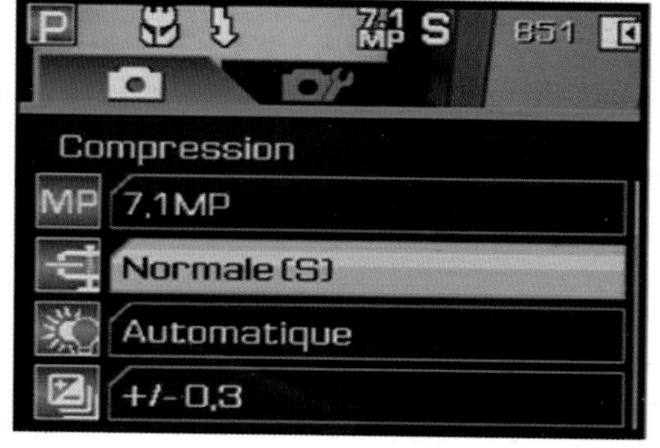


Figure 5.7 : Du nombre de pixels à la prise de vue dépend la taille maximale du tirage imprimé.

Le manuel de votre appareil devrait vous indiquer à quoi correspondent les résolutions ainsi que le nombre de pixels de chacune d'elles.

Pensez toujours à l'impression lorsque vous choisissez une résolution. Pour des images destinées au Web, 800 x 600, 640 x 480 pixels, voire 320 x 240 sont suffisants. Mais si vous désirez les imprimer, choisissez la résolution la plus proche – en pixels par pouce, ou *ppp* – de celle recommandée par le manuel de l'imprimante (inutile cependant de dépasser 300 ppp).

Là encore, le Chapitre 2 explique tout ceci en détail, avec des illustrations démontrant l'effet du nombre de pixels sur la qualité finale. Le Tableau 5.1 indique le nombre de pixels minimal nécessaire pour produire un tirage de qualité acceptable aux dimensions d'impression standard. À cette fin, nous présumons que la résolution d'impression de l'image est de 200 points par pouce (elle peut même être inférieure ; faites des essais). Pour vous rappeler combien un choix erroné de la résolution peut être dommageable, la Figure 5.8 montre des exemples

Tableau 5.1 : **Combien de pixels pour une bonne impression ?**

| Dimensions du tirage (cm) | Pixels à 200 ppp | Mégapixels (approximatif) |
|---|---|---|
| 10 x 15 | 800 x 1 200 | 1 |
| 13 x 18 | 1 000 x 1 400 | 1,5 |
| 20 x 25 | 1 600 x 2 000 | 3 |
| 30 x 40 | 2 200 x 2 800 | 6 |
| 40 x 60 | 2 800 x 4 400 | 12 |

**Figure 5.8 :** Une faible résolution produit un mauvais tirage.

de résolution faible, moyenne et élevée issus du Chapitre 2. Vous constaterez tout de suite que les 12, 14 ou 16 mégapixels d'un appareil photo moderne sont amplement suffisants !

Gardez ces quelques recommandations à l'esprit :

- Plus les pixels sont nombreux, plus le tirage peut être de grande taille et plus l'image consomme de la mémoire. Si la mémoire de votre appareil est limitée, et que vous photographiez en un lieu où il n'est pas possible de transférer les images, il vous faudra choisir une résolution moindre afin d'arriver à stocker davantage de photos. Ou alors, vous devriez pouvoir réduire la taille des fichiers en choisissant un autre format d'image et en recourant à un taux de compression plus élevé, comme nous l'avons expliqué précédemment dans ce chapitre.

- Des appareils proposent un double enregistrement de la photo : en haute résolution pour l'impression et simultanément à une taille moindre pour le Web.
- Le réglage de la résolution de votre appareil ne correspondra peut-être pas exactement aux correspondances du Tableau 5.1, car le rapport largeur/hauteur des photos numériques est différent de celui de la photo argentique. Le rapport classique largeur/hauteur d'une photo numérique est de 4:3 – soit quatre unités en largeur et trois en hauteur –, c'est-à-dire celui d'un écran informatique classique, ou bien 16:9 comme sur les moniteurs et téléviseurs modernes, alors que le rapport du film 24 x 36 est de 3:2, d'où le format standard des tirages de 10 x 15 cm. Pour la résolution à la prise de vue, efforcez-vous de choisir celle qui se rapproche au plus près des chiffres du Tableau 5.1.

- Certains modèles d'appareils proposent cependant une résolution de 3:2 équivalente au 24 x 36. De nombreux d'autres offrent aussi une résolution en 16:9, juste pour que vous puissiez regarder vos photos sur votre télé de salon.
- Les chiffres du Tableau 5.1 s'appliquent à l'impression de la totalité de l'image. Si vous la recadrez, il faudra une résolution plus élevée pour compenser la perte des parties éliminées.

- Quelques matériels réduisent automatiquement la résolution dans certaines conditions. Par exemple, beaucoup d'appareils proposent un mode Rafale permettant de photographier une succession rapide de vues (nous y reviendrons au Chapitre 7).

# Couleurs et balance des blancs

Les sources de lumière se caractérisent par leur *température de couleur.* Cette dernière est la lumière émise par un corps noir lorsqu'il est chauffé. Elle est mesurée en Kelvin. Sur cette échelle, 0 Kelvin correspond au zéro absolu, soit -273, 15° Celsius.

Si vous voyez écrit quelque part *balance du blanc* au lieu de *balance des blancs*, ne vous inquiétez pas : c'est pareil.

L'échelle de la Figure 5.9 montre la température de couleur émise par diverses sources lumineuses. Celle du soleil à midi est de 5 500 K. La

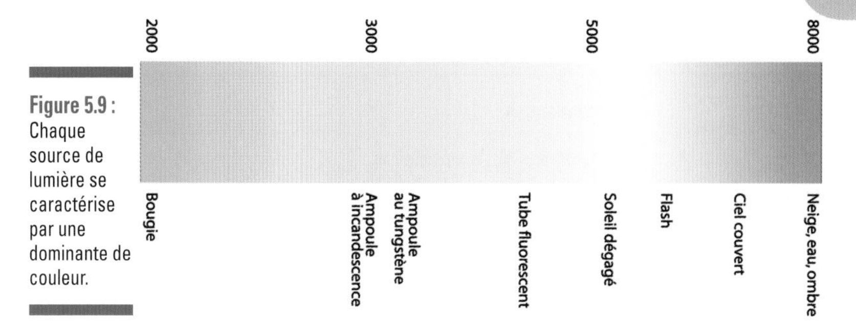


**Figure 5.9 :** Chaque source de lumière se caractérise par une dominante de couleur.

température de couleur d'une ampoule à incandescence, qui est de 3 000 K, tire sur l'orangé tandis qu'une température de couleur élevée, comme celle de la neige, est riche en bleu.

Ce qu'il faut retenir, à propos de la température de couleur, est qu'elle se manifeste sur les photographies, alors que l'œil, lui, compense naturellement la dominante correspondante. Par exemple, si vous lisez sous un éclairage fluorescent, les pages vous paraissent blanches. Mais si vous prenez une photo, vous remarquerez une dominante verte, qui découle de la température de couleur de ce type d'éclairage.

En photographie argentique, il existe des films équilibrés pour telle ou telle température de couleur ou corrigés par des filtres. En revanche, en photo numérique, la correction de la dominante de couleur s'effectue en réglant la *balance des blancs.* Ce procédé consiste à fausser la perception du rouge, du bleu et du vert par le capteur photosensible afin de compenser la dominante introduite par la température de couleur. Ainsi, toutes les couleurs de la scène sont fidèlement restituées.

La plupart des appareils photo numériques règlent automatiquement la balance des blancs, mais beaucoup permettent aussi de la contrôler manuellement. Pourquoi ? Parce qu'il arrive parfois que cette balance automatique ne soit pas suffisante pour supprimer la dominante de couleur. Si vous remarquez qu'un blanc n'est pas véritablement blanc, ou qu'une teinte uniforme apparaît sur toute l'image, un autre réglage de la balance des blancs pourra y remédier. Le Tableau 5.2 montre les réglages les plus courants.

La Figure 5.10 montre l'effet des réglages de la balance des blancs. Les photos ont été prises avec un Nikon. Normalement, comme sur tous les appareils, le réglage automatique fonctionne parfaitement. Mais cette scène pose un problème, car elle est éclairée par trois sources différentes : un plafonnier fluorescent, de la lumière du jour qui arrive par une fenêtre située à droite de l'image et, histoire de compliquer la situation, l'éclair du flash intégré.

Tableau 5.2 : **Les modes de balance des blancs.**

| Option | Utilisation |
|---|---|
| Jour | Extérieur par temps clair. |
| Nuageux | Extérieur par temps couvert. |
| Fluorescent | Intérieur. Éclairage par des tubes à fluorescence. |
| Lumière artificielle | Intérieur. Éclairage par des ampoules à incandescence. |
| Flash | Flash intégré ou couplé. |

En mode Automatique, l'image présente une légère dominante jaunâtre. Elle tient au fait que, dans ce mode, l'appareil que j'ai utilisé sélectionne la balance du blanc pour le flash. C'est ce qui explique la similitude des résultats des modes Flash et Automatique. Le mode Flash ne corrige cependant le blanc que pour la lumière du flash, sans tenir compte des deux autres sources qui éclairent le sujet. De tous les modes, Fluorescent est le plus approprié car il restitue le plus fidèlement les couleurs, suivi de près par le mode Lumière du jour.

Bien que la balance des blancs serve avant tout à améliorer le rendu des couleurs, certains photographes s'en servent pour imiter les effets d'un filtre classique, par exemple pour réchauffer les couleurs. Comme le montre la Figure 5.10, il est possible de créer diverses atmosphères en variant simplement cette balance. Le résultat final dépend des conditions d'éclairage.

Si votre appareil ne permet pas de choisir la balance des blancs, ou si vous avez oublié de la régler au moment de la prise de vue, vous pourrez, au moment de l'édition de la photo, éliminer la dominante, ou encore réchauffer ou bien refroidir les couleurs. Le Chapitre 11 est consacré à la correction des couleurs.

## Traiter l'image à la prise de vue

Vous découvrirez sans doute, en parcourant les menus de votre appareil, un réglage de la saturation des couleurs, du contraste et d'autres aspects de l'image. En photo argentique, ces paramètres sont contrôlés lors du développement du film et du tirage. En photo numérique, ils sont appliqués directement à l'image, sauf si vous avez opté pour le format Raw, décrit précédemment dans ce chapitre.

Automatique

Lumière du jour

Lumière artificielle

Fluorescent

Flash

Nuageux

**Figure 5.10 :** La balance des blancs affecte la perception de la couleur.

Comme chaque appareil applique ces traitements différemment, vous devrez procéder à des essais pour voir quels avantages ils apportent. Personnellement, je préfère intervenir par la suite, dans le logiciel de retouche, d'une part parce que je bénéficie d'un plus grand contrôle sur les opérations, et d'autre part parce que l'écran de l'appareil n'affiche pas toujours une image exacte de la photo.

L'une des options dont vous devez particulièrement vous méfier est le mode Netteté, qui renforce le contraste pour donner l'illusion d'une meilleure définition. Si vous y tenez, sachez que cet effet est facile à appliquer dans un logiciel de retouche. En revanche, corriger une photo prise en mode Netteté – qui présente du grain – est difficile.

Enfin, de nombreux appareils proposent des modes noir et blanc ou sépia (Figure 5.11). Ces options fonctionnent bien, mais vous ne pourrez plus obtenir la photo en couleurs. Dans le doute, photographiez systématiquement en couleurs, puis convertissez-les en noir et blanc ou en sépia à l'aide de votre logiciel de retouche. La plupart proposent des filtres qui réalisent cette opération d'un seul clic.

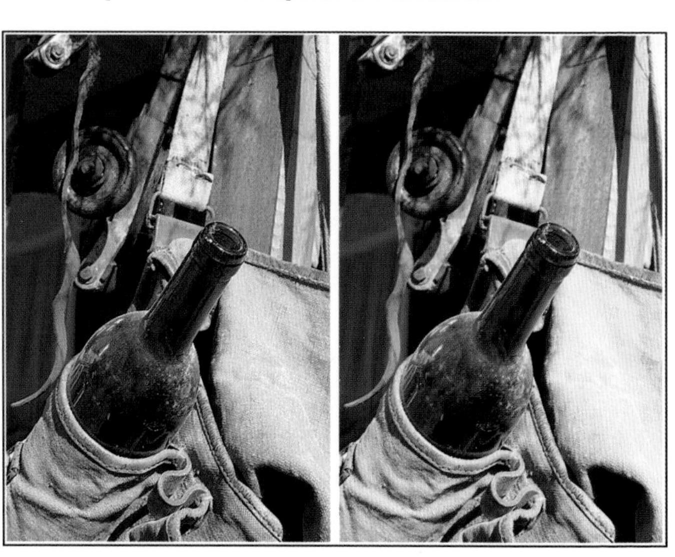

**Figure 5.11 :** Beaucoup d'appareils photo permettent de photographier en noir et blanc et en sépia.

# 6

# L'exposition et la mise au point

***Dans ce chapitre :***

- Régler la sensibilité ISO.
- Mieux utiliser l'exposition automatique.
- Priorité à la vitesse et priorité à l'ouverture.
- Les modes de mesure de l'exposition.
- La compensation IL.
- Utiliser différemment le flash.
- Éclairer des objets brillants.
- La mise au point.
- La profondeur de champ.
- Savoir exploiter les modes Scène.

Comprendre les aspects numériques de votre appareil – la résolution, la balance des blancs… – est important, mais cela ne saurait vous dispenser d'acquérir les bases de la photo, notamment l'exposition et la mise au point. Tous les mégapixels du monde ne pourront rien si votre image est trop sombre, trop claire ou floue.

Nous avons vu au Chapitre 2 les bases de l'exposition et étudié les interactions entre la vitesse d'obturation, l'ouverture et la sensibilité ISO. Au Chapitre 3, vous avez appris ce qu'est une mise au point. Ce chapitre fournit des conseils et des astuces qui vous permettront de mieux contrôler l'exposition et la mise au point. Lorsque vous maîtriserez ces notions, vous pourrez donner libre cours à votre créativité.

## La sensibilité ISO

Comme vous l'avez appris au Chapitre 2, la quantité de lumière qui pénètre dans l'appareil dépend de l'ouverture du diaphragme et de la vitesse d'obturation. La lumière nécessaire pour obtenir une photo correctement exposée dépend, elle, de la sensibilité de la surface : le film en photo argentique, le capteur en photo numérique.

La sensibilité d'un film est indiquée par sa valeur ISO. Plus elle est élevée, plus le film réagit à la lumière, permettant de photographier en lumière faible, ou avec un diaphragme très fermé, ou encore à une vitesse très élevée.

Presque tous les appareils numériques, sinon la totalité, sont dotés d'un réglage ISO qui, théoriquement, octroie la même souplesse que le travail avec des films de différentes sensibilités. Je dis « théoriquement » car l'augmentation de la valeur ISO présente un sérieux inconvénient, à savoir l'apparition d'un *bruit* optique. Il se manifeste par des pixels colorés aléatoires qui donnent un aspect granuleux à l'image. Les films présentent un phénomène apparenté, appelé grain, lui aussi d'autant plus marqué que la sensibilité est élevée, mais il est plus régulier et plus esthétique que le bruit optique, qui salit littéralement la photo.

La Figure 6.1 montre l'effet du réglage ISO sur la qualité. Les quatre photos ont été prises en mode automatique mais avec une sensibilité de 200, 400, 800 et 1 600 ISO (avec un appareil assez haut de gamme, car le résultat risquerait d'être encore bien pire avec un compact ou un bridge). L'intervalle entre les valeurs – remarquez la progression arithmétique – correspond à une valeur standard de diaphragme ou de vitesse.

Quand une photo est tirée en petit format, le bruit est à peine décelable. L'image paraît seulement un peu enveloppée, comme sur la Figure 6.1. En revanche, comme le révèle la Figure 6.2, le bruit est apparent lorsqu'elle est agrandie.

Dans certaines conditions, vous êtes obligé d'augmenter la sensibilité. Si j'avais attendu que le crépuscule soit plus avancé, il aurait été impossible de travailler avec les sensibilités les plus faibles. Pour photographier un sujet en mouvement, vous devez aussi augmenter

800 ISO

1 600 ISO

**Figure 6.1 :** Augmenter la valeur ISO augmente la sensibilité à la lumière, mais produit un défaut appelé « bruit ».

la sensibilité afin de pouvoir utiliser une vitesse d'obturation élevée, capable de figer l'action.

Faites des essais à diverses sensibilités ISO et ne choisissez les plus élevées que si vous n'avez pas d'autre solution. Pour une qualité optimale, travaillez avec une valeur ISO faible (typiquement 80 ou 100 ISO).

Je déconseille par principe le réglage automatique de la sensibilité ISO, car l'appareil risque de choisir une valeur produisant beaucoup trop de bruit. Il est préférable de contrôler vous-même ce paramètre, sauf à avoir la chance de posséder un appareil *vraiment* intelligent.

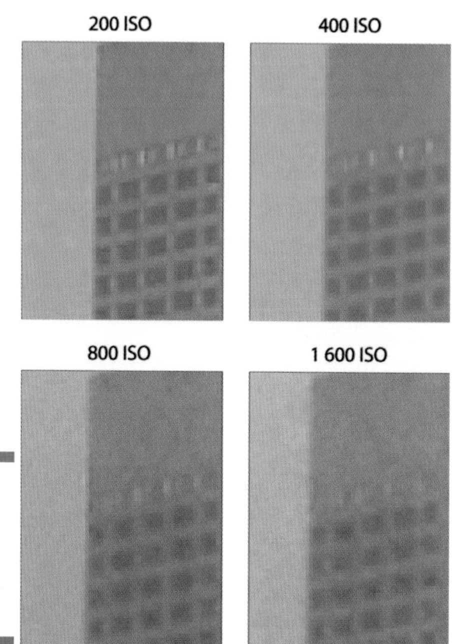


Figure 6.2 : Le bruit devient visible sur les forts agrandissements.

## L'exposition automatique

La plupart des appareils photo numériques, du plus rudimentaire au reflex le plus perfectionné, offrent un mode d'exposition automatique : l'appareil règle tout seul la quantité de lumière nécessaire.

Le système d'exposition automatique des appareils récents produit de très bons résultats, à condition toutefois de procéder comme suit :

1. **Cadrez le sujet.**
2. **Appuyez très légèrement sur le déclencheur, à mi-course.**

   L'appareil analyse la scène et règle l'exposition. Si la mise au point automatique est enclenchée (voir la section « La mise au point automatique »), le réglage de distance s'effectue simultanément. Généralement, un voyant lumineux ou un petit signal sonore indique que la photo peut être prise (à moins qu'un signal ne vous informe que les conditions de prise de vue sont trop mauvaises pour espérer réussir quoi que ce soit). Les paramètres de prise de vue sont mémorisés pendant tout le temps que le déclencheur est maintenu à mi-course.

3. **Appuyez complètement sur le déclencheur pour prendre la photo.**

Sur les appareils bon marché, il n'existe généralement que deux modes d'exposition automatique : l'un pour la photo en lumière forte, l'autre pour la photo en lumière moyenne. Sur les appareils plus haut de gamme, vous disposez d'un bien meilleur contrôle de l'exposition.

## Choisir un mode de mesure

Sur les appareils coûteux, le contrôle de l'exposition se fait par l'intermédiaire de plusieurs *modes de mesure*. Les mesures les plus courantes sont les suivantes :

- **Matricielle :** également connue sous le nom de *multizone*, cette méthode quadrille l'image et mesure la lumière en différents points de ce quadrillage. Une moyenne est ensuite calculée afin que l'exposition soit équilibrée entre les zones les plus claires et les plus sombres. Ce mode de mesure s'adapte à la plupart des conditions de prise de vue. D'énormes progrès ont été faits dans ce domaine. Sur les appareils les plus perfectionnés, l'appareil parvient à déterminer le contenu de l'image et régler l'exposition pour que les hautes lumières ne soient pas grillées, ou les ombres complètement bouchées.
- **Centrale pondérée :** elle effectue une mesure globale de la lumière en donnant la priorité au quart central de l'image. Utilisez ce mode lorsque les éléments placés au centre du cadre importent plus que leur environnement (par exemple un visage).
- **Ponctuelle :** la lumière est mesurée à l'intérieur d'un cercle de faible diamètre au centre de l'image.

Les mesures en mode pondéré et central pondéré sont particulièrement efficaces lorsque l'arrière-plan est beaucoup plus clair ou sombre que le sujet. En mesure matricielle, le sujet risque d'être sous ou surexposé parce que l'arrière-plan est aussi pris en compte par l'appareil.

La Figure 6.3 montre des exemples de mesures de l'exposition. À gauche, la photo a été prise en mesure matricielle. Comme le fond est très sombre et que l'appareil a tenté de l'éclaircir, la rose est d'autant plus surexposée. Tous les détails sont perdus dans les pétales.

Choisir la mesure ponctuelle expose correctement la rose blanche, mais la rose rouge est trop sombre. La meilleure exposition est pro-

**Figure 6.3 :** Optez pour la mesure ponctuelle ou la mesure centrale pondérée si le sujet est beaucoup plus clair ou plus foncé que l'arrière-plan.

duite par la mesure centrale pondérée. Mais si la rose rouge ne faisait pas partie de l'image, j'aurais préféré la mesure centrale car elle donne plus de profondeur au sujet.

Vous pouvez tirer parti de la mesure ponctuelle ou de la mesure centrale pondérée même si le sujet n'occupe pas le centre de l'image. Commencez par centrer le sujet et appuyez sur le déclencheur à mi-course afin de mesurer la lumière puis cadrez à votre guise. Tant que le déclencheur est légèrement enfoncé, l'appareil conserve les mêmes réglages.

Bien sûr, opter pour la mesure ponctuelle ou pour la mesure centrale pondérée peut assombrir ou éclaircir le fond. Pour corriger cet inconvénient, reportez-vous à la section « Compenser le contre-jour », plus loin dans ce chapitre.

Sachez que de légers problèmes d'exposition peuvent aussi être corrigés dans un logiciel de retouche. En règle générale, il est plus facile de corriger une photo trop sombre qu'une photo surexposée, trop claire (car cette dernière contiendra moins d'informations utiles). De ce fait, si vous avez le choix, optez plutôt pour une sous-exposition.

## Le mode semi-automatique

Les appareils perfectionnés permettent de privilégier le diaphragme ou la vitesse lors des prises de vues. Ces options autorisent un meilleur contrôle de l'image.

- **La priorité à l'ouverture :** vous gardez le contrôle sur le diaphragme. Après l'avoir réglé, vous cadrez puis vous appuyez sur le déclencheur afin que l'appareil fasse la mise au point et définisse l'exposition, comme vous le feriez en mode automatique. Mais cette fois l'appareil est assujetti à l'ouverture que vous imposez. Il sélectionne alors la vitesse d'obturation appropriée.

- En modifiant l'ouverture, vous contrôlez la profondeur de champ. Cette importante notion est expliquée à la fin de ce chapitre.
- **La priorité à la vitesse :** vous choisissez la vitesse d'obturation. L'appareil se base sur ce réglage pour définir automatiquement l'ouverture appropriée.

Théoriquement, l'exposition devrait être identique, que vous optiez pour la priorité à la vitesse ou pour la priorité à l'ouverture. En principe. Mais n'oubliez pas un détail : vous travaillez avec une plage limitée de vitesses d'obturation et d'ouvertures. Ainsi, selon les conditions d'éclairage de la scène, l'appareil sera ou non capable de compenser correctement la vitesse d'obturation ou l'ouverture.

Supposons que vous preniez des photographies à l'extérieur par une belle journée ensoleillée. Vous enregistrez votre premier cliché à une ouverture de f/11. L'image est géniale. Vous prenez une seconde photo, avec cette fois une ouverture de f/4. Résultat : l'appareil sera incapable de compenser cette grande ouverture faute de disposer d'une vitesse d'obturation suffisamment élevée, et l'image sera de ce fait surexposée.

Voici un autre exemple : vous essayez de photographier un joueur de tennis en pleine action. Ce jour-là, le temps est maussade, la lumière plutôt grise. Vous savez que la netteté ne sera acquise qu'avec une vitesse d'obturation très rapide, puisque les sujets sont en mouvement. Vous donnez alors la priorité à la vitesse en sélectionnant 1/500$^{e}$ de seconde. Mais, au regard des conditions d'éclairage, l'appareil sera incapable de compenser par une ouverture de diaphragme suffisante. Résultat : l'image sera sous-exposée (ou bien vous serez tenté d'augmenter la sensibilité ISO pour tenter de compenser le manque de lumière, et vous obtiendrez une photo tellement pleine de bruit qu'elle sera inexploitable).

Tant que vous tenez compte de la plage disponible pour les rapports entre vitesse d'obturation et diaphragme, le choix entre les deux sera bénéfique dans les situations suivantes :

- **Vous essayez de photographier une scène d'action, mais la vitesse d'obturation imposée par le mode automatique est trop faible.** Sur la Figure 6.4, une vitesse de 1/60$^{e}$ de seconde est insuffisante : les enfants sont flous. En donnant priorité à

1/60$^{e}$

1/300$^{e}$

**Figure 6.4 :** Avec une faible vitesse d'obturation, les sujets en mouvement sont flous (à gauche) tandis qu'une vitesse plus élevée les fige.

la vitesse, l'obturateur a été réglé au 1/300$^{e}$, ce qui a permis de figer les mouvements (Notez que la vitesse appropriée dépend de la rapidité à laquelle le sujet bouge).

- **Vous souhaitez volontairement utiliser une vitesse d'obturation plus faible pour obtenir un effet de flou** – un filé – qui renforce l'impression de mouvement. Par exemple, photographier une cascade à faible vitesse produit un effet filandreux comme le montre la Figure 6.5. À gauche, la photo a été prise au 1/200$^{e}$, à droite au 1/20$^{e}$.

- **Vous désirez régler la profondeur de champ.** Plus l'objectif est ouvert, plus la profondeur de champ est réduite. Reportez-vous à la dernière section de ce chapitre pour en apprendre davantage.

## Compenser l'exposition

Que vous travailliez en mode automatique ou semi-automatique, vous pouvez corriger l'exposition en modifiant l'indice de lumination (IL). Cet indice correspond à un couple vitesse-diaphragme.

La correction de l'exposition est définie par une échelle graduée ainsi : -0.7, -0.3, 0.0, +0.3, +0.7, où 0.0 représente la valeur d'exposition par défaut, par tiers de stop (un *stop* est un intervalle entre deux diaphragmes ou deux vitesses standard).

**Figure 6.5 :** Une faible vitesse d'obturation, à droite, donne à l'eau un aspect filandreux.

Quel que soit le mode choisi, la correction de l'exposition fonctionne toujours de la même manière :

- Pour éclaircir l'image, augmentez l'indice de lumination.
- Pour assombrir l'image, réduisez l'indice de lumination.

La plage des indices de lumination – et par conséquent les possibilités de correction – est différente d'un appareil à un autre. Les Figures 6.6 à 6.8 montrent les effets de la correction.

**Figure 6.6 :** L'exposition automatique produit une image un peu trop claire à mon goût.

IL=-0.3

IL=-1.0

**Figure 6.7 :** Pour assombrir l'image, réduisez la correction.

IL=+0.3

IL=+1.0

**Figure 6.8 :** Pour éclaircir l'image, augmentez la correction.

La photo de la bougie met en évidence les avantages de la compensation de l'exposition. Je voulais obtenir une exposition suffisamment sombre pour mettre en valeur la flamme et pour souligner le contraste entre les rais de lumière et d'ombre filtrés par un store en bois. L'exposition normale (0.0) était un peu trop claire. J'ai donc joué sur l'indice de lumination jusqu'à ce que j'obtienne la densité d'ombre et de lumière désirée, c'est-à-dire une correction de -0.3.

Si l'appareil offre des modes de mesure, n'hésitez pas à les tester au même titre que la compensation. Un mode de mesure indique sur quelle partie de l'image la mesure doit être effectuée. Pour la photo de la bougie, j'ai utilisé la mesure matricielle, qui prend en compte la totalité du champ.

# Utiliser un flash

Si les techniques précédentes ne permettent pas d'exposer correctement le sujet, vous devrez apporter la lumière manquante. Le choix évident est alors le flash.

La plupart des appareils sont équipés d'un flash incorporé fonctionnant en plusieurs modes. En plus du mode automatique où l'appareil définit la durée de l'éclair selon l'éclairage ambiant et la distance du sujet, vous avez généralement le choix entre les modes Flash d'appoint ou de remplissage, Flash désactivé, Réduction des yeux rouges et Synchronisation lente (pour la photo de nuit). Les appareils les plus perfectionnés permettent d'utiliser un flash externe.

## Flash d'appoint (ou forcé)

Ce mode déclenche le flash indépendamment de la lumière existante. Il est particulièrement utile pour les portraits en extérieur, comme celui de la Figure 6.9. Comme la photo est prise en plein jour, l'appareil estime que le flash n'est pas nécessaire. Or, une ombre très dense marque le regard. Le mode Flash d'appoint (ou plus simplement Flash forcé) a débouché l'ombre, dévoilant les yeux du sujet.

## Flash inactif

Choisissez cette option lorsque vous désirez ne pas utiliser le flash. Par exemple, le flash est à proscrire lorsqu'un élément réfléchissant (vitre, verre recouvrant un tableau…) ou très brillant se trouve dans le champ, car cette réflexion crève littéralement l'image, ne laissant qu'une tache toute blanche à cet endroit. La section « Éclairer des objets brillants », un peu plus loin, explique comment résoudre ce problème.

Vous désactiverez aussi le flash lorsque vous désirez préserver l'atmosphère d'une scène, comme ce fut le cas pour la photo de la bougie

**Figure 6.9 :** Un flash d'appoint débouche les ombres.

à la Figure 6.6. Les jeux d'ombre et de lumière, qui donnent tout son charme à cette image, auraient été écrasés. Utilisez le flash, et vous n'aurez plus qu'une photo sans intérêt.

Quand le flash est désactivé, l'appareil risque de réduire la vitesse d'exposition si la lumière est insuffisante. Dans ce cas, vous devrez l'immobiliser, soit en le plaçant sur un trépied, soit en le calant fermement contre votre visage ou bien un mur.

## Réduction des yeux rouges

Tous les utilisateurs d'appareils à flash incorporé, qu'ils soient argentiques ou numériques, ont été confrontés à ce problème. Ce phénomène est dû à la réflexion de la lumière du flash sur la rétine du sujet. La technique utilisée pour le réduire est simple : un ou deux préflashs atténués provoquent la contraction de la pupille, réduisant le risque de réflexion, aussitôt suivi de l'éclair du flash.

Ce système, s'il est performant, n'est pas infaillible. C'est pour cela qu'il est question de *réduction* et non de *suppression* du phénomène des yeux rouges. Pire, le sujet croit parfois, dès les préflashs, que la photo est prise et se détourne. C'est pourquoi, quand vous activez le dispositif anti-yeux rouges, il vaut mieux prévenir ceux que vous photographiez.

Comme vous photographiez en numérique, la correction peut s'effectuer directement sur l'image. Certains appareils sont dotés d'une fonction de réduction automatique des yeux rouges qui traite l'image après la prise de vue. Sinon, vous pouvez aussi corriger l'effet avec un logiciel de retouche, comme nous le verrons au Chapitre 12 (il y a plus de travail, mais le résultat est meilleur).

## Flash à synchronisation lente

Il augmente le temps d'exposition normalement défini pour une prise de vue avec flash.

Avec un flash classique, le sujet est éclairé, mais l'arrière-plan, qui est hors de portée de l'éclair, reste dans le noir comme le montre l'illustration du haut de la Figure 6.10. Une durée d'exposition plus lente permet de laisser pénétrer plus de lumière ambiante dans l'appareil, d'où un environnement plus clair. C'est ce vous pouvez constater sur l'illustration du bas, toujours sur la Figure 6.10.

Savoir s'il faut exposer aussi pour l'arrière-plan dépend de l'atmosphère que vous désirez donner à la photo. Sachez toutefois que la pose longue qu'impose la synchro lente risque de produire une image floue. Le sujet et l'appareil doivent tous deux être parfaitement immobiles durant l'exposition. À titre indicatif, les photos de la Figure 6.10 ont été prises, l'une au 1/60$^{e}$, l'autre à cinq secondes de pose. De plus, les couleurs de la photo prise en synchro lente risquent d'être un peu plus chaudes en raison de la température de couleur de l'environnement, un phénomène évoqué au Chapitre 5.

## Flash externe

Les appareils haut de gamme permettent d'utiliser un flash séparé. Dans ce cas, le flash incorporé est (normalement) désactivé. Cette possibilité est très prisée par les amateurs avertis et les professionnels, car elle permet de travailler parfaitement l'éclairage.

Si votre appareil n'est pas équipé d'une griffe ou d'une prise pour un flash externe, vous pourrez néanmoins utiliser un flash asservi. Placé à l'endroit qui vous convient, il est automatiquement déclenché par le flash incorporé de l'appareil photo. Vous l'utiliserez par exemple pour produire un éclairage indirect, en l'orientant vers le plafond ou un mur clair. Mais attention à bien vérifier avant tout achat que tel ou tel modèle de flash asservi est compatible avec votre appareil photo !

**Figure 6.10 :** Une synchronisation lente du flash permet de mieux exposer l'arrière-plan.

### Quand le nombre guide le flash

Avant d'opter pour un flash externe, renseignez-vous sur la valeur de son *nombre guide*. Cette appellation étrange désigne la puissance lumineuse délivrée par le flash. Bien sûr, plus cette valeur est élevée, et plus l'éclair produit sera intense. Normalement, le nombre guide indiqué est établi pour une sensibilité de 100 ISO, une focale standard et une ouverture du diaphragme de f/1.

Voyons maintenant ce que cela peut donner. Supposons que le nombre guide de votre flash soit égal à 36. Jusqu'à quelle distance pouvez-vous espérer un bon éclairement si vous fermez le diaphragme à f/4 ? Réponse : vous divisez 36 par 4, ce qui vous donne 9 mètres. Inversement, si un sujet si trouve à environ trois mètres, la bonne focale s'obtient en divisant 36 par 3, soit 12. La valeur la plus proche sur votre appareil, f/11, devrait donc convenir.

Supposons maintenant que, les conditions étant un peu difficiles, vous poussiez la sensibilité jusqu'à 400 ISO. Pour reprendre les opérations ci-dessus, vous devez recalculer un nouveau nombre guide théorique. Pour cela, vous divisez 400 (ISO) par 100 (ISO), soit 4. Vous prenez la racine carrée (et oui !) de ce résultat, ce qui vous donne 2. Vous multipliez cette racine par le nombre guide nominal (36 dans notre exemple). Vous obtenez donc 72. Il ne vous reste plus qu'à recommencer les calculs du paragraphe précédent en remplaçant 36 par 72.

Tout cela vous donne envie de quitter la photo numérique pour faire de la tapisserie ? D'abord, la tapisserie, c'est bien plus compliqué. Ensuite, essayez tout simplement de prendre deux ou trois clichés en variant le diaphragme, et voyez quel est le réglage qui donne les meilleurs résultats. Et rassurez-vous, la vitesse de synchronisation est le plus souvent fixe, ce qui vous dispense de calculs supplémentaires…

## Les éclairages auxiliaires

Bien que le flash soit commode, il n'offre pas que des avantages. À faible distance, il a tendance à surexposer complètement le sujet, d'où les portraits du genre « fromage blanc ». Sans parler des yeux rouges…

Certains appareils acceptent un flash auxiliaire qui, placé à bonne distance, réduira le risque de surexposition. Si le vôtre n'offre pas cette option, il sera préférable de désactiver le flash et d'éclairer la scène avec une autre source.

Les photographes avertis ou les professionnels ont la chance de disposer d'un studio équipé de projecteurs et de réflecteurs. Mais si vous n'avez pas cet équipement, songez à investir dans un ou deux projecteurs à lampe survoltée, semblables à ceux utilisés pour la vidéo.

Pour autant, la plupart d'entre vous n'ont comme seul studio que leur cuisine, leur salon ou leur salle à manger. Il va falloir bricoler. Souvent, un simple morceau de carton blanc fera office de réflecteur de fortune. La Figure 6.11 montre un studio improvisé.

**Figure 6.11 :** Avec quelques lampes de bureau, un trépied et du carton, vous pouvez improviser un studio.

Évitez d'orienter les projecteurs directement sur le sujet. Placez-les toujours de manière à obtenir un éclairage indirect. Par exemple, dans une configuration comme celle de la Figure 6.11, la lumière doit être dirigée vers les panneaux réflecteurs. Vous obtiendrez ainsi un meilleur modelé du sujet et des ombres très douces.

Si vous placez votre ministudio près d'une fenêtre, rappelez-vous que la température de couleur de la lumière artificielle est différente de celle de la lumière du jour. Faites quelques tests et, si les photos présentent une dominante de couleur indésirable, réglez la balance des blancs. Une autre solution consiste à utiliser des ampoules de type « lumière du jour ». Le Chapitre 5 donne des précisions sur la balance des blancs.

## Mais c'était parfait sur l'écran LCD !

L'écran de contrôle de l'appareil donne une bonne idée de l'exposition de votre image, mais ne vous y fiez pas entièrement car le rendu n'est pas très fidèle. Bien souvent, la photo sera plus claire ou plus sombre que ce qui apparaît dans le petit moniteur, surtout si votre appareil permet de régler sa luminosité.

Pour être certain d'obtenir au moins une photo correctement exposée, prenez-en plusieurs en activant l'exposition multiple, si votre appareil le permet bien sûr. Il suffira alors d'appuyer longuement sur le déclencheur pour prendre plusieurs fois la même photo mais à différentes valeurs d'exposition. Mais attention : le temps nécessaire au rechargement du flash étant assez important, celui-ci risque fort de ne pas vous suivre !

## *Éclairer des objets brillants*

Lorsque vous photographiez des objets qui brillent, comme des bijoux, du verre, du chrome ou de la porcelaine, la lumière est un vrai casse-tête. Toute source lumineuse qui frappe directement l'objet produit une zone de réflexion intense comme sur l'image de gauche de la Figure 6.12. De plus, d'autres objets peuvent se refléter sur la surface de l'objet photographié.

**Figure 6.12 :** Un éclairage direct produit des reflets crevés (à gauche), tandis qu'un éclairage diffus produit un beau modelé.

Pour éviter ces problèmes, les photographes professionnels ont recours à des éclairages très sophistiqués. Si vous n'avez pas les moyens de vous équiper, voici quelques conseils pour photographier des objets brillants (avant par exemple de les mettre en vente sur eBay ou Le bon coin) :

- **Désactivez le flash intégré et éclairez les objets autrement.** Le flash incorporé produit une lumière dure et puissante, source de problèmes. Consultez les précédentes sections de ce chapitre pour savoir comment obtenir une bonne exposition sans recourir au flash.
- **Essayez de diffuser la lumière.** Par exemple, placez un voile ou une feuille blanche entre la source de lumière et l'objet, pour adoucir son impact et prévenir tout effet étincelant ainsi que les réflexions parasites.
- **Si vous photographiez fréquemment des objets brillants,** achetez une boîte à lumière semblable au Cloud Dome que montre la Figure 6.13. Placez l'objet dessous puis fixez l'appareil photo sur le support situé au sommet. Le dôme diffuse la lumière dirigée dessus, et empêche l'environnement de se refléter sur le sujet.

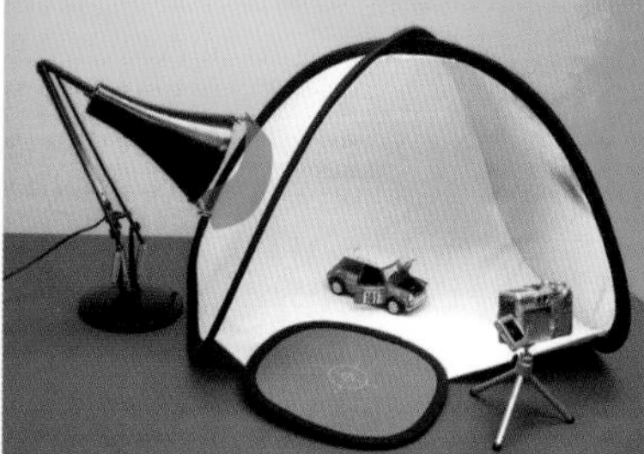

*Avec l'aimable autorisation de Cloud Dome, Inc et Lastolite Limited.*

**Figure 6.13 :** Des dispositifs comme le Cloud Dome (à gauche) ou la tente Lastolite (à droite) facilitent la photographie des objets brillants.

Une autre option consiste à recourir à une sorte de tente à travers laquelle vous photographiez. Lastolite (`www.lastolite.fr`) propose différents modèles ainsi que bon nombre d'autres équipements destinés aux professionnels comme aux amateurs éclairés (si vous me permettez ce mauvais jeu de mots). Vous pouvez également trouver des tables photographiques, qui sont des sortes de fauteuils hauts pour y placer les objets (à partir d'une centaine d'euros).

## Compenser le contre-jour

Un *contre-jour* se produit lorsque le sujet est placé devant une source de lumière. Cet éclairage fausse la mesure automatique de la lumière, assombrissant ainsi le sujet. La première des photos de la Figure 6.14 est un exemple classique. Elle a été prise au milieu de la matinée, alors que le soleil était encore derrière la statue, comme le révèlent les reflets sur les épaules.

**Figure 6.14 :** Un éclairage à contre-jour risque d'entraîner une sous-exposition du sujet (à gauche). Choisissez un autre mode de mesure (au milieu), ou corrigez l'exposition, ou bien utilisez un flash d'appoint. Ou les trois à la fois (à droite).

### Excusez-moi, vous pourriez éteindre le soleil ?

Ajouter de la lumière est plus facile que d'en enlever. En extérieur, atténuer la lumière du jour n'est pas envisageable. Vous devrez trouver d'autres solutions : placer le sujet à l'ombre, où utiliser un flash d'appoint, ou encore corriger l'exposition. De grands panneaux de carton gris neutre, tenus par un ou deux assistants entre le sujet et le soleil, peuvent être utiles. En les orientant judicieusement, vous pourrez même travailler la lumière.

Pour remédier à cette situation, je vous propose plusieurs solutions :

- **Déplacez le sujet de telle sorte que la source de lumière ne se trouve plus derrière lui.** Mais pour la statue de la Figure 6.14, ce n'est pas envisageable.
- **Placez-vous ailleurs pour changer d'angle de prise de vue.** Là encore, pour la statue, c'est raté…
- **Si l'appareil photo le permet, choisissez la mesure ponctuelle ou centrale pondérée.** Pour la photo du milieu, sur la Figure 6.14, j'ai choisi la mesure ponctuelle. L'image est meilleure mais la statue est encore un peu sous-exposée.
- **Leurrez l'exposition automatique.** Visez un élément relativement sombre, appuyez légèrement sur le déclencheur pour mémoriser la valeur d'exposition ainsi calculée par votre appareil, cadrez le sujet et prenez la photo.

- N'oubliez pas que la mise au point est aussi réglée lorsque vous appuyez légèrement sur le déclencheur. Il est impératif de viser un élément situé à la même distance que le sujet à photographier, sinon ce dernier sera flou.
- **Utilisez le flash.** Vous déboucherez ainsi le sujet, à condition cependant qu'il se trouve à portée du flash. Or, la distance utile pour la plupart des flashs incorporés est extrêmement faible.

Pour la photo de droite de la Figure 6.14, j'ai opté pour la mesure ponctuelle, poussé l'IL à +0.3 et utilisé le flash. Notez qu'en plein jour, le flash peut réchauffer légèrement les couleurs en raison du réglage de la balance des blancs évoqué au Chapitre 5. L'appareil le choisit en effet en fonction du flash, qui est plus froid (il tire sur le bleu) que la lumière du soleil.

## Le point sur la mise au point

La plupart des appareils disposent d'une mise au point automatique qui permet d'obtenir des images nettes dans la majorité des conditions. Dans les sections qui suivent, nous examinerons les différents types de mesure de la distance.

### La mise au point fixe

Comme son nom l'indique, la mise au point fixe ne peut pas être modifiée. L'appareil est préréglé à quelques mètres. Les éléments placés trop près sont flous tandis que ceux situés au loin, jusqu'à l'infini, sont suffisamment nets.

Reportez-vous au manuel de l'appareil pour connaître la distance de netteté maximale.

## La mise au point automatique

La plupart des appareils numériques disposent d'une *mise au point automatique*. Vous ne pouvez cependant pas vous y fier aveuglément (eh oui…). Voici comment procéder pour que la mise au point soit irréprochable :

1. **Visez le sujet.**
2. **Appuyez sur le déclencheur jusqu'à mi-course et maintenez-le dans cette position.**

   L'appareil analyse et mesure la distance et effectue la mise au point. Souvent, l'exposition automatique est réglée simultanément. Un signal sonore et/ou visuel prévient généralement que la photo peut être prise.

3. **Appuyez complètement sur le déclencheur pour prendre la photo.**

Pour mieux tirer profit de la mise au point automatique, je vous propose d'en résumer brièvement les caractéristiques :

Il existe deux méthodes de mise au point automatique :

- **Mise au point centrale :** l'appareil lit la distance qui le sépare de l'élément situé au centre de l'image pour faire la mise au point.
- **Mise au point multizone :** l'appareil mesure la distance de plusieurs éléments, dans le viseur, et fait la mise au point sur le plus proche.

  Comme la mise au point s'effectue lorsque vous appuyez à mi-course sur le déclencheur, il est important de comprendre ce mécanisme afin d'éviter d'obtenir des images dont le sujet est flou alors qu'un élément inintéressant, lui, est net. Une fois la mise au point bloquée, vous pouvez recadrer la photo à votre convenance. Tant que vous maintenez votre doigt appuyé à mi-course sur le déclencheur, la mise au point reste bloquée. Assurez-vous toujours que la distance entre l'appareil et le sujet ne change pas. Sinon vous devrez refaire le point.

- Dans le viseur d'un appareil à mise au point centrale, des repères indiquent la zone prise en compte. Reportez-vous au manuel pour savoir à quoi ils correspondent. Parfois, ce sont des repères de compensation de la parallaxe, une notion décrite au prochain chapitre.

- Des appareils à mise au point automatique disposent également de réglages manuels. Il s'agit généralement d'un réglage en *mode Macro* pour les prises de vue très rapprochées et d'un réglage en *mode Paysage* ou *Infini* pour les photos d'ensemble. Lorsque vous commutez l'appareil sur l'un de ces réglages, la mise au point automatique est désactivée.

## Gardez ceci en mémoire

Une image floue n'est pas toujours due à une mise au point hasardeuse. Elle peut l'être à cause d'une vitesse d'obturation insuffisante. Dans le premier cas, il s'agit d'un flou de mise au point, dans le deuxième d'un flou de mouvement. Le flou de bougé, lui, est dû au déplacement de l'appareil au moment du déclenchement. Même avec les systèmes de stabilisation incorporés dans la plupart des appareils modernes, il reste très difficile d'éviter les flous de bougé lorsque l'on utilise des valeurs de zoom élevées. Dans ce cas, rien ne remplace un bon trépied.

Quelles que soient les circonstances, il faut impérativement que votre appareil soit immobile. Cette affirmation est encore plus vraie lorsque la lumière ambiante est faible. La durée d'exposition est alors plus longue, et le moindre mouvement risque de provoquer du flou.

Voici quelques bonnes habitudes à prendre :

- Plaquez votre coude contre votre buste pendant que vous déclenchez.
- Appuyez doucement sur le déclencheur afin d'éviter un flou de bougé.
- Placez l'appareil sur un élément stable : un trépied ou alors un sac de microbilles, comme les « Pod » vendus par Photim (`www.photim.com`).
- Si votre appareil est équipé d'un retardateur, utilisez-le lorsque vous photographiez sur pied. Vous éviterez ainsi de bouger l'appareil par inadvertance en appuyant sur le bouton.
- Si vous avez la chance de posséder un déclencheur télécommandé, ne vous privez pas de l'utiliser, même si vous êtes à proximité de l'appareil.

## La mise au point manuelle

Les appareils grand public proposent généralement la mise au point automatique, et une ou deux options de mise au point manuelle. Sur les modèles bas de gamme, la mise au point automatique n'est pas toujours débrayable.

Les appareils haut de gamme disposent souvent d'une mise au point manuelle sophistiquée. Vous sélectionnez alors dans un menu la distance qui sépare l'appareil du sujet, au lieu de la régler avec la traditionnelle bague de mise au point.

Ce réglage prend toute sa signification lorsque vous devez prendre plusieurs photos d'un sujet immobile. Vous n'êtes plus contraint de débrayer la mise au point automatique à chaque prise de vue. Assurez-vous simplement que la distance est correctement mesurée.

Si vous utilisez la mise au point manuelle pour photographier en gros plan, mesurez la distance précise qui sépare l'objectif de l'objet, et ne vous fiez surtout pas à ce que montre l'écran de contrôle, car il est trop imprécis.

## La profondeur de champ

Tout photographe averti sait que la *profondeur de champ* est l'un des aspects essentiels de la mise au point. Elle dépend en partie de l'ouverture du diaphragme. La profondeur de champ est une zone qui s'étend en deçà et au-delà du plan de mise au point. Contrairement à une idée reçue, il ne s'agit pas d'une zone de netteté, mais d'une zone de netteté *tolérable*. La netteté n'est optimale que sur le plan de mise au point. Pour faire simple, disons qu'elle décroît peu à peu de part et d'autre de ce plan jusqu'au moment où le flou devient discernable.

La Figure 6.15 montre l'incidence du diaphragme sur la profondeur de champ. Pour ces deux images, j'ai utilisé le mode Macro de l'appareil. Les photographies ont été prises avec une ouverture de 3.4 à gauche, et de 11 à droite.

Sur l'image de gauche, seuls les objets les plus proches sont nets. En d'autres termes, la profondeur de champ est très faible. Réduire l'ouverture augmente la profondeur de champ, ce qui englobe davantage d'éléments dans la zone dite de netteté (souvenez-vous que plus la valeur du diaphragme est élevée, plus l'ouverture est petite).

Si votre appareil photo numérique ne permet pas de contrôler l'ouverture ou ne possède pas de zoom, sachez que la profondeur de champ peut être simulée avec un logiciel de retouche, comme vous le dé-

**Figure 6.15 :** À une ouverture f/3.4 (à gauche), l'arrière-plan est plus flou qu'à f/11 (à droite).

couvrirez au Chapitre 11. Vous pouvez aussi recourir à un des modes Scène pour imposer une ouverture de diaphragme.

# Exploiter les modes Scène

Pour un débutant, se souvenir de toutes les règles qui régissent la sensibilité, la vitesse, le diaphragme et la mise au point peut être ardu, pour ne pas dire plus. C'est pourquoi beaucoup d'appareils proposent des *modes Scène*. Ce sont des réglages prédéfinis selon diverses conditions de prise de vue.

Prenons par exemple le portrait. Les gens aiment bien que l'arrière-plan soit légèrement flou. À cette fin, le mode Portrait ouvre automatiquement le diaphragme afin de réduire la profondeur de champ.

Le Tableau 6.1 énumère quatre modes Scène courants. Reportez-vous au manuel de votre appareil pour savoir combien il en propose. Vous en découvrirez sans doute beaucoup d'autres, pour bien d'autres types de photo.

Tableau 6.1 : **Les modes Scène.**

| Mode | Ce qu'il fait |
|---|---|
| Portrait | Ouvre le diaphragme au maximum afin de réduire la profondeur de champ et rendre l'arrière-plan flou. L'appareil augmente la vitesse pour compenser la grande ouverture. |
| Paysage | Réduit le diaphragme au minimum afin d'étendre la profondeur de champ. Comme l'appareil est obligé de réduire la vitesse en raison du diaphragme fermé, il doit être particulièrement stable. La mise au point est parfois automatiquement réglée à une distance proche ou égale à l'infini. |
| Action | Sélectionne une vitesse rapide afin de figer le mouvement. Le diaphragme risque d'être grand ouvert, d'où une profondeur de champ réduite. |
| Nuit | Utilise le flash associé à une vitesse faible pour éclaircir l'arrière-plan. N'utilisez pas ce mode si vous tenez à avoir un arrière-plan bien noir. |

# 7

# Optimiser vos prises de vue

*Dans ce chapitre :*

- Plus de force grâce à la composition.
- Éviter les problèmes de parallaxe.
- De la bonne utilisation du zoom.
- La photo d'action.
- Créer un panorama.
- Atténuer le bruit optique.

Les Chapitres 5 et 6 étaient consacrés aux notions techniques de la photographie numérique, comme la résolution, l'ouverture, la vitesse d'obturation, *etc.* Mais la photographie est aussi et avant tout un art. Car après tout, une image inintéressante reste une image inintéressante, même si elle est techniquement parfaite.

Ce chapitre vous aidera à réaliser des photos plus fortes, plus captivantes. Que vous preniez des instantanés de vos enfants ou que vous ayez à photographier des objets pour les exposer dans votre boutique en ligne, ces techniques vous seront utiles. Avec un peu de talent artistique, vos photos cesseront d'être banales et attireront l'attention.

# La composition d'une image

Regardez la photo de la Figure 7.1. L'exposition, la mise au point et les autres aspects sont corrects. Quant au sujet, une statue à la base du Monument aux soldats et aux marins, à Indianapolis, elle est intéressante mais l'image manque de force.

**Figure 7.1 :** Cette photo est insipide à cause d'un angle de prise de vue très banal.

Regardez maintenant la Figure 7.2, qui montre deux autres photos du même sujet, mais plus intéressantes. Qu'est-ce qui fait la différence? La *composition*. Un autre angle et un cadrage plus serré rendent l'image autrement plus intéressante.

Il n'existe pas de règle absolue, incontournable, sur l'art de composer une image. Cependant, il est possible de rendre vos photographies plus vivantes en appliquant les quelques conseils qui suivent :

- **Souvenez-vous de la règle des tiers.** Pour un impact maximal, ne centrez pas le sujet comme sur la Figure 7.1. Je vous recommande de diviser mentalement l'image en tiers, comme l'illustre la Figure 7.3 (votre appareil est peut-être capable d'afficher un

**Figure 7.2 :** Dynamisez vos photos en faisant varier l'angle de prise de vue et en zoomant sur le sujet.

**Figure 7.3 :** L'une des règles de la composition consiste à diviser l'image en tiers et à placer le sujet principal sur l'une des intersections.

cadrage découpé de cette manière). Placez les éléments forts du sujet à l'intersection des lignes. Ici, c'est le cas de la tête du chevreuil.

- Ce chevreuil était si occupé à brouter le feuillage que j'ai largement eu le temps de bien cadrer. Mais si vous n'en avez pas la possibilité, prenez un plan large puis recadrez l'image avec un logiciel de retouche, comme nous le verrons au Chapitre 11.
- **Photographiez sous des angles inattendus.** Revenez à la Figure 7.1. La photo reproduit fidèlement la statue, mais elle n'est pas aussi intéressante que celle de la Figure 7.2, qui montre le même sujet sous des angles plus originaux.
- **Tenez compte du parcours des yeux.** Pour rendre une image plus dynamique, composez la scène de manière à ce que l'œil de celui qui regarde la photo suive naturellement une ligne de force, comme à la Figure 7.4. La statue semble s'élancer dans le bleu du ciel. La flamme abaissée et le mouvement de la robe soulignent cette impression.

**Figure 7.4 :** Pour rendre une photo dynamique, cadrez-la de telle sorte que l'œil suive naturellement le mouvement en se portant d'un bord de l'image à l'autre.

- **Restez proche du sujet.** La photo qui fait la différence est souvent celle mettant en évidence un détail qui a échappé à tout le monde, comme la petite ride d'expression du grand-père ou la goutte de rosée sur une fleur au petit matin. N'ayez pas peur de vous approcher des sujets photographiés. La règle qui recommande de « laisser de l'air » autour du sujet doit parfois être transgressée.

- **Ne négligez pas l'arrière-plan.** Assurez-vous que des éléments inopportuns, comme la fleur et l'écran d'ordinateur de la Figure 7.5, ne gênent pas.

**Figure 7.5 :** Un sujet plaisant sur un fond affreux.

- Pour photographier des enfants sans montrer la pagaille qui règne souvent dans leur chambre, photographiez-les pendant qu'ils sont vautrés sur le sol et regardent vers vous, comme sur la Figure 7.6.

- **Essayez d'exprimer la personnalité de vos sujets.** Trop souvent, les photographies qui mettent en scène des personnes et même parfois des modèles sont fort ennuyeuses. Pourquoi ? Parce que la mise en scène est affligeante. Plutôt que de faire

Figure 7.6 : Pour éviter un arrière-plan encombré de meubles et d'objets, prenez la moquette ou le tapis comme toile de fond.

poser les personnes qui vous entourent et les voir se figer, tentez de les saisir sur le vif. Les photos seront plus naturelles et surtout plus vivantes.

## Du côté de la parallaxe

Vous composez parfaitement l'image, vous déclenchez et, sur l'écran de contrôle, la photo est décadrée, comme si vous vous étiez légèrement décalé lors de la prise de vue.

Ce problème de cadrage est dû à la *parallaxe,* c'est-à-dire la distance qui sépare l'axe optique – qui traverse l'objectif en son centre – de l'axe de visée.

Le viseur optique d'un appareil est une petite fenêtre placée au-dessus ou à côté de l'objectif. Ce petit écart est suffisant pour que l'angle sous lequel le sujet est vu diffère un peu. L'image photographiée est légèrement décalée par rapport à l'image cadrée dans le viseur (l'écart peut parfois atteindre 10 % de la surface). Le sujet est « coupé », comme sur la Figure 7.7.

**Figure 7.7 :** L'erreur de parallaxe a coupé les oreilles de ce petit chien photographié de près.

Dans le viseur, des repères affichent parfois la limite du cadrage qui sera effectivement pris en compte. Respectez-les pour cadrer correctement vos photos lorsque vous photographiez à courte distance. Reportez-vous au manuel de votre équipement pour en savoir plus.

Avec un écran LCD, l'erreur de parallaxe – en fait, ce n'est pas une erreur mais un phénomène physique – est inexistante puisque l'image qu'il affiche est celle transmise par le capteur. Sur certains appareils, l'écran de contrôle est automatiquement allumé lorsque vous choisissez le mode Macro.

# Composer pour des montages

Issues de la peinture, les règles de composition sont plus anciennes que la photographie. Mais, quand vous créez des photos numériques, un autre aspect doit être pris en compte : la finalité de l'image. Si vous désirez ôter l'arrière-plan d'une photographie – une opération appelée « détourage » – afin de coller le sujet dans une autre image, vous devez accorder une attention particulière à l'environnement et au cadrage.

Supposons que vous désiriez montrer dans un catalogue quatre objets sur une même photo. Pour vous faciliter l'existence, vous les photographierez sur un fond uni. Il sera ainsi très facile de les détourer puis les monter.

Comme nous le verrons au Chapitre 12, vous devez *sélectionner* dans le logiciel de retouche l'élément à copier. En quoi un fond uni facilite-t-il le travail ? Tout simplement parce que la plupart des logiciels disposent d'un outil qui, d'un seul clic, sélectionne la totalité d'une zone de couleur à peu près unie. Il suffit ensuite d'intervertir la sélection pour que ce ne soit plus le fond, mais le sujet, qui soit sélectionné.

Les Figures 7.8 et 7.9 illustrent ce processus. Le tissu vieillot, à l'arrière-plan de la Figure 7.8, met l'appareil de collection (un Argus C3 de la fin des années 1940) en valeur. Comme le contraste est assez faible entre le tissu et les parties chromées du boîtier, la sélection automatique du fond ne pourra pas être utilisée. Vous devrez tracer manuellement le contour de sélection autour de l'appareil.

**Figure 7.8 :** Évitez un fond trop chargé lorsque vous envisagez de détourer un objet.

Vous trouverez tous les détails sur les sélections au Chapitre 12. Pour le moment, retenez ceci : si vous envisagez de détourer un objet dans un logiciel graphique, vous devrez le photographier sur un fond à peu près uni, comme sur la Figure 7.9. Assurez-vous que sa couleur soit très différente de celle des contours de l'objet (peu importe celle de l'intérieur) afin de faciliter la sélection automatique du fond dans le logiciel.

Une autre règle pour le détourage : le sujet doit être cadré aussi serré que possible, comme sur l'exemple de la Figure 7.9. Le maximum de pixels sera ainsi consacré à l'objet, et non au fond qui disparaîtra. Plus

Figure 7.9 : Choisissez un fond uni et cadrez aussi serré que possible.

une image comporte de pixels, plus grande vous pourrez l'imprimer, comme nous l'avons expliqué au Chapitre 2.

# Gros plan sur les zooms

Beaucoup d'appareils disposent d'un zoom pour cadrer plus large ou plus serré à partir d'un même endroit.

La plupart des appareils sont munis d'un *zoom optique* qui est un véritable objectif. D'autres (ou les mêmes) disposent d'un *zoom numérique* qui effectue un simple recadrage de l'image au moment de l'enregistrement de celle-ci.

## Le zoom optique

Si votre appareil est équipé d'un zoom optique, sachez que :

- Plus vous êtes proche de votre sujet, plus l'effet de parallaxe est important.
- Lorsque vous zoomez sur un sujet, l'arrière-plan est plus réduit que lorsque vous vous déplacez physiquement vers lui. Les deux images de la Figure 7.10 illustrent ce principe dont la cause est toute simple : dans le premier cas, vous photographiez au

**Figure 7.10 :** Zoomer sur un objet (à gauche) diminue le champ. Se rapprocher du sujet donne une vue plus étendue (à droite).

téléobjectif, avec un angle de champ étroit. Dans le second cas, vous photographiez au grand-angulaire avec un champ large.

- Zoomer avec un téléobjectif rend l'arrière-plan plus flou. Ceci est dû à la *profondeur de champ* (voir le Chapitre 6), qui est d'autant plus faible que la focale est longue. Cette profondeur de champ définit la zone de mise au point en deçà et au-delà de laquelle une image est considérée comme floue. Avec une profondeur de champ étroite, le sujet proche, sur lequel le point a été fait, est net, et l'arrière-plan flou. Lorsque le zoom est en position grand-angulaire, la profondeur de champ est plus étendue, procurant une meilleure netteté générale quelle que soit la distance des éléments.

- N'oubliez pas que l'ouverture du diaphragme affecte aussi la profondeur de champ. Consultez la dernière section du Chapitre 6 pour en savoir plus à ce sujet. Sur la Figure 7.10, l'ouverture est la même pour les deux photos. La différence de netteté de l'arrière-plan est uniquement due à la profondeur de champ.

## Le zoom numérique

Certains appareils recourent à un traitement numérique à défaut d'un véritable zoom optique. Dans bien des cas, vous avez le choix entre les deux techniques. Avec le zoom numérique, l'appareil recadre la partie centrale de l'image pour donner l'*illusion* du zoom en avant.

Par exemple, si vous zoomez «numérique» sur un bateau naviguant au milieu d'un lac, votre appareil cadrera le bateau au niveau du capteur et redimensionnera – agrandira – l'image. Ce procédé ne donne rien de plus que ce que vous obtiendriez avec un logiciel de retouche. Vous pouvez l'utiliser si vous ne disposez pas de logiciel, mais sachez que, quoi qu'il en soit, la qualité de l'image sera très amoindrie.

En résumé, le mieux à faire avec le zoom numérique, c'est de l'oublier.

# La photo d'action

Voici un genre de photo qui a longtemps été bien difficile à réaliser avec un appareil photo numérique à cause du temps de latence entre le moment où vous appuyez sur le déclencheur et celui où la photo est réellement prise (voir le Chapitre 6). Résultat : l'action était déjà passée au moment du déclenchement.

Un appareil photo nécessite de toute façon quelques instants pour faire la mise au point et régler l'exposition automatique. Après le déclenchement, il enregistre l'image dans la mémoire, ce qui exige aussi un peu de temps. Si vous photographiez au flash, son condensateur doit être rechargé avant de pouvoir prendre une nouvelle photo. Toutes ces actions entravent le photographe désireux de réagir en une fraction de seconde à l'événement. Les appareils photo numériques sont devenus très réactifs, mais certains sont encore indolents. C'est un paramètre à vérifier si vous envisagez d'acheter un appareil pour faire du reportage sur le vif.

La plupart des appareils disposent aujourd'hui d'un mode *Rafale* permettant de prendre une série de photos à intervalle très rapproché en maintenant le doigt sur le déclencheur. Le nombre total d'images dépend de la cadence de prises de vue possible et de la capacité mémoire de votre matériel. Les modèles bas de gamme limitent le nombre de photos à quelques-unes, trois, cinq ou six seulement, les modèles haut de gamme à plusieurs dizaines de vues. Les cinq photos de la Figure 7.11 ont été prises en mode Rafale.

Vérifiez si votre appareil permet de régler la cadence de prise de vue. Pour les photos de la Figure 7.11, elle est de trois images par seconde.

À cause des limitations imposées par le transfert des données entre le capteur et la carte mémoire, le mode Rafale impose parfois une diminution de la résolution. En outre, sur la plupart des appareils photo, le flash n'est pas utilisable dans ce mode. L'intervalle entre les prises ne permet pas toujours de saisir le moment le plus important. Sur la Fi-

**Figure 7.11 :** Le mode Rafale, réglé ici à trois photos par seconde, permet de décomposer une action.

gure 7.11, par exemple, il n'a pas été possible de saisir l'instant précis où le club percute la balle.

Quand vous photographiez une scène en mouvement, n'oubliez pas les préconisations suivantes :

- **Bloquez la mise au point et l'exposition.** Appuyez jusqu'à mi-course sur le déclencheur pour effectuer la mise au point, fixer l'exposition, cadrer et être ainsi prêt au moment décisif. Reportez-vous au Chapitre 6 pour en savoir plus sur le verrouillage de la mise au point et de l'exposition.
- **Anticipez la prise de vue.** Un bref délai s'écoule toujours entre le moment où vous appuyez sur le déclencheur et celui où l'appareil enregistre la photo. Essayez, dans la mesure du possible, d'appuyer sur le bouton un peu *avant* que l'action survienne. Il faut de la pratique pour évaluer efficacement ce temps de latence (qui était quasiment inexistant sur les appareils argentiques).
- **Activez le flash.** L'utilisation du flash, y compris en plein jour, augmente parfois la vitesse d'obturation et contribue ainsi à figer l'action. Dans ce cas, utilisez si possible le mode Flash d'appoint ou de remplissage, comme expliqué au Chapitre 6. Rappelez-vous que le flash a besoin de recharger son condensateur avant de pouvoir prendre une nouvelle photo.
- **Enclenchez la priorité à la vitesse** (si votre appareil le permet). Sélectionnez la vitesse d'obturation la plus rapide et prenez quelques photos de test. Si l'image est trop sombre, sélectionnez une vitesse plus faible et faites un nouvel essai. Souvenez-vous qu'en mode priorité à la vitesse, l'appareil analyse la lumière ambiante et règle ensuite le diaphragme selon la vitesse d'obturation. Si l'éclairage est insuffisant, la compensation ne sera pas efficace. Pour plus d'informations, reportez-vous au Chapitre 6.

- Si votre appareil ne permet ni la priorité à la vitesse ni les réglages manuels, choisissez le mode de scène Sport ou Action, qui augmente la vitesse d'obturation. Reportez-vous à votre manuel pour plus de détails.
- **Optez pour une résolution réduite.** Plus la résolution est faible, plus l'image est rapidement enregistrée. L'appareil sera ainsi de nouveau prêt plus rapidement.
- **Désactivez la visualisation instantanée.** Beaucoup d'appareils affichent la photo pendant quelques secondes, juste après

l'avoir prise. Tant que l'image est affichée, vous ne pouvez pas en prendre une autre.

- **Laissez toujours votre appareil allumé.** Comme ils consomment énormément d'énergie, nous avons tendance à éteindre au plus vite les appareils numériques. Or, les appareils d'entrée de gamme exigent un certain délai, après allumage, pour être opérationnels. N'éteignez que le viseur LCD afin de préserver l'autonomie de la batterie.

## Le montage panoramique

Si vous avez eu la chance de visiter le Grand Canyon (ou les gorges du Verdon, magnifiques aussi), je vous sais frustré de ne pas avoir pu photographier toute l'étendue de cette formation rocheuse. Les formats d'image ne sont pas faits pour les grands espaces.

Aujourd'hui, la limite du cadre n'est plus un obstacle aux prises de vue panoramiques. Grâce au numérique, différentes parties d'une scène peuvent facilement être mises bout à bout pour former un vaste panorama, jusqu'à 360° si vous le désirez. La Figure 7.12 montre deux photos d'un ensemble de maisons et de jardins. L'angle de prise de vue est toutefois différent d'une vue à l'autre. Une fois les photos raccordées à l'aide d'un logiciel de retouche, on obtient la vue panoramique de la Figure 7.13.

**Figure 7.12 :** Ces photos ont été raboutées pour obtenir le panorama de la Figure 7.13.

Il n'est pas rare que les appareils numériques soient livrés avec un petit programme qui permette de réaliser des montages panoramiques. Mais ils n'atteignent généralement pas la précision d'un logiciel comme Photoshop Elements, dont la fonction Photomerge (Réglages > PhotoMerge > Panorama Photomerge) est illustrée sur la Figure 7.14. Vous pouvez aussi acheter un logiciel spécialisé, comme Panorama Maker, d'Arcsoft (`www.arcsoft.com`).

**Figure 7.13 :** La vue panoramique offre des perspectives plus larges.

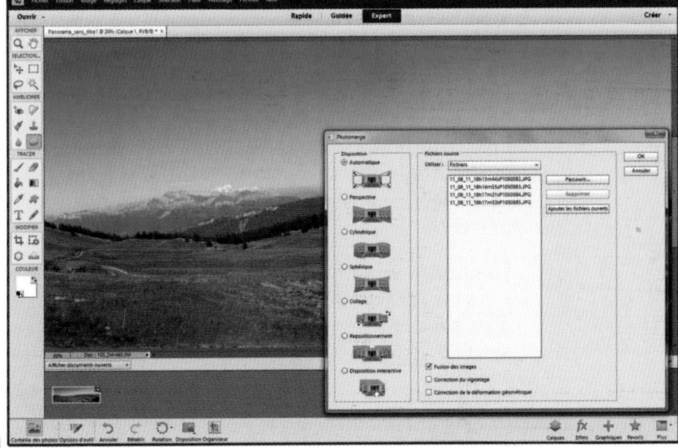

**Figure 7.14 :** La puissante fonction Photomerge de Photoshop Elements sert à créer des panoramas. Celui-ci est créé à partir de quatre photos prises avec un objectif de 28 mm.

La création du panorama est facile pour peu que vous preniez les photos correctement. À cette fin, respectez les règles de prise de vue ci-dessous :

- **Chaque photo doit respecter une distance et un angle de prise de vue vertical identiques.** Ne vous rapprochez pas trop de l'immeuble que vous photographiez et faites en sorte que l'une de ses extrémités ne soit pas plus éloignée de vous que l'autre extrémité.
- **Les photos doivent se recouvrir les unes les autres.** Chacun des clichés doit posséder des zones communes avec les autres pour qu'aucun raccord ne soit visible. Un recouvrement de 30 % est recommandé, mais si les cadrages sont bien faits, Photomerge s'en tire très bien avec des recouvrements de 10 à 20 %.

- **Assurez-vous de l'horizontalité.** Certains trépieds sont équipés d'un niveau à bulle. Si ce n'est pas le cas du vôtre, vous trouverez des niveaux à bulle autocollants dans un magasin photo.
- **Ne modifiez pas la mise au point.**
- **Ne modifiez pas l'exposition.** Pour éviter les différences de tonalité, une exposition constante s'impose. De même, évitez d'espacer vos clichés. Quelques minutes suffisent pour qu'un nuage vienne assombrir la scène, provoquant ainsi des variations de luminosité.

- Si votre appareil ne permet pas de désactiver l'exposition automatique, vous risquez de vous retrouver avec une partie de la scène dans l'ombre, alors que l'autre est bien ensoleillée. L'exposition automatique compense les différences de luminosité pour éclaircir les ombres ou réduire l'exposition des zones fortement éclairées. Ce procédé est certes commode, mais pas pour les panoramas, car ces compensations produisent des nuances totalement différentes, de sorte que le raboutage sera imparfait. Pour éviter cela, verrouillez la mise au point et l'exposition, afin que toutes les vues soient prises dans les mêmes conditions. Le meilleur résultat est obtenu avec une luminosité ambiante moyenne.
- **Les sujets en mouvement sont à proscrire.** Une personne qui traverse la scène risque de se retrouver sur les autres photos, mais à un emplacement différent. Hormis pour créer des effets surréalistes, évitez ce qui bouge.

Si la réalisation de panoramas vous tente, vous vous faciliterez la tâche en investissant dans un trépied spécial, équipé de niveaux à bulle et d'une graduation en degrés pour orienter chaque vue à intervalle régulier. Voyez les produits de chez Manfrotto (`www.manfrotto.fr`) ou Gitzo (`www.gitzo.fr`). Attendez-vous toutefois à des prix assez élevés.

## Vos photos ont la rougeole ?

Vos images présentent-elles une granulation colorée disgracieuse comme sur la Figure 7.15 ? Des parties de l'image sont-elles crénelées (effet d'escalier) ?

Si oui, voici quelques remèdes :

**Optez pour un taux de compression JPEG plus faible.** Les images pixellisées ou tachetées résultent souvent d'une com-

Figure 7.15 : Lorsque l'éclairage est faible, le capteur de l'appareil produit du grain.

pression trop forte (voir Chapitre 5). Consultez le manuel de votre appareil pour savoir comment modifier la compression JPEG.

- **Augmentez la résolution.** Peu de pixels produit un effet de blocs – appelé *pixellisation* – typique des images numériques. Pour éviter ce phénomène, choisissez une résolution élevée. (Consultez le Chapitre 2 pour connaître le rapport qui existe entre une faible résolution et une piètre qualité d'impression.)
- **Augmentez l'éclairage.** Les images prises dans des conditions lumineuses déficientes présentent du grain, comme l'illustre la Figure 7.15. Augmentez la valeur de l'exposition ou utilisez un flash afin de compenser le manque de luminosité.
- **Réduisez la sensibilité ISO** (si l'appareil le permet). Reportez-vous au Chapitre 6 pour en savoir plus.
- **Utilisez un logiciel spécialisé**. Si votre photo offre un réel intérêt pour vous, et si le bruit vous semble moins catastrophique que sur l'illustration précédente, la voie logicielle est toute indiquée. Voyez par exemple l'excellent Noiseware, qui existe en version autonome ou sous forme de plugin pour Adobe Photoshop et Photoshop Elements (`www.imagenomic.com`).

# Troisième partie

# De l'appareil photo à l'ordinateur

## Dans cette partie...

L'un des principaux avantages de la photo numérique est son instantanéité. Si vous êtes atteint d'une impatience chronique, vous serez content d'éviter l'attente du développement.

Cette partie du livre vous apprendra tout ce qu'il faut savoir pour extraire les photos de l'appareil et en faire profiter votre entourage. Le Chapitre 8 est consacré au transfert des images et au classement des fichiers. Le Chapitre 9 décrit les diverses options d'impression. Le Chapitre 10 vous explique les diverses manières de distribuer électroniquement les images – publication sur le Web, courrier électronique... – et propose d'autres idées d'utilisation des images à l'écran.

Parce qu'il y a une vie après la prise de vue numérique, plongez-vous sans attendre dans les délices de cette partie.

# 8

# Constituer votre photothèque

*Dans ce chapitre :*

- Transférer les images vers son ordinateur.
- Convertir des fichiers Raw.
- Travailler avec des formats propriétaires.
- Organiser les fichiers d'image.

Pour beaucoup de gens, la photo numérique n'est pas très compliquée car après tout, le principe est le même que celui de la photo argentique. En revanche, le transfert des images vers l'ordinateur est parfois moins évident, surtout pour ceux qui ne sont pas familiarisés avec l'informatique.

Ce chapitre explique comment transférer rapidement et facilement les photos vers l'ordinateur. Vous découvrirez aussi comment exploiter les fichiers Raw et comment organiser rationnellement les images (l'archivage, quant à lui, est expliqué au Chapitre 4).

Si vous n'y connaissez rien aux ordinateurs, je vous encourage à acheter l'un des titres de la collection *Pour les Nuls* consacré à Windows ou au Mac car sans notions de base en informatique, la photo numérique risque d'être quelque peu ardue.

# Transférer les images

Votre appareil numérique regorge de photos ? Il est temps de les transférer sur votre ordinateur.

Le terme *téléchargement* est parfois utilisé à la place de transfert, mais il préférable de l'éviter pour ne pas confondre cette opération avec le téléchargement des fichiers entre Internet et l'ordinateur.

## Les options de transfert

Le transfert des images dépend à la fois des caractéristiques de votre appareil numérique et de la méthode que vous préférez employer. Faisons le tour des possibilités :

- **Transfert depuis la carte mémoire :** votre appareil utilise une carte mémoire. Votre ordinateur est peut-être aussi équipé d'un lecteur de cartes. Vous devez donc vérifier si les deux sont compatibles. Si ce n'est pas le cas, vous devrez lire cette carte avec un lecteur ou un adaptateur prévus à cet effet. Consultez le Chapitre 4 pour tout connaître sur ces périphériques.
- **Transfert par câble :** il s'agit de la méthode la plus courante. En connectant l'appareil à votre ordinateur à l'aide du câble livré avec votre appareil, vous disposez d'un moyen simple et économique pour récupérer vos images. Tous les appareils photo numériques disposent d'un port USB (*Universal Serial Bus*).
- **Transfert sans fil :** quelques modèles d'appareils numériques disposent d'une liaison WiFi (voire Bluetooth) permettant de transférer les photos sans câble, mais ce procédé est plus lent qu'une connexion USB.

Vous trouverez dans les prochaines sections des détails complémentaires sur le transfert depuis une carte mémoire ou par câble. Comme le paramétrage d'une liaison sans fil varie selon la technologie (WiFi, Bluetooth...), l'appareil et l'ordinateur, je vous renvoie au manuel. La vitesse de transfert dépend de plusieurs paramètres, notamment le type de liaison sans fil utilisé.

Le logiciel livré avec votre appareil photo et certains lecteurs de cartes comportent une fonction d'automatisation du transfert qui facilite sa mise en œuvre. Dès que l'appareil ou le lecteur de carte est connecté, un programme apparaît et vous guide dans les diverses étapes du transfert. Des logiciels de retouche démarrent automatiquement dès qu'un appareil ou une carte est détecté. La Figure 8.1 montre l'utilitaire de transfert (ici, en mode Avancé) de Photoshop Elements

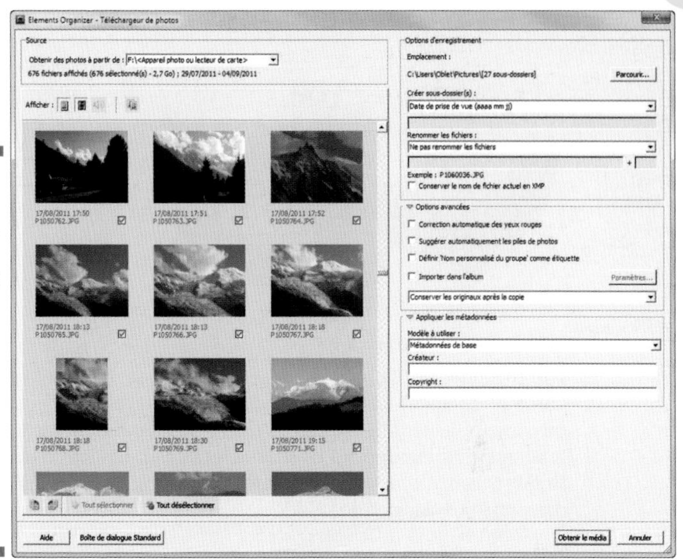


**Figure 8.1 :** Photoshop Elements démarre automatiquement cet utilitaire de transfert chaque fois que vous connectez un appareil photo ou une carte mémoire à l'ordinateur.

qui apparaît spontanément (ou non…) quand vous vous apprêtez à télécharger.

Comme ces utilitaires fonctionnent différemment, consultez leur manuel. Si vous ne voulez plus que l'utilitaire de transfert apparaisse automatiquement, vous pourrez désactiver son affichage dans Options ou dans Préférences.

## *Utiliser un lecteur de carte mémoire*

Un lecteur de carte mémoire se présente soit sous la forme d'un boîtier à brancher à l'ordinateur, soit sous la forme d'un lecteur incorporé à l'ordinateur (ou même à l'imprimante). Dans ce cas, plusieurs fentes de différentes dimensions permettent de recevoir les divers types de cartes. Si vous optez pour un lecteur indépendant, lisez attentivement le manuel afin d'installer le logiciel et le matériel exactement dans l'ordre préconisé.

Après avoir installé le lecteur, insérez la carte mémoire dans le connecteur approprié, comme le montre la Figure 8.2. L'ordinateur reconnaît la carte, permettant d'accéder aux fichiers qu'elle contient.

Sous Windows, elle est considérée comme un stockage amovible, avec sa propre lettre de lecteur. Il suffit d'ouvrir les dossiers de la carte

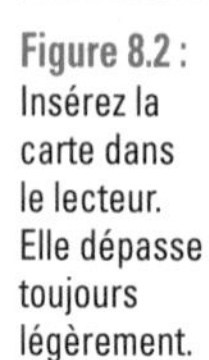

Figure 8.2 : Insérez la carte dans le lecteur. Elle dépasse toujours légèrement.

pour accéder aux fichiers d'image. Windows devrait d'ailleurs ouvrir automatiquement une fenêtre vous proposant diverses options pour ouvrir simplement le dossier ou ouvrir son contenu dans tel ou tel programme (voir Figure 8.3). Ils se trouvent généralement dans le dossier DCIM (*Digital Camera IMage,* images d'appareil photo numérique) ou dans un sous-dossier de DCIM.

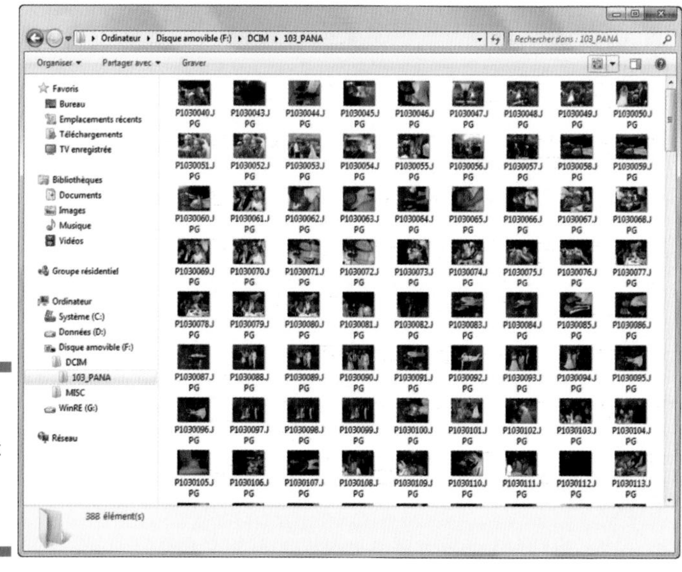


Figure 8.3 : La carte mémoire est un lecteur comme un autre.

Sur un Mac, le lecteur apparaît sur le Bureau, au même titre qu'un CD ou un DVD, mais avec une icône différente. Double-cliquez sur l'icône (visible à la Figure 8.7, plus loin) pour accéder à son contenu.

Après avoir ouvert le dossier contenant les images, sélectionnez celles que vous désirez transférer puis faites-les glisser jusque sur un dossier du disque dur (ou tout autre emplacement), comme le montre la Figure 8.4. Le petit signe « + » à côté du pointeur indique que vous déplacez et déposez une *copie* des fichiers. Les originaux restent dans la carte. Après avoir copié les fichiers à leur nouvel emplacement, vous pouvez effacer le contenu de la carte.

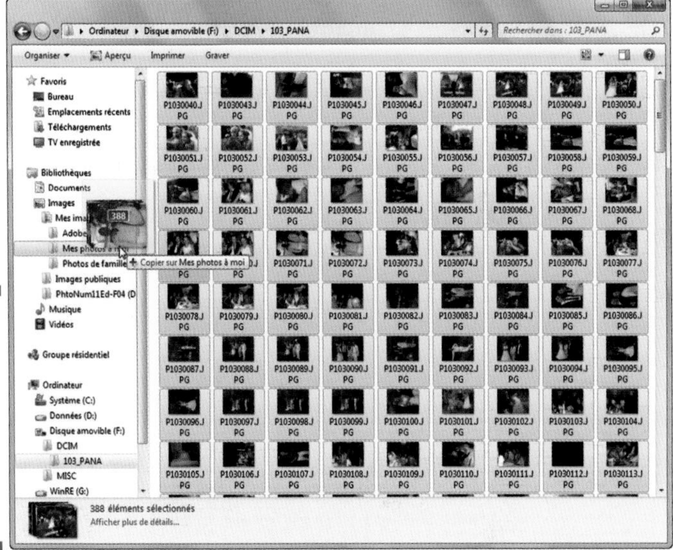


Figure 8.4 : Après avoir sélectionné les images, faites-les glisser jusque sur le dossier de destination.

Assurez-vous que tout s'est bien passé en ouvrant le dossier de destination.

Ce procédé de déplacement est identique avec les lecteurs de carte intégrés à l'ordinateur ou à une imprimante.

Vous n'êtes pas obligé de recourir à l'Explorateur Windows ou au Finder du Mac pour transférer les photos. Cette opération peut être effectuée directement depuis votre logiciel d'archivage ou de retouche.

## Les câbles de transfert

Pour connecter votre appareil photo à l'ordinateur, vous devrez peut-être installer quelques programmes livrés avec votre matériel. Mais, normalement, tout système d'exploitation moderne est conçu de manière à reconnaître automatiquement le type et le nom du matériel que vous branchez sur un port USB. Consultez le manuel de l'appareil photo numérique pour plus d'informations à ce sujet.

Un transfert par câble USB - le moyen le plus courant en photographie numérique - s'effectue de la manière suivante :

1. **Insérez une des extrémités du câble dans l'appareil et l'autre dans un port USB de l'ordinateur, comme le montre la Figure 8.5.**

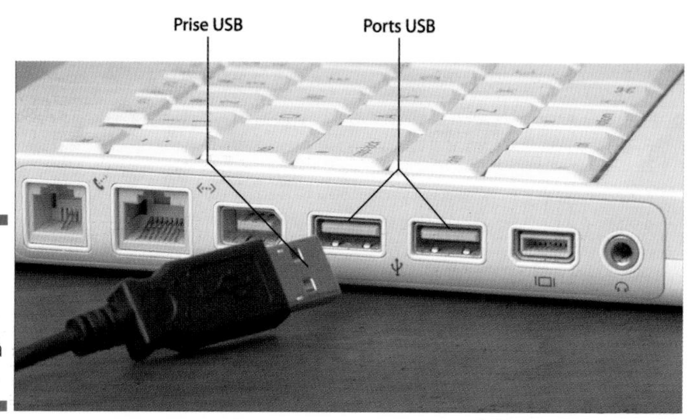


Figure 8.5 : Les appareils photo récents se connectent à un port USB.

   Il s'agit de la prise plate que montre l'illustration. Une astuce pour trouver facilement le bon sens d'introduction : si la prise femelle USB est à l'horizontale, la prise mâle est dans le bon sens lorsque le symbole USB, lui aussi visible sur la photo, est sur le dessus. Mais si la prise est verticale, il n'existe hélas pas de règle bien établie.

2. **Insérez ensuite l'autre extrémité du câble dans la prise USB de l'appareil.**

   Il s'agit d'une minuscule prise de quelques millimètres à peine, généralement protégée par une trappe en métal, en plastique ou en caoutchouc.

Si vous avez perdu le câble de transfert, rachetez le même modèle que celui préconisé par le fabricant. Tous les câbles ne sont en effet pas compatibles entre eux, et si vous avez en avez un d'une autre marque, ou générique, le risque existe pour qu'il ne fonctionne pas avec votre appareil. Si le câble semble introuvable en boutique, optez pour un lecteur de cartes mémoire. Il existe de nombreux modèles à très bas prix.

**3. Allumez l'ordinateur le cas échéant, et aussi l'appareil photo.**

Tant que vous n'avez pas allumé l'appareil photo, vous aurez beau attendre devant l'ordinateur, il ne se passera rien.

**5. (Facultatif) Sur l'appareil photo, choisissez le mode de transfert approprié.**

Certains appareils disposent de plusieurs modes de téléchargement. Consultez le manuel d'utilisation pour vérifier la manipulation appropriée.

**6. Démarrez le logiciel de transfert.**

Dès que la présence de l'appareil est détectée, le logiciel de transfert devrait démarrer de lui-même. L'appareil photo est souvent livré avec un programme de transfert d'images, comme celui qui est illustré sur la Figure 8.6. Le dossier par défaut proposé par le logiciel peut être remplacé par un autre.

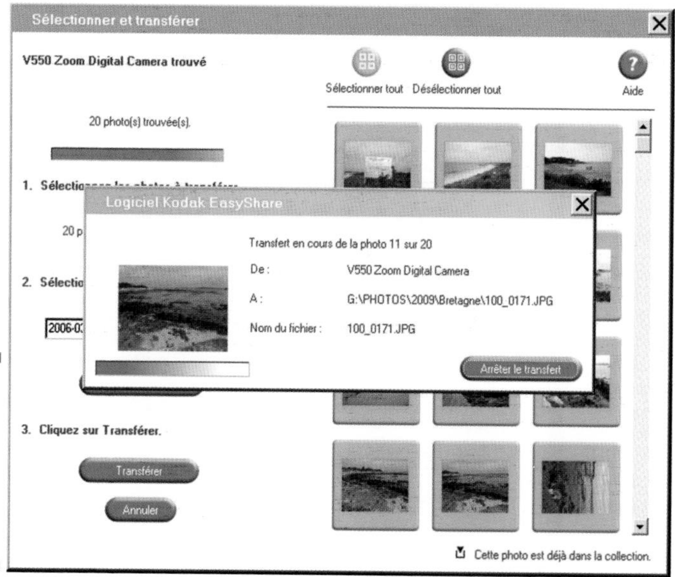


**Figure 8.6 :** La plupart des appareils photo sont livrés avec un logiciel de transfert.

**7. Démarrez le transfert.**

À partir de maintenant, les manipulations dépendent de votre matériel et du logiciel utilisé. En cas de difficulté, jetez un œil sur le manuel de votre appareil photo. Une barre de progression indique généralement l'avancement des opérations. L'une d'elles est visible sur la Figure 8.6, sous l'aperçu de l'image en cours de transfert.

## *L'appareil photo est un lecteur*

Les fabricants fournissent généralement un logiciel spécial qui permet au système d'exploitation (Windows ou Mac OS) d'identifier l'appareil comme s'il s'agissait d'un lecteur amovible. Dans ce cas, vous pouvez utiliser la même procédure que celle décrite précédemment dans la section « Utiliser un lecteur de carte mémoire ».

L'identification du matériel établie, il apparaît sous forme d'icône dans l'Explorateur Windows ou, comme le montre la Figure 8.7, dans le Finder du Macintosh. Par défaut, dans ce cas, l'icône de l'appareil photo porte le nom No Name, « sans nom », mais vous pouvez la renommer comme cela a été fait ici. Par la suite, l'icône de votre appareil photo sera toujours affichée par son nom, ce qui est moins impersonnel. Utilisez la technique traditionnelle du glisser-déposer pour transférer rapidement vos images de l'appareil photo vers un des dossiers du disque dur.

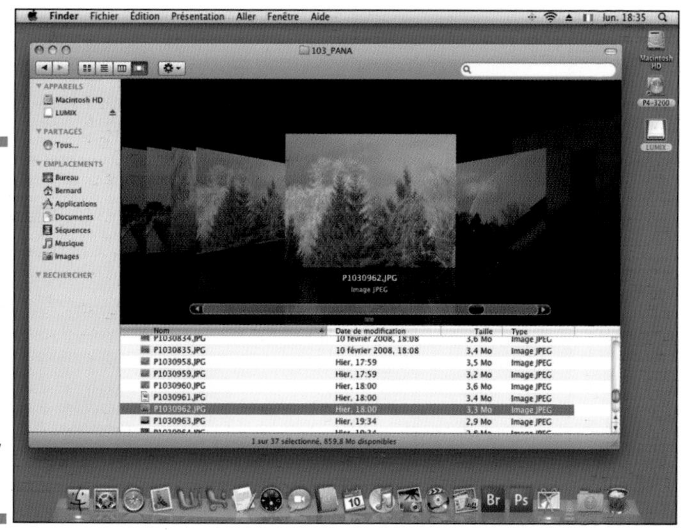


**Figure 8.7 :** Sur un Mac, l'appareil photo apparaît sur le Bureau comme s'il était un lecteur (ici, l'icône No name, en haut à droite, a été renommée Lumix).

## Quelques conseils pour faciliter les transferts

Pour de nombreuses (et incompréhensibles) raisons, le transfert est parfois l'un des aspects parmi les plus compliqués de la photographie numérique (du moins tant que l'on ne se lance pas dans des travaux d'édition un tant soit peu sophistiqués). L'apparition des cartes que l'on peut insérer directement dans l'ordinateur a facilité cette opération, mais tout le monde ne bénéficie pas encore de cette technologie. Et, par expérience, insérer à l'envers une carte mémoire dans le lecteur d'un ordinateur portable est parfois un peu trop facile. Par contre, la récupérer l'est beaucoup moins…

Ces quelques conseils pratiques devraient vous aider :

- Si un message d'erreur signale que le logiciel ne peut pas communiquer avec votre appareil numérique, assurez-vous que ce dernier est sous tension et que le mode de transfert est correctement sélectionné.
- Sur Macintosh, vous devrez désactiver AppleTalk, Express Modem et/ou GlobalFax, qui entrent souvent en conflit avec le programme de transfert. Consultez à ce sujet la documentation de votre appareil photo numérique.
- Rendez-vous sur le site Web du fabricant de votre appareil pour consulter la FAQ (foire aux questions) qui fournit souvent la réponse aux problèmes rencontrés par les néophytes. N'hésitez pas le cas échéant à télécharger la dernière version du pilote de votre appareil. Visitez également le site du fabricant de l'ordinateur ou de sa carte mère ainsi que celui de l'éditeur des logiciels que vous utilisez, afin de télécharger les dernières mises à jour.

- Pendant un transfert, il peut arriver qu'une option de conversion de format de fichier et de compression soit proposée. Sauf si vous acceptez une perte de qualité en raison d'une compression plus élevée, restez-en à l'imagerie sans compression. Ces notions sont développées au Chapitre 5.

- L'appareil photo nomme vos images, par exemple DCS008.JPG, DCS009.JPG (fichiers PC) ou IMAGE 1, IMAGE 2 (fichiers Mac). Si vous avez déjà téléchargé des images ayant ces mêmes noms, les nouvelles risquent de s'y substituer ; les anciennes photos sont alors irrécupérables. Pensez à nommer vos anciennes photos différemment ou, ce qui est plus simple, mais peu recommandé car un peu plus risqué (il vaut toujours mieux que des fichiers différents aient des noms différents), à les déplacer dans un autre dossier pour éviter de les écraser lors d'une prochaine session de transfert.

Le logiciel de transfert vous alertera du risque d'écrasement et vous demandera si vous désirez vraiment remplacer les images existantes par les nouvelles. Dans la majorité des cas, vous choisirez de créer un nouveau dossier pour y enregistrer vos images.

- Si votre appareil dispose en plus d'un adaptateur secteur, utilisez-le. Le processus de transfert pouvant être assez long, cet ustensile économisera la batterie.
- Après un téléchargement, certains logiciels permettent d'effacer automatiquement les images contenues dans la mémoire de l'appareil photo. Je ne sélectionne jamais cette option. Pour des raisons évidentes de sécurité, vérifiez *toujours* que toutes les images ont été correctement transférées *avant* d'envisager leur suppression. Une précaution supplémentaire consiste à sauvegarder aussitôt les photos sur un CD ou un DVD.

## Horreur ! J'ai effacé toutes mes photos !

Nul n'est à l'abri de l'effacement accidentel d'une photo importante, ou pire, d'un dossier plein d'images. Pas de panique car rien n'est encore perdu.

Tout d'abord, vous devez impérativement ne plus prendre la moindre photo. Si vous en faites une seule après la suppression, vous risquez de ne plus rien récupérer.

Achetez un logiciel comme Photo Recovery (`freshcrop.com`), Rescue Pro ou encore PhotoRecovery (`www.lc-tech.com`). Ils doivent pouvoir accéder à la mémoire de l'appareil photo. Si cette dernière n'est pas visible dans l'ordinateur, vous devrez peut-être acheter un lecteur de carte mémoire.

Si c'est dans l'ordinateur que vous avez effacé les photos, vous n'aurez pas besoin d'un logiciel spécial. Sous Windows, double-cliquez sur l'icône Corbeille, sélectionnez les photos à récupérer puis choisissez Fichier > Restaurer. Windows les remet exactement où elles étaient. Sur un Mac, ouvrez la Corbeille puis faites glisser les photos à récupérer jusque sur le dossier où elles se trouvaient.

Vous avez vidé la Corbeille ? Il existe sur le Web des logiciels capables de récupérer les fichiers qui ont été ainsi éliminés, à condition toutefois de n'avoir pas utilisé l'option Corbeille sécurisée.

# Convertir des fichiers Raw

Les appareils photo haut de gamme proposent le format d'image Raw. Comme nous l'avons expliqué au Chapitre 5, il stocke des images « brut de capteur », sans leur appliquer le traitement réservé aux fichiers JPEG et TIFF.

Bien que le transfert des fichiers Raw vers l'ordinateur s'effectue de la même manière que les autres fichiers, vous ne pouvez pas les ouvrir sans passer préalablement par un *convertisseur Raw.* Ce logiciel vous permet de spécifier exactement comment les données brutes doivent être transposées dans l'image finale.

Les appareils qui photographient en Raw sont généralement fournis avec un convertisseur, mais vous n'êtes pas obligé de n'utiliser celui-ci. Beaucoup de logiciels de retouche, dont Photoshop Elements, en possèdent un. Mais comme ils ne sont pas compatibles avec tous les appareils, vous devrez vérifier si votre modèle est reconnu.

Les étapes qui suivent expliquent comment convertir un fichier Raw avec Camera Raw, le module de conversion livré avec Photoshop Elements (et Adobe Photoshop) :

1. **Transférez les fichiers dans l'ordinateur.**
2. **Cliquez du bouton droit (ou touche Ctrl enfoncée, sur le Mac) et, dans le menu contextuel, choisissez Ouvrir.**

   Photoshop Elements reconnaît qu'il s'agit d'un fichier au format Raw et démarre le convertisseur que montre la Figure 8.8. Assurez-vous que la case Aperçu est cochée (en haut de la fenêtre) afin que les réglages soient visibles en temps réel.

3. **Au besoin, réglez l'image à l'aide des commandes du volet droit et des outils situés en haut de l'interface.**

   Les commandes sont expliquées dans la liste qui suit cette manipulation.

4. **Cliquez sur le bouton Ouvrir une image pour éditer le fichier corrigé à l'aide de Camera Raw dans Photoshop Elements.**
5. **Dans Photoshop Elements, choisissez Fichier > Enregistrer sous.**
6. **Enregistrez le fichier dans un format d'image standard.**

   L'enregistrement dans le format PSD, le format de fichier natif de l'éditeur, est la meilleure solution. Ou alors, enregistrez en TIFF ; les options du format TIFF sont décrites au Chapitre 9.

**Figure 8.8 :** Une image au format Raw doit être convertie en fichier standard pour pouvoir être ouvert.

Ne sautez pas cette étape car le fichier converti n'est pas conservé s'il n'est pas enregistré.

Voici les outils et commandes auxquels l'Étape 3 fait allusion. Nous commencerons par les icônes en haut à gauche :

- **Zoom :** cliquez dans l'image pour l'agrandir. Cliquez, touche Alt (ou Option, sur Mac) enfoncée pour zoomer en arrière.
- **Main :** pour déplacer la photo agrandie dans la fenêtre. Cliquez dans l'image et, bouton de la souris enfoncé, repositionnez-la à votre guise.
- **Balance des blancs :** préférez les glissières Température et Teinte, dans le volet de droite, pour régler avec précision la température de couleur. La pipette de Balance des blancs sert à corriger une dominante de couleur en cliquant dans une partie de l'image qui devrait être d'un gris moyen neutre.
- **Recadrage :** vous ne l'utiliserez dans Camera Raw qu'avec l'outil Redressement. Les autres recadrages seront effectués dans Photoshop Elements.
- **Redressement :** si l'horizon est incliné ou si une verticale est de travers, cliquez et tirez le long de la droite qui devrait être à niveau ou d'aplomb. Dès que vous relâchez le bouton de la souris, la photo est redressée. Vous devrez éliminer les parties superflues avec l'outil Recadrage (reportez-vous au Chapitre 12 pour les détails sur le redressement d'une image et son recadrage dans Photoshop Elements).

- **Retouche des yeux rouges :** cliquez près de l'œil à corriger et tirez un cercle autour de lui. Camera Raw compense la couleur sitôt le bouton relâché. Notez que deux options apparaissent sous les outils : Taille et Obscurcir. Elles permettent d'affiner le réglage.
- **Préférences :** ouvre la boîte de dialogue des préférences de Camera Raw.
- **Rotation :** les deux dernières icônes basculent l'image de 90° dans le sens antihoraire ou horaire.

À droite des outils se trouve une case Aperçu. Cochez-la pour voir vos réglages, et décochez-la pour voir la photo Raw telle que l'appareil photo l'avait livrée.

Vous pouvez aussi afficher en rouge les pixels écrêtés, c'est-à-dire trop clairs pour contenir suffisamment de détails, et en bleu les pixels noirs écrêtés, donc trop sombres pour révéler quoi que ce soit. Pour cela, il faut cliquer sur les petits triangles en haut à gauche et à droite de l'histogramme pour tester l'éventuel écrêtage des tons foncés et clairs.

Examinons à présent succinctement les commandes présentes dans le volet de droite de Camera Raw, sous l'onglet Réglages de base :

- **Menu Balance des blancs :** si la balance des blancs était mal réglée sur l'appareil photo, ce menu permet d'en choisir une autre parmi Lumière naturelle, Nuageux, Ombre, Tungstène, Fluorescente, Flash, Personnalisée ou encore Auto. Elle ne corrige pas le réglage mais s'y substitue entièrement. Le choix règle les glissières Température de couleur et Teinte.
- **Température de couleur et Teinte :** si aucune des balances des blancs prédéfinies ne vous convient, définissez la vôtre à l'aide de ces deux glissières.
- **Exposition :** modifie l'exposition générale de l'image. Cliquez sur le curseur avec la touche Alt (Option, sur Mac) enfoncée pour tester l'écrêtage.
- **Récupération :** permet de récupérer dans une certaine mesure les tons foncés écrêtés, et restituer un peu de détail dans les ombres denses. Cliquez sur le curseur avec la touche Alt (Option, sur Mac) enfoncée pour tester l'écrêtage.
- **Lumière d'appoint :** éclaircit les ombres comme si vous aviez utilisé un flash de remplissage.
- **Noirs :** contrôle le degré d'assombrissement des parties les plus sombres. Quand vous cliquez sur le curseur, maintenez la

touche Alt (Option, sur Mac) enfoncée pour voir l'écrêtage noir ou blanc s'afficher dans l'image. Cette commande indique aussi l'écrêtage dans les couches Rouge, Vert ou Bleu.

- **Luminosité :** règle la luminosité des tons moyens de l'image.
- **Contraste :** règle le contraste global de l'image.
- **Clarté :** donne de la vigueur à l'image en renforçant le contraste dans les petites étendues de même luminosité.
- **Vibrance :** augmente la saturation des couleurs, mais en préservant les tons chair.
- **Saturation :** modifie l'intensité d'une couleur.

L'onglet Détail contient des commandes de réglage de la netteté de l'image et plusieurs glissières pour l'atténuation du bruit, dont l'une pour le bruit de luminance qui apparaît lors de l'utilisation d'une sensibilité ISO élevée à la prise de vue, et une autre pour l'atténuation du bruit de chrominance pour éliminer les pixels de couleur indésirables. Pour corriger le bruit, affichez la photo à 100 % (voire plus) en double-cliquant sur l'outil Zoom.

Ne vous débarrassez jamais des fichiers Raw originaux. D'abord parce que lors de la conversion, toutes les métadonnées EXIF risquent d'être perdues (les métadonnées sont décrites au Chapitre 4) et aussi parce que vous pourriez de nouveau en avoir besoin. Archivez-les systématiquement. Un fichier Raw n'est pas un fichier transitoire, mais sans aucun doute le plus important de tous, car il contient l'ensemble des paramètres de base susceptibles d'être réglés.

# Conversion des fichiers propriétaires

Les appareils photo d'aujourd'hui enregistrent les fichiers dans le format JPEG, plus éventuellement dans l'un des deux formats TIFF ou Raw. Mais si le vôtre est ancien, il enregistre peut-être les images dans un fichier dit « propriétaire », c'est-à-dire un format développé par un fabricant ou un éditeur et utilisé uniquement par lui. Un format propriétaire est aussi appelé « format natif ». C'est le format créé spécialement pour un logiciel. Par exemple, PSD est le format natif de Photoshop.

Pour éditer des photos enregistrées dans un format propriétaire, vous devez utiliser le logiciel de conversion fourni avec l'appareil, ou un logiciel de conversion généraliste. Vous ouvrirez le fichier avec ce logiciel puis vous l'enregistrerez sous un autre format, TIFF par exemple. Si vous désirez afficher la photo dans un courrier électronique ou sur le Web, enregistrez-la aussi en JPEG. Rappelez-vous que le format JPEG entraînant des pertes de données plus ou moins sensibles, vous ne devez pas l'utiliser pour l'archivage.

Téléchargeable depuis le site www.xnview.com gratuit et en français, XnView lit plus de 400 formats graphiques et les convertit vers 50 formats. Très impressionnant ! Il existe pour PC et Mac. Un autre programme gratuit, IrfanView (www.irfanview.com), est également très bon, en particulier pour effectuer des conversions d'un grand nombre de fichiers à la fois.

À l'instar des fichiers RAW, vous devez conserver les fichiers propriétaires originaux, même si vous les avez convertis en d'autres formats. La conversion efface en effet généralement les métadonnées EXIF présentes dans le fichier. Or celles-ci pourraient vous être utiles ultérieurement.

## Les outils d'archivage

Après avoir transféré vos photos sur le disque dur, il est recommandé de les classer afin de les retrouver plus rapidement.

Si vous n'aimez pas les complications, vous pouvez vous contenter de classer les photos dans des dossiers, comme vous le faites de vos textes issus d'un traitement de texte, de vos feuilles de calcul ou tout autre document. Vous créerez (par exemple) un dossier par année dans lequel vous créerez des sous-dossiers thématiques, comme Famille, Vacances, Paysages, Stan (ça, c'est le chien), *etc.*

Un grand nombre de logiciels d'édition graphique sont dotés d'un explorateur qui permet de parcourir la photothèque et afficher des vignettes de prévisualisation de vos images. La Figure 8.9 montre l'Organiseur de fichiers de Photoshop Elements. Ce genre d'utilitaire permet de retrouver facilement une photo si vous ne parvenez pas à la retrouver sous son nom de fichier.

Selon le type d'ordinateur que vous utilisez, vous trouverez des programmes indépendants permettant de parcourir votre photothèque. Dans Windows, l'Explorateur Windows est capable d'afficher les fichiers d'image sous forme de vignettes. Si vous possédez un Mac, il a sans doute été livré avec iPhoto (voir Figure 8.10), un logiciel d'archivage appartenant à la suite iLife (www.apple.com/fr/ilife/iphoto).

Si vous estimez que l'explorateur de fichiers de votre logiciel n'est pas assez sophistiqué ou trop lent, vous pourrez recourir un programme payant, comme ACDSee pour PC et Mac (www.avanquest.fr) ou même gratuit, comme Picasa de Google (picasa.google.fr).

Figure 8.9 : Le module Organiser de Photoshop Elements permet d'accéder facilement aux photos.

Figure 8.10 : Les utilisateurs de Mac peuvent parcourir leur photothèque avec iPhoto.



Tous ces logiciels permettent de parcourir les photos et les classer de différentes manières. Par exemple, si vous avez la photo d'un chien de race labrador retriever, vous pourrez lui affecter les mots clés « animal », « chien », « labrador » et « retriever » dans le catalogue. Il vous suffira par la suite d'effectuer une recherche sur l'un de ces critères pour retrouver la bête.

# 9

# Je peux avoir un tirage ?

*Dans ce chapitre :*

- Bien imprimer et faire bonne impression.
- Choisir une imprimante photo.
- Comprendre le mode CMJN.
- Des tirages qui vieilliront bien.
- Choisir le bon papier en fonction de ses besoins.
- Imprimer des photos.
- Obtenir une bonne fidélité des couleurs.
- Enregistrer au format TIFF pour une publication.

Connaître l'ensemble des tenants et les aboutissants de la photo numérique peut vous paraître horriblement technique, mais vous n'êtes pas obligé de tout apprendre. Enfin, pas tout de suite… Par exemple, dans ce chapitre, il vous suffira de ne lire que la première section pour pouvoir obtenir d'excellents tirages numériques.

Les premiers paragraphes expliquent comment faire tirer les images dans une boutique photo. Le processus est extrêmement facile, et vous pouvez même le piloter de chez vous, *via* Internet.

Si vous préférez imprimer chez vous – une technique qui s'est grandement simplifiée -, le restant du chapitre vous expliquera comment acheter une imprimante photo et obtenir les meilleurs résultats. Vous apprendrez aussi comment régler la taille d'impression et la résolution, enregistrer un fichier TIFF utilisable dans une publication, et aussi comment obtenir une meilleure concordance entre les couleurs affichées à l'écran et celles qui sont imprimées.

# Facile et rapide : l'impression à la boutique

Toutes les boutiques photo, des plus modestes aux grandes chaînes comme la Fnac, proposent le tirage numérique. Il suffit de confier une carte mémoire (ou de l'insérer dans une borne), voire un DVD ou un CD, et d'indiquer le format d'impression ainsi que la quantité, tout comme pour les films classiques.

Le prix des tirages a beaucoup baissé. Comptez autour d'une bonne dizaine de centimes d'euro pour une photo en 10 x 15. Même si c'est encore un peu plus cher que des tirages d'après des négatifs, rappelez-vous que vous ne faites tirer que les photos que vous aimez, tandis qu'avec le film, vous payez le développement de la pellicule plus *tous* les tirages, et parfois même ceux qui sont techniquement limites ou ratés. Tous comptes faits, la photo numérique n'est pas si chère.

Vous disposez de plusieurs possibilités :

- **L'impression en une heure :** confiez la carte mémoire ou le disque à une boutique, remplissez le bon de commande, promenez-vous ou faites vos courses et, une heure après, récupérez vos tirages.
- **Les bornes interactives :** vous êtes pressé ? Beaucoup de boutiques sont équipées de bornes comme celle de la Figure 9.1. Insérez votre carte mémoire, appuyez sur quelques boutons ou un écran tactile, payez et attendez la sortie des tirages. Quelques interventions sont même parfois possibles, comme le recadrage ou l'élimination des yeux rouges.
- **La commande en ligne, avec récupération à un point de retrait :** c'est l'une de mes options favorites. Vous envoyez les images par Internet, puis vous récupérez les tirages à la boutique.

Cette option est commode pour imprimer les tirages destinés à des correspondants habitant loin de chez vous. Au lieu d'imprimer sur place et envoyer les tirages par la poste, il suffit de choisir un point de retrait proche de chez eux. Le paiement peut être effectué soit par vous, avec une carte bancaire, soit par le

Figure 9.1 : Une borne de tirage interactive (ici, Photomaton). Les tirages sont effectués immédiatement, en quelques minutes.

destinataire au point de retrait. La FNAC, notamment, propose de retirer les photos dans l'un de leurs nombreux magasins. Le paiement s'effectue à réception, au guichet.

- **Commandez en ligne, faites-vous livrer par la poste :** de nombreux services, sur Internet, vous permettent de transférer vos photos sur leur site et recevoir les tirages par la poste. C'est le cas de la Fnac (`www.fnacphoto.com`), de Fujifilm (`myfujifilm.fr`) (Figure 9.2), de Photoservice.com (`www.photoservice.com`) et bien d'autres, comme le service PhotoCité de France Loisirs (`www.photocite.fr`). Certains sites hébergent aussi vos albums, qui peuvent ainsi être consultés par vos proches. Nous y reviendrons au Chapitre 10.

**Figure 9.2 :** Vous pouvez aussi obtenir des tirages à partir de vos albums hébergés sur un site.

Ne vous limitez pas aux tirages 10 x 15. La plupart des labos peuvent aussi produire des calendriers, imprimer sur des tee-shirts, des mugs, dans des blocs de verre et bien d'autres objets. Certains proposent aussi la gravure de vos photos sur un CD ou un DVD, ce qui vous évite d'avoir à le faire.

## Acheter une imprimante

Même si vous confiez la plupart de vos tirages à un labo, acquérir une imprimante photo reste un bon investissement. Si vous n'avez qu'une ou deux photos à tirer, il est plus commode de le faire chez vous que d'aller dans une boutique. De plus, vous pouvez acheter des papiers spéciaux, ayant une texture de toile par exemple. Une imprimante comme le modèle HP Designjet 130 de la Figure 9.3 est capable de produire des tirages sans bords jusqu'au format A2 (environ 40 x 60 cm) voire A1+, avec une largeur de papier de 62,5 cm (inutile de préciser que ce n'est pas pour votre budget) ! Et bien sûr, imprimer vous-même vous octroie un contrôle maximal sur la sortie, ce qui est important pour les photographes avertis, notamment ceux qui exposent ou vendent leurs œuvres.

Les imprimantes d'aujourd'hui produisent d'excellents résultats, à tel point qu'il est difficile de faire la différence entre un tirage effectué dans un labo et celui réalisé chez soi.

Hewlett-Packard

Figure 9.3 : Cette imprimante permet d'obtenir des tirages sans bord jusqu'au format A2, et même A1+. Mais elle coûte 200 € !

Il existe différents types d'imprimantes, qui ont chacune leurs avantages et leurs inconvénients. Vous en choisirez une en fonction de votre budget, de vos besoins et de la qualité d'impression désirée.

## Les imprimantes à jet d'encre

Elles projettent de minuscules gouttes d'encre sur le papier. Leur prix varie dans une fourchette de 50 à 800 euros (voire plus pour le haut de gamme), mais comptez au moins de 80 à 150 euros pour une bonne qualité d'impression. Les plus chères impriment plus vite et offrent des fonctions supplémentaires, comme l'impression en grand format, l'impression sans bord ou encore en recto-verso, la possibilité de la mettre en réseau, ou l'impression directe depuis une carte mémoire ou l'appareil photo.

La plupart des imprimantes à jet d'encre permettent d'effectuer des tirages sur du papier normal ou sur du papier photo, brillant ou mat. Vous pouvez ainsi les utiliser pour des tâches de bureautique et réserver le papier photo, plus onéreux, aux tirages. Le coût par tirage varie notablement selon le modèle d'imprimante, le papier et l'encre. Comptez tout de même plusieurs dizaines de centimes d'euro par tirage 10 x 15. Reportez-vous à la section « Comparaisons » pour en savoir plus à ce sujet.

Il existe deux sortes d'imprimantes à jet d'encre :

- Les imprimantes généralistes, qui impriment décemment du texte et des images.
- Les imprimantes photo. Elles produisent des tirages de meilleure qualité, mais sont parfois peu adaptées à la bureautique car elles sont très lentes.

Cela ne signifie pas qu'une imprimante généraliste tire plus vite que son ombre. La sortie d'une photo en couleur peut exiger plusieurs minutes.

De plus, l'encre humide peut gondoler légèrement un papier normal et, tant qu'elle n'est pas sèche, le moindre contact la barbouille. Ces effets sont moindres avec du papier spécial pour les imprimantes à jet d'encre.

En dépit de ses inconvénients, l'imprimante à jet d'encre est une solution commode et (relativement) économique. Les modèles d'aujourd'hui produisent des images de bonne qualité, avec des couleurs qui bavent moins et imprègnent moins le papier. Les tirages effectués sur du papier photo brillant rivalisent avec ceux produits par les laboratoires. J'ai notamment été impressionnée par les résultats des imprimantes photo Epson, HP et Canon.

Vous trouvez quels constructeurs bradent les prix de leurs matériels pour mieux vous vendre de l'encre à prix d'or ? Ne le répétez à personne, mais je suis plutôt d'accord avec vous. Je crois bien avoir lu quelque part que le prix au litre revenait à au moins 2000 euros ! En fait, il revient dans certains cas moins cher de changer d'imprimante que d'acheter une recharge complète. Vive le développement durable…

## Les imprimantes à laser

Comme la plupart des photocopieurs, les imprimantes à laser utilisent des cartouches d'encre pulvérulente appelée *toner*. Cette encre est déposée contre le papier par contact avec un rouleau chargé d'électricité statique, puis fixée à chaud.

Les imprimantes laser couleur produisent des images de qualité presque photographique et impriment bien le texte. Elles sont plus rapides que les imprimantes à jet d'encre et ne nécessitent pas de papier spécial. Les résultats sont toutefois meilleurs avec un papier « spécial laser » de bonne qualité.

Leur inconvénient ? Le prix. Bien qu'il ait baissé ces derniers temps, il est encore élevé, et le coût d'une cartouche de toner est dissuasif (de 40 à 100 euros *par couleur*). De plus, l'imprimante laser est un périphérique encombrant, qui trouve plus facilement sa place dans un bureau que dans un salon.

En ce qui concerne la photo, la qualité varie d'un modèle à un autre. À mon avis, elle ne diffère guère de celle d'une bonne imprimante à jet d'encre. Beaucoup de gens seraient incapables de faire la différence.

L'impression laser se justifie si vous devez réaliser des tirages couleur en grande quantité. La plupart des imprimantes à laser peuvent être connectées à un réseau local, ce qui est fort commode dans une petite entreprise, où tout le monde peut l'utiliser. La Figure 9.4 montre une imprimante à laser de la gamme Phaser fabriquée par Xerox.

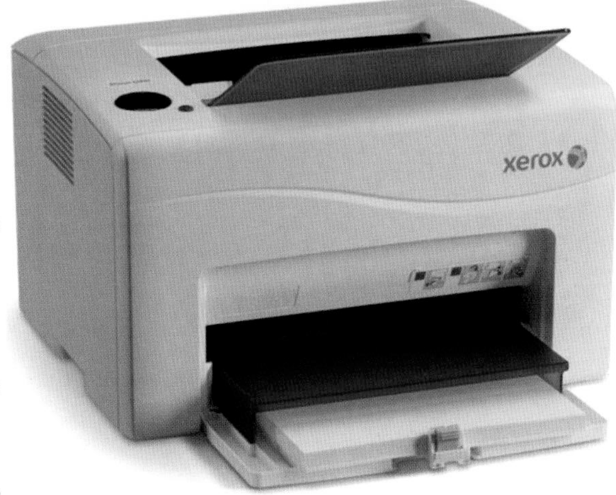


Figure 9.4 : Les imprimantes laser sont devenues moins chères et produisent de bons tirages.

Xerox propose également une autre technologie entre laser et jet d'encre, basée sur des bâtonnets de cire fondus pour produire les couleurs. Plus de cartouches de toner ou d'encre à recycler, ce qui est extrêmement appréciable en termes de développement durable. Ce type d'imprimante, dont le prix débute à un peu plus de 500 euros, donne de surcroît des couleurs plus éclatantes.

## Les imprimantes à sublimation thermique

Les imprimantes à sublimation thermique s'adressent aux photographes avertis. La couleur est transférée sur le papier par un fort échauffement de pigments recouvrant un ruban.

Plusieurs imprimantes photo utilisent cette technologie. Leur prix est du même ordre que celui d'une bonne imprimante à jet d'encre.

En raison de quelques inconvénients, les imprimantes à sublimation thermique sont moins adaptées au travail de bureau :

- La plupart n'impriment qu'en format 10 x 15, comme le modèle Canon Selphy CP900 illustré sur la Figure 9.5.

Figure 9.5 : Une imprimante photo à sublimation thermique de Canon.

- Seul du papier pour imprimantes thermiques est utilisable. De ce fait, ces équipements ne sont pas utilisables dans un bureau. Ils ne servent qu'à imprimer des photos.

Le coût par tirage dépend du format du papier. Comptez en moyenne entre 50 centimes et un euro.

## Quelle est la durée de vie des tirages ?

En plus de toutes les considérations qui précèdent, vous devez vous interroger sur la stabilité des couleurs des tirages, c'est-à-dire sur leur durée de vie.

Toute photographie subit les outrages du temps. En fonction de sa qualité, la durée de vie d'un tirage varie entre 10 et 60 ans. Cela tient au fait que la photo est un processus chimique qui supporte mal les effets de la lumière et de la pollution de l'air, notamment l'ozone. Ces problèmes de notre temps affectent également d'autres types de sorties imprimantes.

Force est de constater que les deux technologies qui se rapprochent le plus des tirages argentiques, la sublimation thermique et l'impression à jet d'encre, se dégradent rapidement, surtout quand les photos sont exposées à la lumière du jour, ou pire, au soleil direct. En quelques mois, l'image est bien souvent délavée.

Les fabricants d'imprimantes ont travaillé dans le sens d'une plus grande durée de vie des tirages. Par exemple, certains modèles Epson sont à base de pigments et non de teinture. Selon leurs tests de vieillissement, le papier d'archivage utilisé devrait ne pas se délaver avant 108 ans.

L'inconvénient des encres à base de pigments est que la gamme de couleurs qu'elles reproduisent est plus étroite. La différence est-elle décelable ? C'est difficile à dire, car cela dépend aussi du spectre de lumière que capte votre appareil photo.

## Protéger les tirages

Les conditions de stockage et d'affichage suivantes garantissent une meilleure longévité de vos tirages papier :

- Si vous encadrez vos tirages, placez-les sous un verre spécial. Ainsi, personne ne pourra les toucher. Veillez à ce que le support soit en carton non acide et le verre traité contre les ultra-violets.
- Accrochez l'image dans un endroit peu exposé à la lumière, notamment à l'action directe des rayons du soleil ou d'un éclairage fluorescent.
- Dans un album photos, placez toujours les tirages sous un film protecteur non acide.
- Ne fixez jamais les tirages avec du papier collant ou du ruban adhésif, dont la colle finit par imprégner le papier et être visible. N'utilisez que des coins non acides vendus dans les boutiques photo et dans les papeteries.
- Évitez l'exposition à l'humidité, aux variations de température, à la fumée de cigarette, ou à tout autre élément polluant agressif.
- Ne stockez pas les papiers vierges dans le réfrigérateur, car la cohabitation avec les denrées alimentaires risque d'être désastreuse. Les professionnels conservent films et papiers au frais, mais dans une armoire réfrigérée prévue à cet effet.
- Pour protéger au mieux vos images, copiez vos fichiers – je dis bien « copier » et non « déplacer » ou « transférer » – sur un DVD ou dans un disque dur exerne. Vous aurez alors la possibilité d'imprimer un nouvel exemplaire de l'image en cas de problème.

La plupart des fabricants invitent à imprimer sur des papiers spéciaux dont la nature (et le prix) dépend du type de tirage que vous désirez obtenir. Le couple encre/papier laisse à penser que certaines impressions peuvent durer plus de 25 ans.

Certaines imprimantes à sublimation thermique couchent un film protecteur sur le papier pour augmenter la durée de vie des photographies, garantissant aux tirages une longévité comparable à celle des tirages argentiques.

En fait, personne aujourd'hui ne peut dire quelle est la durée de vie d'un tirage. Nous n'avons pas assez de recul par rapport à cette technologie. Les estimations des fabricants se basent sur des tests réalisés en laboratoire. Ils simulent les effets à la lumière et aux polluants. De là à en tirer des conclusions définitives, il y a un pas que je ne saurais franchir.

## De quel type d'imprimante ai-je besoin ?

La réponse à cette question dépend de vos besoins et de votre budget. Voici quelques points qui vous aideront à faire un choix :

- Si l'utilisation de votre imprimante se limite au tirage des photos prises avec votre appareil numérique, un modèle à sublimation thermique est recommandé. N'oubliez pas que le format d'impression est réduit et que vous ne pourrez pas imprimer de documents textuels.
- Si vous imprimez de grandes quantités de documents graphiques ou bureautiques, intéressez-vous à une imprimante à laser couleur !
- Si vous cumulez impressions graphiques et travaux bureautiques, optez pour une imprimante à jet d'encre généraliste. Sa polyvalence devrait satisfaire la majorité de vos besoins mais sa vitesse d'impression des graphismes est lente.

- Petit avertissement sur les imprimantes à jet d'encre : la vitesse d'impression des modèles spécialisés dans la photo est très lente. Elles sont déconseillées pour un usage bureautique classique, car l'impression des textes n'est pas de bonne qualité.
- Si vous avez besoin d'imprimer lors de vos déplacements, achetez une imprimante portable. Ce périphérique très léger est capable d'imprimer vos photos par connexion directe de l'appareil à un port de l'imprimante ou depuis la carte mémoire.

- Autrefois, les modèles de bureau multifonctions, qui cumulent en une seule machine les fonctions d'imprimante, de scanner, de télécopieur et de photocopieur, n'étaient pas très bonnes pour la photo. Aujourd'hui, certaines d'entre elles utilisent le même moteur d'impression que les imprimantes photo de la même marque, ce qui permet d'obtenir d'excellents tirages. Si vous avez besoin d'un scanner, d'un photocopieur, d'un télécopieur et d'une imprimante, ce choix est intéressant, surtout si vous disposez de peu d'espace. Le modèle de chez Canon que montre la Figure 9.6 est capable d'imprimer des images depuis des cartes mémoire ou l'appareil photo, de numériser des tirages sur papier et même des négatifs et des diapositives.

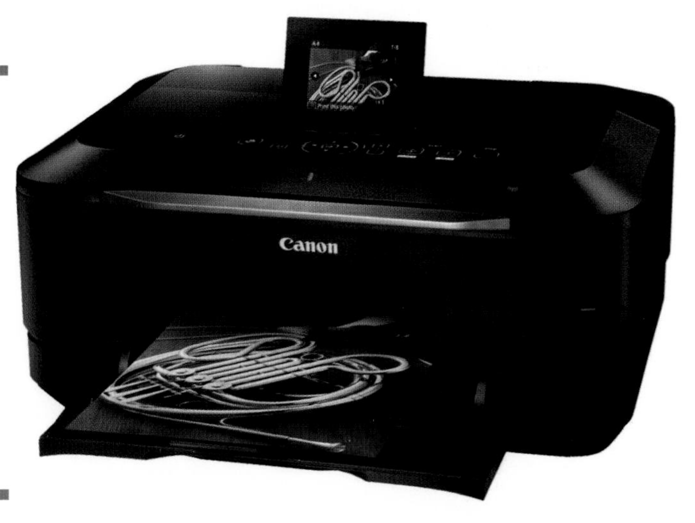


**Figure 9.6 :** Une imprimante recto-verso capable de réaliser des tirages de qualité depuis des cartes mémoire ou l'appareil photo, et de numériser des films 24 x 36.

Rappelez-vous que la plupart des imprimantes photo ne sont pas conçues pour imprimer du texte. Si vous le faites, il risque d'être flou, et le coût de l'impression sera prohibitif.

# Comparaisons

Après avoir déterminé quel type d'imprimante acquérir, il est impératif de faire la différence entre les caractéristiques proposées, la qualité d'impression variant ostensiblement d'un modèle à l'autre.

- **Les imprimantes standards** utilisent du papier au format A4. Toutefois, peu d'imprimantes couvrent la totalité d'une feuille.

Seuls les modèles photo perfectionnés permettent d'obtenir un tirage sans bord.

- **Les imprimantes grand format** peuvent tirer à des dimensions supérieures à la norme A4. La taille maximale d'impression varie d'un modèle d'imprimante à un autre (mais généralement, c'est le A3 qui s'impose) et quelques-unes impriment sans bord.
- **Les imprimantes compactes** sont limitées à des formats de 10 x 15, 13 x 18 ou plus petits. La Figure 9.7 montre un modèle Epson compatible WiFi. Généralement, ce type de matériel imprime directement depuis les cartes mémoire, et aussi depuis l'appareil photo s'il est compatible PictBridge. Il est aussi équipé d'un petit écran de visualisation.

Figure 9.7 : Beaucoup d'imprimantes compactes impriment directement depuis des cartes mémoire ou l'appareil photo.

Les informations inscrites sur les cartons d'emballage ou sur les publicités peuvent être sujettes à caution. Il est recommandé de vérifier les caractéristiques d'une imprimante avant d'en acheter une :

- **Dpi** (*Dots per inch,* points par pouce) : fait référence au nombre de points qu'une imprimante est capable de placer sur un pouce linéaire. En français, le terme dpi est largement utilisé pour faire la différence entre les points par pouce (ppp) et les pixels par pouce (ppp). Les imprimantes proposent le plus souvent des résolutions allant de 300 à 2800 dpi.

- Plus le nombre de dpi est élevé, plus les points sont petits. Plus les points sont petits, plus vous aurez du mal à les distinguer ; et donc, en théorie, meilleure est la qualité de l'image. Mais la réalité est tout autre, car les imprimantes utilisent des techniques différentes pour produire ces points. Ainsi, une imprimante à sublimation thermique de 300 dpi se révélera meilleure que la majorité des imprimantes jet d'encre à 720 dpi. Le nombre de dpi ne suffit pas à définir la qualité d'une imprimante ; il faut tenir compte de la technologie employée. La résolution et les dpi (ou ppp) sont expliqués au Chapitre 2.

- **Options de la qualité de sortie :** les imprimantes proposent plusieurs niveaux de qualité. Vous pouvez choisir une qualité brouillon (ou *économique*) pour faire des tests, puis sélectionner un meilleur niveau pour l'impression finale. Plus la qualité est supérieure, plus le temps d'impression est long, et plus importante est la consommation d'encre.

  La meilleure attitude consiste à tester l'imprimante avec différents types de papier et différents réglages du pilote d'impression. Il suffit parfois d'utiliser un mode d'impression à la place d'un autre pour obtenir des résultats extraordinaires ou totalement catastrophiques.

- Si vous envisagez d'imprimer aussi en noir et blanc (donc en niveaux de gris), assurez-vous que l'imprimante ne sélectionne pas automatiquement la qualité la plus faible, ou ne compose pas les niveaux de gris à partir des cartouches couleur. Sur certains modèles, les options diffèrent pour le noir et pour la couleur.

- **Couleur à jet d'encre :** les imprimantes à jet d'encre utilisent généralement quatre couleurs : cyan, magenta, jaune et noir. Cette combinaison de couleurs est connue sous l'appellation CMJN (voir l'encadré « CMJN : C'est Ma Jolie Nana », dans ce chapitre).

  Certaines imprimantes photo à jet d'encre utilisent six, sept voire huit couleurs, ajoutant un cyan clair, un magenta clair ou encore un noir brillant au mélange CMJN classique. Plus le nombre d'encres est élevé, plus l'imprimante est réputée être capable de restituer des couleurs fidèles. Mais, bien sûr, plus le coût total des consommables sera important.

- Si le noir et blanc de qualité vous tente, optez pour une imprimante capable d'utiliser des encres grises supplémentaires. Celles qui n'utilisent que de l'encre noire ont du mal à produire des gris neutres, c'est-à-dire dépourvus de toute trace de couleur.

- **Vitesse d'impression :** si vous imprimez de grandes quantités d'images, essayez de concilier vitesse d'impression et qualité. Les vitesses décrites dans les publicités ne correspondent pratiquement *jamais* à la meilleure qualité de sortie.
- **Consommables (encres et papiers) :** pour connaître le coût de vos tirages, vous devez prendre en compte le coût des consommables. C'est assez facile pour les imprimantes à sublimation thermique, car vous achetez le ruban en même temps que les papiers. Il suffit alors de diviser le coût de l'achat par le nombre de tirages.

  C'est moins évident pour les imprimantes à laser ou à jet d'encre. Pas de problème pour le coût du papier, mais c'est plus compliqué pour celui de l'encre ou du toner. Les fabricants évaluent la consommation d'encre selon la couverture d'une page. Par exemple, en bureautique, l'encrage d'une page sera de 5 % de sa surface. Pour une photo, la couverture est de 100 % pour une impression sans bord, d'un peu moins s'il y a une marge. Le problème est qu'il n'existe aucune norme.

  Mon conseil ? Ne vous fiez jamais à un coût par page ou par tirage. C'est une estimation qui n'est utile que pour choisir entre différentes technologies : jet d'encre, laser, *etc*. Mais si vous comparez des modèles d'une même catégorie, inutile de vous casser la tête pour avoir à la fraction de centime près laquelle est la plus économique. Tous ces chiffres ne sont pas vraiment fiables.

- Ceci dit, vous réduisez sensiblement le prix de la consommation d'encre en choisissant un modèle utilisant une cartouche par couleur, plus une autre pour le noir utilisé en photo, plus encore une autre pour le noir « bureautique ». Avec une imprimante équipée d'une cartouche « tout en un », vous devriez changer celle-ci dès qu'un réservoir de couleur est vide, et la jeter alors que d'autres réservoirs contiennent encore de l'encre.

- N'oubliez pas que certaines imprimantes utilisent une cartouche spéciale pour l'impression en mode qualité photo. Dans bien des cas, ces cartouches ajoutent une mince « pellicule » brillante sur l'image imprimée, donnant l'illusion que le tirage a été réalisé sur un papier glacé. Cette « pellicule » protège l'encre contre la diffusion et le délavage. Dans d'autres cas, vous insérez une cartouche qui met à votre disposition davantage de couleurs que vous n'en possédez habituellement (généralement un cyan et un magenta clairs). Intéressant, mais plus cher.

- **L'impression sans ordinateur :** nombre de fabricants proposent des imprimantes dotées de connexions directes à l'appareil photo numérique. Vous connectez l'appareil à l'imprimante, et l'impression s'effectue sans passer par un ordinateur. Bien évidemment, ces modèles peuvent aussi être connectés à votre ordinateur pour imprimer d'autres travaux.

  Telle ou telle imprimante peut ne fonctionner qu'avec un appareil photo du même fabricant. Si vous ne souhaitez pas une telle dépendance, achetez un appareil doté d'un lecteur de carte mémoire. Vous la retirez de votre appareil et l'insérez dans l'imprimante pour sortir vos superbes photos.

  Optez pour une imprimante DPOF (*Digital Print Order Format,* instructions numériques pour la commande de tirages). Vous pourrez ainsi choisir les photos à imprimer directement sur l'écran de l'appareil photo. Ce dernier enregistre vos instructions puis les transmet à l'imprimante lors du transfert des images.

  Bien qu'une telle imprimante soit d'une grande flexibilité dans le paramétrage de votre appareil photo et qu'elle puisse se passer de connexion avec un ordinateur, je n'en suis pas fanatique. En effet, j'aime retoucher mes images pour obtenir exactement ce que je veux imprimer. Personnellement, je ne peux pas me passer d'ordinateur ; je préfère opter pour un lecteur de carte connecté à mon système informatique, voire télécharger les images de l'appareil vers l'ordinateur.

Lisez les tests effectués régulièrement par la presse informatique ou des sites Web spécialisés. Discutez-en avec des amis ou consultez les forums consacrés à la photographie numérique et aux périphériques qui s'y rapportent.

Comme pour tout achat de matériel, ne négligez pas la durée de la garantie. D'un minimum légal d'un an en France, certains constructeurs n'hésitent pas à la porter à trois. Lorsque vous achetez une imprimante, sachez où se trouve le centre de réparation du fabricant qui pourra vous être d'un grand secours, une fois le délai de garantie écoulé. Quoi qu'avec les modèles bon marché, où le constructeur gagne sa vie avec les consommables et pas avec le matériel, une réparation n'est même pas envisageable : elle serait nettement plus chère qu'un nouvel achat neuf ! Conclusion : envoi au recyclage (merci pour la planète) et changement d'imprimante…

C'est difficile à obtenir, pour ne pas dire impossible, mais le meilleur moyen de savoir ce que vaut une imprimante est de la tester avec son propre équipement et ses propres photos.

## CMJN : C'est Ma Jolie Nana

Comme vous l'avez appris au Chapitre 2, les images affichées à l'écran sont en RVB. Toutes les couleurs proviennent d'un judicieux mélange du rouge, du vert et du bleu. En revanche, les images imprimées sont en CMJN car elles sont obtenues par un mélange d'encres cyan, magenta, jaune et bleu.

Peut-être vous demandez-vous pourquoi trois couleurs primaires seulement sont nécessaires pour reproduire une couleur RVB, alors qu'il en faut quatre en CMJN. Le problème est qu'en impression le noir n'est jamais complètement noir mais gris-brun foncé, à cause d'impuretés dans la pigmentation des encres. C'est pourquoi de l'encre noire est ajoutée. Que faut-il en retenir ? Qu'il faut fuir toute imprimante bas de gamme dépourvue de cartouche d'encre noire.

Si vos photos doivent être confiées à un imprimeur, il peut être préférable de les convertir en CMJN et de créer des *séparations de couleur,* c'est-à-dire un film tramé par couleur. À l'impression, chacune des quatre couleurs est imprimée séparément, le mélange des points colorés de la trame produisant l'image en couleur finale. Demandez à votre imprimeur s'il veut des images CMJN ou RVB, car certains exigent le RVB.

Ne convertissez pas vos images en CMJN sous prétexte que vous les imprimerez. Les imprimantes grand public sont conçues pour travailler avec des images RVB, qu'elles convertissent en interne. D'un point de vue chromatique, le CMJN est moins intéressant que le RVB car sa gamme de couleurs imprimables est plus réduite. Il est difficile d'obtenir des couleurs vives en CMJN, et reproduire ainsi fidèlement un effet de tubes au néon ou une luminescence.

Un dernier mot sur le CMJN : certains modèles d'imprimantes à jet d'encre sont de type CcMmJN ou CcMmJNn. Les lettres en minuscule indiquent que l'imprimante dispose d'une cartouche cyan, magenta ou noir plus claire, en plus des cartouches normales. Ces couleurs supplémentaires impriment les photos avec une plus grande précision chromatique.

Pour plus d'informations sur la colorimétrie RVB et CMJN, consultez le Chapitre 2.

# Le papier compte-t-il ?

La réponse est oui. Comme pour beaucoup de choses en ce bas monde, la qualité se paie. Meilleur est le papier, plus belle sera l'impression et plus elle se rapprochera d'un tirage traditionnel.

Si votre imprimante accepte diverses qualités de papier, sortez des épreuves de lecture sur du papier bon marché et réservez le papier haut de gamme pour les tirages d'exposition ou de prestige.

Ne vous limitez pas à l'impression sur du papier photo standard. Il existe des papiers pour imprimer des calendriers, des autocollants, des cartes de vœux, des transparents (à utiliser sur un projecteur), et sur bien d'autres choses encore. Des fabricants proposent des logiciels permettant d'imprimer des photos sur des transferts qui sont ensuite décalqués sur des mugs et des tee-shirts. Vous trouverez également des papiers texturés qui simulent la toile, le parchemin, et j'en passe.

## Taille de l'image et résolution

Comme cela a été plusieurs fois mentionné dans ce chapitre, nombre d'imprimantes permettent de réaliser des tirages directement depuis une carte mémoire ou l'appareil photo. Si vous avez opté pour ce procédé, suivez les instructions du manuel de l'imprimante. Vous n'avez pas grand-chose à faire, hormis choisir le format et le nombre d'exemplaires. Ces opérations s'effectuent soit depuis l'appareil photo, soit en appuyant sur des boutons de l'imprimante.

Beaucoup de logiciels de retouche proposent une procédure d'impression simplifiée, prise en charge par un assistant qui s'enquiert de vos désirs. Si le résultat final vous convient c'est parfait, mais sachez que vous aurez passivement laissé le logiciel faire des choix importants.

Voici un bref récapitulatif de ce qu'en dit le Chapitre 2 :

- La résolution d'une image est mesurée en *ppp*, ou pixels par pouce. On peut dire que la bonne résolution pour une impression est de 200 ou 300 ppp. Si vous faites imprimer vos photos par un laboratoire, elles devront être à la résolution préconisée.
- Quand vous agrandissez une image, il se produit l'une de ces deux actions : la résolution baisse tandis que la taille des pixels augmente, ou alors, le logiciel ajoute de nouveaux pixels selon un procédé appelé *rééchantillonnage*. Ces deux procédés provoquent une perte de qualité de l'image.
- Inversement, lorsque vous réduisez la taille du tirage, vous pouvez conserver le nombre de pixels, auquel cas la résolution augmente tandis que la taille des pixels se réduit. Ou alors, vous pouvez conserver la résolution, auquel cas l'image supprime les pixels excédentaires. Comme cette suppression de pixels peut dégrader l'image, le rééchantillonnage en réduction ne devrait

jamais excéder 25 %, bien que sur certaines photos un pourcentage plus élevé ne prête pas à conséquence.

- Pour connaître la taille d'une image imprimée à une résolution donnée, divisez le nombre de pixels qu'elle contient dans le sens horizontal par la résolution d'impression. Le résultat donne la largeur maximale de l'image (par exemple, 3200 pixels imprimés dans une résolution de 240 ppp donneront 3200/240 une longueur de 13,3 pouces, soit près de 33,9 cm). Effectuez la même opération avec le nombre de pixels en hauteur pour connaître… la hauteur.
- Que faire si vous n'avez pas assez de pixels pour obtenir la taille et la résolution de l'image que vous souhaitez ? Eh bien, vous devez choisir ce qui vous semble le plus important. Si la dimension du tirage est déterminante, vous l'obtiendrez aux dépens de sa qualité en acceptant une résolution plus faible. Si vous avez besoin d'une résolution spécifique (pour respecter par exemple les recommandations du fabricant de votre périphérique d'impression), vous devrez vous contenter d'une image plus petite. La vie est faite de compromis, n'est-ce pas ?

Là encore, si vous êtes content des images obtenues en automatique, il n'y a rien à redire.

Mais si vous tenez à contrôler la résolution de sortie, vous devrez définir la taille d'impression et la résolution d'impression avant de faire imprimer les images. Voici comment cela se passe dans Photoshop Elements :

1. **Choisissez Image > Redimensionner > Taille de l'image.**

   La boîte de dialogue Taille de l'image s'affiche, comme l'illustre la Figure 9.8.

2. **Décochez la case Rééchantillonnage.**

   Cette option détermine si Photoshop Elements doit ajouter ou éliminer des pixels pour modifier la taille de l'image. Une fois cette case décochée, le nombre de pixels ne pourra plus être modifié.

3. **Saisissez la nouvelle taille dans les champs Largeur et/ou Hauteur.**

   Double-cliquez dans l'un de ces champs et saisissez une nouvelle dimension (exprimée par défaut en centimètres). La résolution est automatiquement modifiée selon les valeurs ainsi définies.

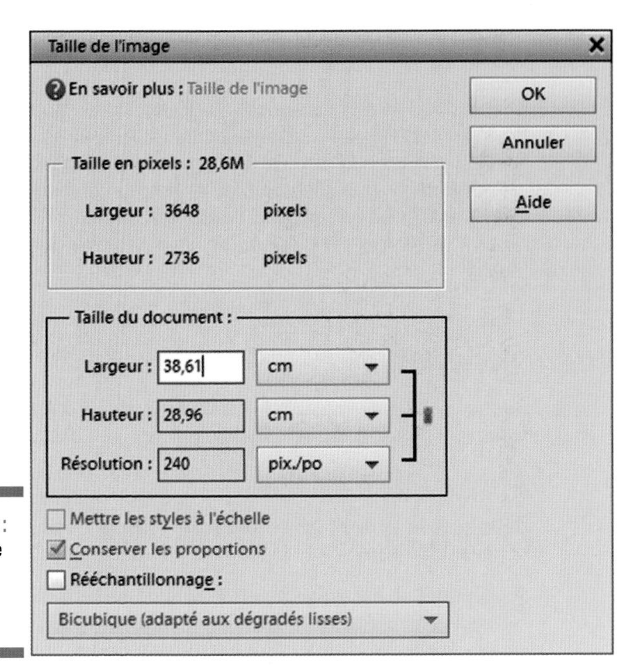


**Figure 9.8 :** La boîte de dialogue Taille de l'image.

4. **Cliquez sur OK ou appuyez sur Entrée.**

   Si vous avez respecté ces étapes, l'image affichée ne devrait subir aucun changement apparent. Pour visualiser la modification, choisissez Affichage > Règles. Vous remarquerez que seule la taille d'impression révélée par les règles a changé.

5. **Pour conserver les réglages après avoir fermé l'image, enregistrez le fichier.**

Si vous désirez rééchantillonner l'image afin d'obtenir une autre résolution d'impression, activez l'option Rééchantillonnage. Ensuite, saisissez les valeurs de Hauteur, Largeur et Résolution.

Dès que vous activez le paramètre Rééchantillonnage, deux autres champs Hauteur et Largeur s'activent dans la section Dimensions de pixel de la boîte de dialogue. Ils permettent de fixer les dimensions de votre photo en pixels ou en pourcentage (de la taille d'origine), donc de changer d'unité de mesure.

Si vous utilisez un autre logiciel de retouche, lisez son manuel ou accédez à son aide en ligne. En effet, des programmes d'entrée de gamme ne permettent pas de contrôler la résolution lors du redimensionnement ; ils rééchantillonnent automatiquement l'image.

Comment savoir si un programme rééchantillonne les images ou s'il les redimensionne ? Regardez la taille du fichier « avant » et « après ». Si cette valeur change quand vous redimensionnez l'image, cela signifie que le programme a rééchantillonné la photo (et donc modifié le nombre de pixels qui la composent). Vous pouvez même le voir à l'œil nu, car bien souvent ce type d'opération détériore plus ou moins fortement l'image.

## Passons à la pratique

Assez de théorie ! Il est temps d'apprendre à imprimer vos images en quelques étapes, à partir d'un logiciel de retouche ou d'archivage :

1. **Ouvrez le fichier de la photo.**

2. **Définissez la taille et la résolution de l'image comme nous venons de le voir.**

   S'il apparaît que le tirage sera plus grand que la feuille de papier car seule une petite partie de la photo apparaît dans l'aperçu, cochez la case Ajuster au support (ou une option apparentée) afin que la totalité de l'image soit cadrée sur la feuille. Il est aussi possible de régler l'échelle. Par exemple, choisir une échelle de 25 % imprimera la photo au quart de ses dimensions réelles.

3. **Exécutez la commande d'impression.**

   La commande Imprimer se trouve généralement dans le menu Fichier. En la sélectionnant, vous accédez, dans le cas de Photoshop Elements, à la boîte de dialogue de la Figure 9.9, qui propose toute une série de paramètres d'impression : la qualité, le nombre d'exemplaires, *etc.* Vous pourrez y déterminer l'orientation de l'impression ; en mode Portrait, l'image sera présentée verticalement, en mode Paysage, horizontalement.

4. **Spécifiez les options d'impression à utiliser.**

   Ces options dépendent en partie de l'imprimante utilisée. Elles sont très souvent accessibles *via* un bouton Propriétés ou Paramètres d'impression de la boîte de dialogue *Imprimer*. Par le biais d'un bouton, vous accédez aux propriétés de votre matériel. Se lance alors le « pilote » d'imprimante. C'est un utilitaire qui permet d'indiquer la qualité du papier utilisé (ordinaire, couché, qualité photo, glacé qualité photo) et le mode de tramage (par points, par diffusion). Du couple type de papier/tramage

Figure 9.9 : Cette boîte de dialogue sert à régler l'impression.

dépend intégralement la qualité d'impression de vos œuvres photographiques. Le mieux est donc de tester différentes configurations.

Les options varient d'un pilote d'impression à un autre et s'avèrent plus ou moins complexes. Avant de gâcher des centaines de feuilles et de vider vos cartouches en moins de temps qu'il ne faut pour les remplir, lisez la documentation livrée avec votre imprimante.

Si plusieurs imprimantes sont accessibles, veillez à choisir celle que vous désirez utiliser avant de lancer la sortie.

5. **Démarrez l'impression.**

   Dans la boîte de dialogue qui s'ouvre, cliquez sur OK ou sur Imprimer pour transférer la photo vers la mémoire de l'imprimante, qui se charge alors du reste.

## Pour obtenir de meilleurs résultats

Aidé du manuel de l'imprimante et des conseils que vous venez de lire, l'impression ne devrait plus vous poser de problèmes. Voici cependant quelques recommandations utiles :

- **Meilleur papier = meilleure impression.** Pour les tirages haut de gamme, un papier photo couché, glacé ou brillant est fortement recommandé.
- **N'oubliez pas de choisir le réglage de papier approprié.** Si l'impression est réglée pour du papier mat, par exemple, n'imprimez pas sur du papier brillant car le résultat serait décevant.
- **Pensez à effectuer un test d'impression en variant les résolutions ou les qualités de sortie.** Les réglages par défaut ne sont pas forcément les mieux adaptés aux photos que vous allez imprimer. Notez les réglages afin de les réutiliser ultérieurement. Certains logiciels d'imprimante permettent de les mémoriser. Reportez-vous au manuel de votre matériel pour vérifier ce point.

- **Pour communiquer avec votre imprimante, votre ordinateur a besoin d'un** *pilote*. Pour tout savoir sur l'installation de ce programme (ou s'il est tout simplement déjà intégré dans votre système d'exploitation), suivez les instructions données dans le manuel de votre imprimante.
- **Lisez attentivement les instructions de maintenance de votre imprimante.** Les modèles modernes disposent généralement d'un dispositif de nettoyage des têtes d'impression commandé par logiciel.

## Les couleurs ne correspondent pas !

Il existe presque toujours des différences de couleur entre un document affiché à l'écran et son équivalent sur papier. Nous avons appris que le mode de couleur d'une image sur écran n'est pas le même que celui des impressions (voir l'encadré « CMJN : C'est Ma Jolie Nana », précédemment dans ce chapitre). Outre ces différences colorimétriques, bien d'autres facteurs interviennent : la luminosité de l'écran, la brillance du papier, la perception différente de la couleur qu'ont tous les maillons intermédiaires de la chaîne graphique (appareil photo, système graphique de l'ordinateur, système d'exploitation, logiciel de retouche, écran, éclairage ambiant et bien sûr imprimante). Toutes ces contraintes réunies ne simplifient pas les choses.

Même si la correspondance parfaite n'existe pas, vous pouvez tout de même vous en approcher :

- Vérifiez le niveau de l'encre. S'il est trop faible ou si les buses sont bouchées, les couleurs risquent d'être mal imprimées.

- Changer de marque de papier affecte quelquefois le rendu des couleurs. Il en va évidemment de même avec du papier d'une qualité inférieure.
- Si le réglage des options de correction de la couleur ne donne rien, le logiciel de l'imprimante devrait permettre de configurer la balance des couleurs. Ceci fait, n'enregistrez pas l'image, car ces réglages ne sont valables que pour la session en cours.

- Ne convertissez pas en CMJN les images que vous comptez imprimer. Les imprimantes sont en effet conçues pour travailler directement depuis des documents RVB.
- Les logiciels de retouche proposent des fonctions de correction de la couleur. Beaucoup sont faciles à utiliser : après avoir imprimé une mire, vous indiquez au logiciel quel élément coloré de la mire correspond au plus près à la couleur à l'écran. Le logiciel s'étalonne ensuite automatiquement.

  Photoshop Elements, Photoshop et d'autres logiciels de retouche haut de gamme sont dotés de fonctions de correction de la couleur. Si vous n'y connaissez rien, je vous conseille de ne pas y toucher, car vous ne feriez qu'empirer la situation. Bon nombre de paramètres servent à garantir l'uniformité des couleurs tout au long d'une chaîne graphique.
- Les pilotes fournis avec les imprimantes permettent très souvent d'effectuer des modifications chromatiques pour compenser telle ou telle couleur. Pour cela, lisez attentivement le manuel fourni avec votre matériel.
- Si votre travail impose une correspondance exacte des couleurs, vous pouvez investir dans un système de gestion des couleurs permettant d'étalonner l'ensemble d'une chaîne graphique – scanner, moniteur, imprimante –, de façon à faire correspondre les couleurs entre tous ces périphériques. Vous trouverez les équipements nécessaires – sondes, mires et logiciels – auprès de sociétés comme Datacolor (`spyder.datacolor.com/fr/`) ou encore X-Rite (`www.xrite.com`). Bien entendu, tout cela a son prix.

  Rappelez-vous que même le meilleur système de gestion des couleurs ne peut fournir une fidélité à 100 % en raison des différences inhérente entre la couleur produite par de la lumière et celle produite par réflexion.

- La même remarque s'applique aux systèmes de gestion des couleurs livrés avec le système d'exploitation de votre ordinateur, comme ColorSync sur le Mac.

- Essayez de régler les couleurs de votre écran avec les boutons de réglage, si c'est possible, afin qu'elles correspondent mieux aux couleurs imprimées. Comparez l'image imprimée et l'image représentée à l'écran. Ensuite, réglez le moniteur pour qu'il affiche exactement les teintes, la luminosité et les contrastes imprimés. Ce procédé est cependant un pis-aller car l'étalonnage ne sera pas valable pour une autre imprimante.
- Enfin, n'oubliez jamais que les couleurs affichées à l'écran et imprimées sur papier varient en fonction des conditions d'éclairage de la pièce où vous travaillez.

# Préparer une image TIFF pour la publication

Pour publier une photo dans une lettre d'information ou autre support imprimé, ou bien pour l'importer dans un logiciel de mise en page, vous devrez peut-être la convertir au format TIFF.

Pour créer une version en TIFF de votre fichier d'origine, ouvrez l'image dans votre logiciel de retouche et choisissez Fichier > Enregistrer sous.

Dans Photoshop Elements, la procédure se déroule comme nous l'expliquons ci-dessous. Dans un autre logiciel, les Étapes 4 et 6 devraient être identiques, mais pas forcément dans le même ordre.

1. **Si vous avez modifié l'image depuis son dernier enregistrement, sauvegardez ces changements.**

   Dans Photoshop Elements, enregistrez le fichier au format PSD en vous assurant que les cases des calques sont cochées afin de les conserver, si vous en avez créé bien sûr.

2. **Choisissez Fichier > Enregistrer sous.**

   Veillez à bien choisir Enregistrer sous, et non Enregistrer. Autrement, le logiciel se contente de réenregistrer le fichier avec les paramètres courants.

3. **Dans la boîte de dialogue Enregistrer sous, nommez le fichier et choisissez le dossier de destination, comme d'habitude.**
4. **Choisissez le format de fichier TIFF.**
5. **Cette fois, si le fichier contient des calques, sélectionnez l'option qui les fusionne tous en un seul.**

   Comme de nombreux programmes sont incapables d'ouvrir des fichiers TIFF comportant des calques, il est préférable de tous les fusionner. Dans Photoshop Elements, décochez la case Calques. Si vous avez enregistré l'image comme nous le suggérions à l'Étape 1, l'original ne sera pas affecté par la présente étape.

Tous les logiciels ne permettent pas de préserver les calques lorsque vous enregistrez au format TIFF. Ne vous inquiétez pas si cette option n'est pas proposée. Dans certains programmes, elle apparaîtra plus tardivement.

En fait, pour ne pas risquer d'oublier de cocher la case Calques, il faut mieux les « écraser » avant d'enregistrer le fichier. Dans Photoshop Elements, il vous suffit pour cela de sélectionner la commande Calque > Aplatir l'image.

6. **Cliquez sur Enregistrer.**

   Des options supplémentaires sont proposées, comme le montre la Figure 9.10.

Options TIFF
Compression de l'image
AUCUNE
LZW
ZIP
JPEG
Qualité : Maximu...
petit fichier grand fichier
OK
Annuler
Ordre des pixels
Entrelacé (RVBRVB)
Par couche (RRVVBB)
Format
IBM PC
Macintosh
Enreg. pyramide d'images
Enregistrer transparence
Compression du calque
RLE (enregistrements plus rapides, fichiers plus volumineux)
ZIP (enregistrements plus lents, fichiers plus petits)
Supprimer les calques et enregistrer une copie

**Figure 9.10 :** Pour une compatibilité maximale avec d'autres logiciels, utilisez ces options lorsque vous enregistrez un fichier TIFF.

7. **Définissez les options TIFF ainsi :**

   - **Compression de l'image :** aucune. L'option de compression LZW est sans perte de données, mais certains logiciels ne parviennent pas à ouvrir un fichier ainsi compressé.
   - **Ordre des pixels :** entrelacé, sous peine de rendre l'image illisible par certains logiciels.
   - **Format :** choisissez IBM PC ou Macintosh, selon l'usage qui sera fait de la photo. En fait, la plupart des logiciels ne font pas la différence.
   - **Enreg. pyramide d'images :** ne touchez pas à cette option car la photo ne pourrait pas être ouverte par certains logiciels.
   - **Enregistrer transparence :** sans objet ici. Le format TIFF est en théorie capable de préserver la présence de zones transparentes dans une image, mais tous les logiciels ne sont pas capables de la reconnaître.
   - **Compression du calque :** si vous avez oublié de décocher la case Calques à l'Étape 5, choisissez Supprimer les calques et enregistrer une copie. Si l'image a été aplatie, ou si aucun calque n'a été créé, toutes les options de cette rubrique sont grisées, donc indisponibles.

8. **Cliquez sur OK pour terminer l'enregistrement.**

   Le fichier original se ferme tandis que la version TIFF apparaît à l'écran. Si vous n'avez plus à intervenir sur l'image, fermez-la à son tour.

# 10

# Diffuser les images

## *Dans ce chapitre :*

- Créer des images pour un affichage à l'écran.
- Préparer des photos pour le Web.
- Optimiser le poids des images pour un téléchargement plus rapide.
- Enregistrer un fichier JPEG.
- Joindre une photo à un courrier électronique.
- Afficher les photos sur le téléviseur.

Les appareils photo numériques sont parfaits pour créer des images susceptibles d'être affichées à l'écran. Même un modèle d'entrée de gamme, peu coûteux, fournit *très* largement assez de pixels pour un usage sur le Web, dans un album photo en ligne, une présentation multimédia, *etc*.

La procédure de préparation des images à un affichage écran peut paraître compliquée, peut-être parce que beaucoup de gens en comprennent mal le principe, ou reçoivent des conseils de personnes qui le maîtrisent mal.

Ce chapitre explique comment afficher des images numériques à l'écran. Vous apprendrez comment redimensionner des photos et les enregistrer au format JPEG, les envoyer en pièce jointe d'un courrier électronique, et bien d'autres choses.

# Que faire de vos images ?

Avec des tirages sur papier ou des diapos, les options sont relativement limitées. Vous pouvez les placer dans un album photo ou les projeter sur un écran. Vous pouvez aussi les disposer sur votre réfrigérateur à l'aide d'aimants, ou encore les glisser dans votre portefeuille.

Il en va tout autrement avec le numérique, qui offre une vaste palette de possibilités nouvelles :

- **Page Web :** vous pouvez placer vos images sur le site Internet de votre société, plus modestement dans vos pages Web personnelles ou les partager sur un réseau social (sans pour autant jeter les photos de votre famille, de vos amis ou de qui ce soit en pâture au monde entier, merci pour eux).

  Vous pouvez même créer une galerie photo en ligne. Inutile de s'y connaître en conception de pages Web, car de nombreux logiciels de retouche sont dotés d'une fonction qui automatise la création de la page. La Figure 10.1 montre l'assistant Partager de Photoshop Elements ; la Figure 10.2 illustre une page Web facilement réalisée en choisissant simplement un modèle prédéfini. Pour savoir comment procéder, lisez la section « Visa pour Internet », plus loin dans ce chapitre.

- **Courrier électronique :** envoyez vos photos à des proches sous forme d'une pièce jointe à un courrier électronique. Lisez la

**Figure 10.1 :** Grâce à l'assistant dont sont dotés beaucoup de logiciels de retouche et d'archivage – comme Photoshop Elements, ici –, il est très facile de créer une galerie de photos sur le Web.

**Figure 10.2 :** Les visiteurs visionnent les photos en faisant défiler les vignettes ou en cliquant dessus.

section « Envoie-moi une carte de temps en temps ! » pour savoir comment joindre un fichier d'image à un courrier électronique.

- **Site de partage de photos :** si vous désirez montrer un grand nombre de photos, renoncez au courrier électronique et choisissez plutôt un site de partage de photos comme Picasa Albums Web (`picasaweb.google.com`), Flickr (`www.flickr.com`) ou bien sûr Facebook (`www.facebook.com`) afin que tout le monde puisse les consulter. Cette opération est gratuite. Bien souvent, les visiteurs peuvent éventuellement commander des tirages (c'est ainsi que le site rentabilise son investissement).

Ne considérez pas les sites de partage de photo comme des lieux d'archivage et de sauvegarde. Quelques-uns suppriment les photos après un certain temps si vous ne commandez pas de tirage. Nombre d'entre eux aussi limitent la résolution des images afin de limiter la consommation de l'espace de stockage (c'est par exemple le cas de Picasa). Et beaucoup de sites plus ou moins connus ont fermé boutique, entraînant les photos de leurs clients dans leur disparition. Reportez-vous au Chapitre 4 pour savoir comment archiver correctement vos photos.

- **Présentation multimédia :** vos photos peuvent être importées dans des applications multimédias comme Microsoft PowerPoint ou, sur Mac seulement, Keynote. De bonnes images placées au bon endroit augmentent l'intérêt d'une présentation, tout en clarifiant vos idées. Ces programmes acceptent de nombreux formats d'image.

- **Économiseur d'écran :** vous pourrez réaliser un économiseur d'écran personnalisé avec vos images, ou en faire un arrière-plan pour le Bureau, comme vous le découvrirez à la prochaine section. De nombreux programmes de retouche d'images proposent un assistant qui vous guide pas à pas dans la création de ces deux projets.
- **Diaporama :** de multiples programmes, par exemple Photoshop Elements mais bien d'autres aussi (dont certains à la fois excellents et gratuits), permettent de créer un diaporama. Celui-ci peut ensuite être gravé sur un CD lisible par n'importe quel ordinateur et par la plupart des lecteurs de DVD de salon. Beaucoup de logiciels de retouche et d'archivage ont aussi une fonction Diaporama, mais aux possibilités plus limitées qu'un programme indépendant.
- La plupart des appareils photo modernes sont dotés d'une sortie vidéo que vous pouvez raccorder à votre téléviseur ou votre lecteur de DVD (ou Blu-ray). Voilà qui changera des traditionnelles « soirées diapo ».

# Ce que l'on peut dire de leur taille

Préparer une image pour un affichage à l'écran est une approche radicalement différente de la préparation d'une image pour l'impression. Les sections suivantes vous disent tout ce que vous avez toujours voulu savoir sur la taille d'affichage des images, sans jamais oser le demander.

## Comprendre les images à l'écran

Quand vous préparez des photos pour un affichage à l'écran, rappelez-vous qu'un pixel de l'écran (la notion de pixel est expliquée au Chapitre 2) correspond exactement à un pixel de l'image produite par l'appareil photo. La seule exception est le zoom dans un logiciel de retouche ; dans ce cas, chaque pixel de l'image est représenté par un groupe de pixels à l'écran.

Vous avez le choix entre plusieurs résolutions d'affichage : 640 x 480 pixels, 800 x 600, 1 024 x 768, 1 440 x 900, 1 280 x 1 024, 1 680 x 1 050, ou encore 1920 x 1080 (en attendant encore plus) avec les nouvelles générations de cartes graphiques et d'écrans.

Une image composée de 1 024 x 768 pixels couvrira la totalité de l'écran si les options d'affichage sont ainsi paramétrées. Si la résolution d'affichage est plus grande, l'image ne couvrira qu'une partie de l'écran, à moins d'utiliser une option d'étirement.

Les Figures 10.3 et 10.4 illustrent ce propos. La première représente un écran de 1 280 x 800 pixels sur lequel est affichée une image dont la taille est également de 1 280 x 800 pixels. La photo recouvre la totalité de l'écran. Sur la Figure 10.4, la résolution d'affichage est de 1 440 x 900 pixels. La même image affichée sur une surface plus grande n'occupe plus qu'une partie de l'écran.

**Figure 10.3 :** Une image de 1 280 x 800 pixels sur un écran dont la résolution est la même, soit 1 280 x 800.

Vous ne connaissez hélas pas la résolution des moniteurs de ceux qui visionneront vos images. Quelqu'un utilisera un écran haute définition avec une résolution de 1 980 x 1 020 pixels, alors qu'un autre n'aura qu'un « vieux » moniteur de 17 pouces en 1 024 x 768.

Pour une publication sur le Web, je vous conseille de partir d'un affichage de 640 x 480. Préparez donc vos images pour une page Web de cette taille. Ainsi, tout le monde bénéficiera sans problème de la mise en page de votre site, donc des images qu'il contient. Si vous optez pour une autre résolution, indiquez par exemple sur votre page d'accueil que le site a été conçu pour être affiché en 800 x 600 ou 1 024 x 768. Tenez compte aussi du fait que l'interface du navigateur Web ou de la messagerie occupe elle aussi de la place.

Figure 10.4 : L'image affichée sur un écran en 1 440 x 900 n'en couvre plus qu'une partie.

## Modifier la taille d'affichage d'une image

Pour redimensionner une image à l'écran, procédez de la même manière que pour changer de résolution ou de taille d'impression. Mais cette fois, choisissez « pixels » comme unité de mesure. Voici comment faire avec Photoshop Elements :

1. **Enregistrez préalablement une copie de votre image.**

   Avant d'effectuer des tests de redimensionnement sur vos images, faites toujours une copie de sauvegarde des fichiers source. L'original pourra ainsi être récupéré si vous échouez lamentablement dans la modification de sa copie.

2. **Choisissez Image > Redimensionner > Taille de l'image pour accéder à la boîte de dialogue du même nom.**

3. **Cochez la case Rééchantillonnage, comme le montre la Figure 10.5.**

   Cette option *rééchantillonne* l'image, c'est-à-dire lui ajoute ou lui ôte des pixels. Les champs de la rubrique Dimensions de pixel, en haut de la boîte de dialogue, permettent de saisir de nouvelles largeur et hauteur de l'image. Vous utiliserez ces paramètres à l'Étape 6.

4. **Dans la liste Rééchantillonnage, sélectionnez Bicubique.**

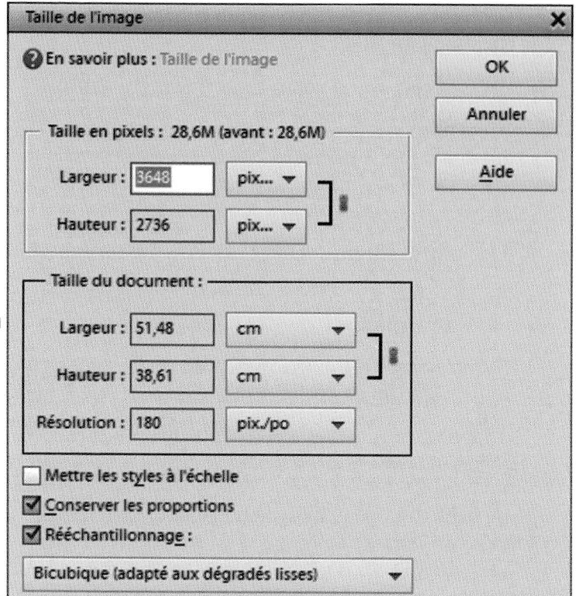


**Figure 10.5 :** Pour modifier la taille de votre image dans Photoshop Elements, cochez la case Rééchantillonnage.

Les options de cette liste affectent la technique utilisée par le programme pour ajouter et supprimer des pixels. Le paramètre par défaut, Bicubique, donne les meilleurs résultats.

5. **Cochez la case Conserver les proportions.**

   Cette option assure le maintien des proportions originales de l'image quand vous modifiez la quantité de pixels qui la composent (dit autrement, elle évite de déformer l'image).

6. **Cochez la case Mettre les styles à l'échelle (si elle est disponible et si vous avez défini des styles pour votre photo).**

7. **Dans les champs Hauteur et Largeur de la section Dimensions de pixel, saisissez les nouvelles dimensions de l'image.**

   Rappelez-vous que le terme *dimensions de pixel* se réfère au nombre de pixels à l'horizontale et la verticale constituant la photo.

   Avant de fixer ces valeurs, choisissez le pixel comme unité de mesure dans les listes situées à droite des champs Hauteur et Largeur. Comme l'option Conserver les proportions est active, la hauteur change automatiquement quand vous saisissez une valeur de largeur, et vice versa.

8. **Cliquez sur OK ou appuyez sur la touche Entrée.**

   Pour voir l'image à la taille à laquelle elle sera affichée par tous les moniteurs, choisissez Affichage > Taille écran. Rappelez-vous que cet affichage est lié à la résolution de l'écran. La taille apparente de l'image changera selon la résolution en cours.

9. **Enregistrez l'image redimensionnée au format JPEG.**

   Un peu plus loin, la section « JPEG : L'ami des photographes » explique les détails de cette étape.

Si votre photo est d'ores et déjà en JPEG, veillez à lui donner un autre nom afin de préserver l'original.

Rappelez-vous qu'augmenter la largeur ou la hauteur d'une image entraîne une *interpolation* des pixels pour en créer de nouveaux. Cette opération peut altérer sensiblement la qualité de la photo. Dans Photoshop Elements, le poids de l'image apparaît juste en face de *Dimensions de pixel*. Il s'actualise en temps réel, dès que vous modifiez une des valeurs Largeur ou Hauteur.

Rappelez-vous aussi que plus vous avez de pixels, plus le fichier image résultant est lourd. Par conséquent, si vous préparez une image pour le Web, faites en sorte que le volume du fichier soit ridiculement faible (contrairement à ce que vous avez appris à l'école, les mots poids, volume et espace sont assez comparables lorsque l'on parle de fichiers). Dans le cas contraire, l'image mettra beaucoup de temps à se télécharger.

## Choisir la bonne unité de mesure

Ceux qui débutent dans la retouche des photos ont du mal à se servir d'unités de mesure comme les pixels ou les pouces.

Si vous préférez travailler en centimètres plutôt qu'en pixels, réglez l'image comme d'habitude mais choisissez une résolution de sortie de 72 pixels par pouce (Macintosh) ou de 96 ppp (PC).

Ces notions d'affichage de points par pouce sont assez floues en raison de la diversité des écrans (taille, masque, écran LCD...). Pour une évaluation, affichez une image d'arrière-plan à la taille de l'écran et observez si elle occupe toute la surface de la dalle. Si oui, sa résolution d'écran est correcte. Sinon, il faudra la corriger.

# Visa pour l'Internet

Si vous possédez un site Internet ou des pages perso, vous pourrez facilement y placer vos photos. Mais vous pouvez aussi avoir besoin de préparer des images pour le Web si vous vendez sur eBay ou sur Le Bon Coin, si vous êtes fan de Facebook et ainsi de suite. De chacun selon ses photos, à chacun selon ses raisons...

Ne sachant pas quel logiciel de création de pages Web vous utilisez, il m'est impossible de vous donner des instructions précises. Je vais cependant vous fournir plusieurs recommandations.

## Quelques règles importantes sur le Net

Pour rendre une page Web plus attractive, il faut se conformer à quelques règles fondamentales. Trop d'images de trop grande taille ralentiraient la consultation de vos pages (et écraserait le reste de leur contenu). L'internaute se caractérise par son impatience : une seconde de trop à attendre, et il s'en va surfer ailleurs !

Pour concevoir un site qui ne rebute pas les visiteurs, suivez ces règles élémentaires :

- **Pour les sites commerciaux, assurez-vous que chaque image est justifiée.** L'objectif de votre site est de vendre des produits ou des services, ou encore de présenter des nouveautés. Il est donc inutile de le surcharger d'images esthétisantes qui n'apportent rien. L'information doit être directe et parvenir rapidement.
- **Si vous utilisez une image en tant que lien hypertexte, proposez aussi un lien textuel.** Pourquoi cette restriction ? Parce que, pour gagner du temps, des internautes paramètrent leur navigateur de manière que les images ne soient pas automatiquement téléchargées (et il se peut aussi que le serveur rame ou rencontre des problèmes techniques). S'ils veulent voir une image, ils cliquent sur la petite icône qui la représente, ce qui démarre son téléchargement. Sans liens textuels, ces utilisateurs pressés ne pourraient pas naviguer dans votre site.
- **Enregistrez les photos au format JPEG.** C'est ce format qui restitue le mieux les photographies. Les deux autres formats, PNG et JPEG 2000 (qui peine énormément à s'imposer), ne sont pas pleinement reconnus par tous les navigateurs Web ni par tous les logiciels de création de pages.
- **N'enregistrez pas les photos au format GIF.** Il est parfait pour des graphismes en aplats (éléments décoratifs, boutons, filets,

logos simples...) mais, comme il est limité à 256 couleurs, il est incapable de reproduire correctement les photos. La Figure 10.6 montre la dégradation qu'il inflige aux images.

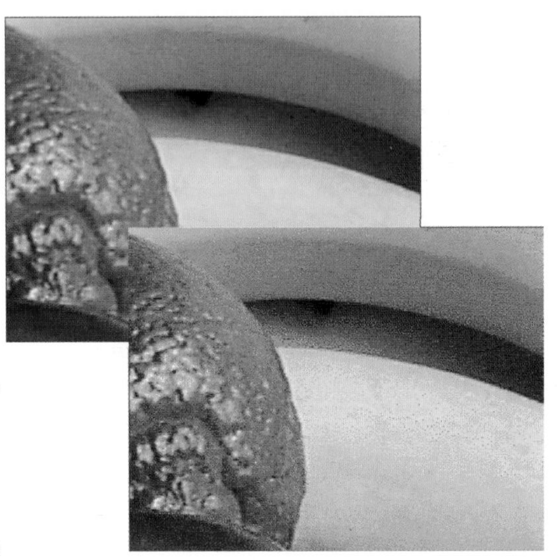

Figure 10.6 : Affichez les photos au format JPEG (en haut), mais en aucun cas au format GIF qui, limité à 256 couleurs (en bas), dégrade l'image.

- Pour vous conformer aux configurations usuelles des internautes, les dimensions de vos images doivent se rapporter à un affichage modeste. 640 x 480 pixels est un standard et 800 x 600 un maximum. Seuls des sites spécialisés dans le graphisme peuvent se permettre une résolution d'affichage de 1 024 x 768.

  Notez qu'avec une résolution aussi faible que celle des photos affichées sur le Web, imprimer l'une d'elles est exclu. Pour permettre à vos correspondants d'obtenir des tirages, placez-les sur un site de partage de photos.

- **La taille du fichier d'image a une incidence directe sur la durée de téléchargement.** Plus il est volumineux, plus la photo sera longue à apparaître.

  N'oubliez pas que la taille d'un fichier dépend du nombre total de pixels contenus dans l'image, et non de sa résolution d'affichage. Une photographie de 640 x 480 pixels contiendra toujours 307 200 points. En revanche, une image d'une résolution de 72 ppp consomme bien moins d'espace disque que son équivalent en 300 ppp. Consultez le Chapitre 2 pour approfondir vos connaissances à ce sujet.

- **L'augmentation du taux de compression JPEG est un autre moyen de réduire la taille d'un fichier.** Nous y reviendrons à la prochaine section.

- **Si vous tenez à contrôler l'usage de vos photos, réfléchissez-y à deux fois avant de les poster sur le web.** Pour empêcher leur réutilisation illicite, insérez un filigrane codé indiquant le nom de l'auteur et autres informations. La société Digimarc (`www.digimarc.com`) est le grand spécialiste de la protection des fichiers, mais le service qu'elle offre est onéreux pour un particulier. Une recommandation facile à appliquer est d'éviter de placer sur le Web des images en haute résolution. Contentez-vous d'images ne dépassant quelques petites centaines de pixels sur le côté le plus long (disons au grand maximum 600 pixels). Vos œuvres seront parfaitement visibles à l'écran mais décourageront ceux qui auraient voulu les réutiliser dans un logiciel graphique ou de retouche.

### Au détail ou en gros ?

Quand vous enregistrez une image au format JPEG, une option demande généralement si vous désirez créer une image à affichage *progressif* ou non.

Si vous optez pour l'affichage progressif, l'image apparaît d'abord en très basse résolution, très grossière puis, au fur et à mesure que les données sont téléchargées, elle s'affine peu à peu. Si l'option progressive n'est pas affichée, il faut attendre le téléchargement complet des données graphiques pour voir l'image.

Ces images donnent l'impression d'être chargées plus vite car le contenu est identifié plus rapidement, alors qu'en réalité leur affichage exige plus de temps qu'une image normale. Par ailleurs, certains navigateurs ne les gèrent pas et le traitement du JPEG progressif accapare plus de mémoire vive. Même si cette option permet de patienter (tout est dans la subjectivité), les concepteurs de pages Web la déconseillent.

## JPEG : l'ami des photographes

Le mode JPEG est le format par excellence pour la représentation des photos numérisées.

La compression JPEG est à *pertes de données*. Elle dégrade la qualité d'une image surtout si vous appliquez un taux de compression très élevé afin de rendre le fichier moins volumineux. Avant de sauvegarder une image en JPEG, faites-en une copie sous un format qui ne se dégrade pas (par exemple, le format natif PSD de Photoshop Elements ou encore TIFF). La compression JPEG appliquée, vous ne récupérerez en effet plus jamais les données soi-disant superflues qui ont été éliminées.

Les étapes qui suivent montrent comment enregistrer une image au format JPEG en utilisant la fonction Enregistrer pour le Web de Photoshop Elements. Elle permet de vérifier à vue, éventuellement en zoomant sur des détails, jusqu'à quel point la compression à pertes de données affecte l'image. Si vous utilisez un autre logiciel de retouche, voyez dans son aide en ligne s'il comporte une fonction similaire. Les options d'enregistrement JPEG sont à peu près les mêmes dans tous les logiciels, mais tous n'affichent pas les effets de la compression.

1. **Ouvrez l'image voulue, puis choisissez Fichier > Enregistrer pour le Web afin d'accéder à la boîte de dialogue illustrée sur la Figure 10.7.**

   L'image de gauche est celle de l'original. À droite, est affiché un aperçu de l'image telle qu'elle sera enregistrée avec les paramètres en cours.

2. **Dans la liste des formats, sélectionnez l'un des taux de compression JPEG proposés : Basse, Moyenne, Élevée, Supérieure ou encore Maximum.**

   Après avoir sélectionné l'option JPEG, les commandes de la Figure 10.7 apparaissent.

3. **Réglez le taux de compression JPEG à l'aide de la glissière Qualité.**

   Plus la valeur du paramètre Qualité est élevée, moins l'image est compressée et plus la taille du fichier est importante. Cette valeur s'étend de 0 à 100. Une valeur nulle donne la compression la plus importante, d'où une très forte dégradation de la qualité de l'image, tandis que la valeur 100 produit une image non compressée, de qualité maximale mais plus volumineuse.

   En fonction de son contenu, chaque image se comporte différemment lors d'une compression. Pour l'exemple illustré sur la Figure 10.7, la photo reste étonnamment « lisible », même avec une compression maximale qui réduit le poids du fichier d'environ 95 % ! Il faut dire que la taille relativement importante du sujet ainsi que la présence d'un fond assez neutre aident largement à obtenir ce résultat. Retenez donc ceci : si vous voulez par exemple vendre un objet sur eBay, photographiez-le sur un fond uni et compressez le plus que vous pouvez sans pour au-

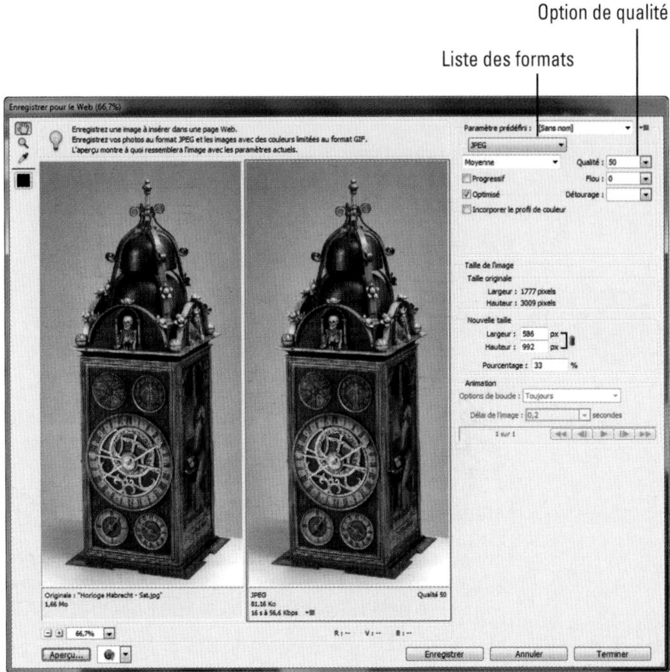


**Figure 10.7 :** Le paramètre Qualité définit la compression qui sera appliquée.

tant le transformer en une vieille chose toute juste bonne à jeter. Votre page d'enchères se chargera d'autant plus vite, ce que vos acheteurs potentiels apprécieront certainement.

Chaque modification de la valeur de ce paramètre se répercute instantanément dans la fenêtre d'aperçu de droite. La taille du fichier ainsi que l'estimation de la durée de téléchargement sont mentionnées sous la fenêtre. Cliquez sur le bouton Aperçu pour évaluer la vitesse de chargement dans votre navigateur Web.

4. **Décochez les cases Progressif et Incorporer le profil de couleur.**

   Les fichiers JPEG progressifs ne sont pas recommandés. La fonction Optimisé de meilleures images selon le degré de compression. Par contre, elle peut poser problème avec certains navigateurs d'ancienne génération.

   Le profil de couleur intéresse essentiellement les amateurs avertis et les professionnels. N'y touchez pas car vous fausseriez les couleurs de vos photos.

Toutes ces options ont par ailleurs une influence réduite sur la taille du fichier.

5. **Si votre image contient des zones transparentes, choisissez une couleur de détourage.**

   Cette option fonctionne comme dans la précédente section. Mais ici les zones transparentes seront remplies par une couleur unie blanche, sauf si vous en spécifiez une autre. En effet, le format JPEG ne gère pas les pixels transparents.

   Contournez ce problème en utilisant la même couleur de détourage que celle de l'arrière-plan de la page Web qui accueillera l'image. L'internaute n'y verra que du feu.

6. **Cliquez sur Enregistrer.**

   Dans la boîte de dialogue Enregistrer une copie optimisée sous, le format JPEG est sélectionné par défaut. Il ne vous reste qu'à saisir le nom du fichier dans le champ approprié.

7. **Cliquez à nouveau sur Enregistrer, ou appuyez sur Entrée.**

   Le logiciel enregistre une copie JPEG de l'image d'origine. La photo originale reste ouverte dans Photoshop Elements. Pour voir l'image JPEG compressée, il suffit de l'ouvrir.

## Envoie-moi une carte de temps en temps !

Pouvoir envoyer une photo à ses amis ou à sa famille par courrier électronique est plaisant et facile. En quelques clics de souris, elle se retrouve n'importe où dans le monde, chez quelqu'un disposant d'une adresse électronique.

Bien qu'il soit relativement simple de joindre une image à un courrier électronique, la procédure diffère selon le programme de messagerie que vous utilisez. Nouveaux venus dans l'univers du mail, n'hésitez pas à consulter l'aide en ligne de votre application pour savoir comment joindre une image à un courrier.

Ne vous servez pas la technique décrite ci-dessous pour envoyer des images à des professionnels qui auraient à l'utiliser dans un logiciel de mise en page ou à l'imprimer. En effet, ceux-ci ont besoin d'images de la meilleure qualité, dépourvue des nombreux défauts causés par une compression de type JPEG. Un fichier graphique au format A4 codé sur 24 bits (16,8 millions de couleurs), enregistré en TIFF avec une résolution de 300 dpi, peut avoisiner, voire dépasser, 30 Mo. Un envoi par le Web, même avec une connexion ADSL correcte, n'aurait pas grand sens. Il vaut bien mieux passer par un site spécialisé dans les téléchargements (FTP ou service de stockage de type « Cloud » Internet). De toute manière, nombre de messageries n'acceptent pas des pièces jointes de plus 10 ou 20 Mo. Une autre technique, car quasi universelle, consiste à graver l'image sur un CD-R ou un DVD-R et confier celui-ci à la Poste. Comme quoi, cette vieille institution presque millénaire a encore quelques beaux jours devant elle...

L'exemple d'envoi d'une image par courrier électronique proposé ici s'appuie sur Windows Live Mail, la messagerie compagnonne de Windows 7 (du moins après téléchargement des applications gratuites Windows Live, Windows 8 se présentant différemment, même si le principe ne change as). Et le procédé est le même avec la majorité des gestionnaires de courrier électronique.

1. **La connexion Internet étant établie, démarrez Windows Live Mail. Activez éventuellement l'adresse de messagerie que vous voulez utiliser (si vous en avez plusieurs)**

2. **Cliquez sur le bouton Message électronique.**

   Une fenêtre d'envoi de message vide apparaît.

3. **Dans la boîte de dialogue de composition de nouveau message, saisissez l'adresse de votre destinataire, l'objet du message puis le message lui-même, comme d'habitude.**

4. **Cliquez sur le bouton Joindre un fichier, reconnaissable à son trombone (voir Figure 10.8).**

   La plupart des messageries ont un bouton semblable. Le trombone est devenu le symbole de la pièce jointe.

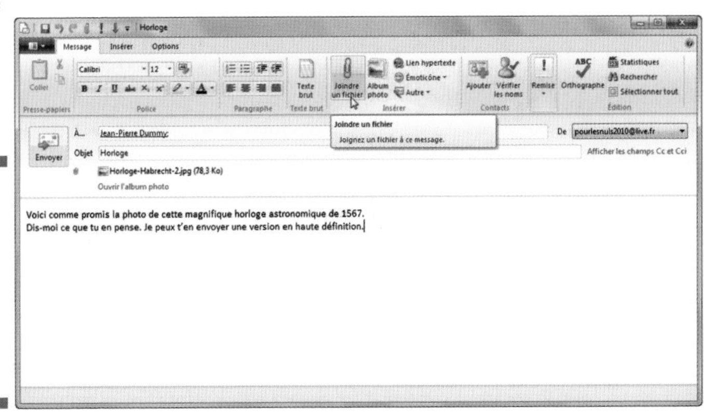

**Figure 10.8 :** Cliquez sur le bouton en forme de trombone pour joindre un fichier à un message.

Recherchez le fichier à joindre – une photo en l'occurrence –, sélectionnez-le puis cliquez sur le bouton Ouvrir. Vous revenez ensuite à la boîte de dialogue du message.

5. **Cliquez sur le bouton Envoyer pour expédier votre courrier à travers le cyberespace.**

Si tout s'est bien déroulé, le destinataire reçoit la photo en un rien de temps. Avec Windows Live Mail, l'image apparaît aussi dans le corps du texte, comme le révèle la Figure 10.9. D'autres programmes afficheront un lien ouvrant cette image.

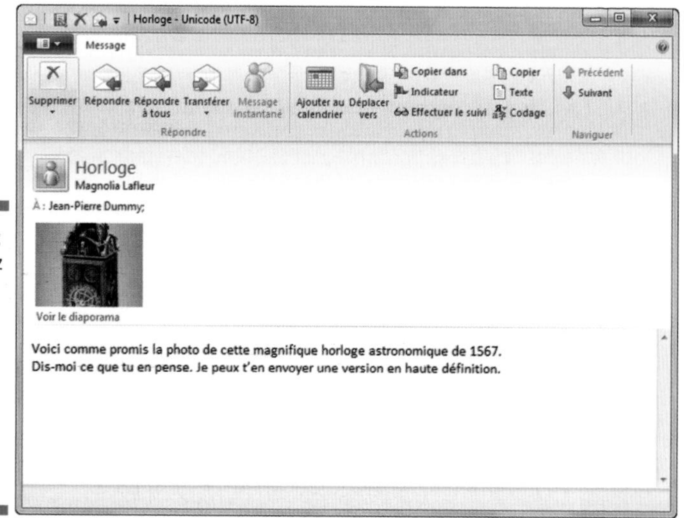


**Figure 10.9 :** Ne dépassez pas 250 pixels de haut ou 300 pixels de large pour les images à visualiser dans une messagerie.

# *Passage télévisé*

Les lecteurs de DVD et Blu-ray récents disposent d'un connecteur qui accepte certains types de médias numériques. Par exemple, il est possible de sortir la carte mémoire de votre appareil pour l'insérer dans le connecteur du lecteur de DVD prévu à cet effet. Vous affichez ensuite les images sur votre téléviseur.

Mais il se peut aussi que celui-ci soit équipé d'une prise USB vous permettant par exemple d'y relier directement votre appareil photo (et si celui-ci dispose d'une sortie HDMI, c'est encore bien mieux, par exemple pour connecter votre ordinateur portable à votre superbe écran LED 3D 600 Hz 70 pouces et y projeter le diaporama de vos photos de vacances…).

Voici deux bonnes raisons de visionner vos photos sur un téléviseur :

- Les spectateurs sont confortablement installés devant le téléviseur au lieu de s'agglutiner autour de l'ordinateur.
- Vous examinez mieux les images sur le grand écran d'un téléviseur – où le moindre défaut devient apparent – que sur le minuscule écran de contrôle de votre appareil photo.

À l'instar de la connexion d'un appareil photo numérique à l'ordinateur, consultez le manuel pour savoir comment brancher l'appareil photo à un lecteur de DVD, un téléviseur ou une platine multimédia. Pour le moins, vous devriez pouvoir connecter une extrémité du câble AV au port vidéo de l'appareil photo, et l'autre dans le port vidéo du téléviseur comme le montre la Figure 10.10. Pour le mieux, vous disposez d'un port USB, voire HDMI, de chaque côté, et il vous suffit de brancher le bon câble au bon endroit (sans oublier de régler le téléviseur sur l'entrée correspondante). Si votre appareil dispose d'une fonction d'enregistrement du son, vous devrez brancher un second câble sur l'entrée audio de la TV ou du lecteur de DVD (un adaptateur péritel simplifierait tout cela, au détriment tout de même de la qualité d'image, mais il est vrai que ce système est en voie d'extinction).

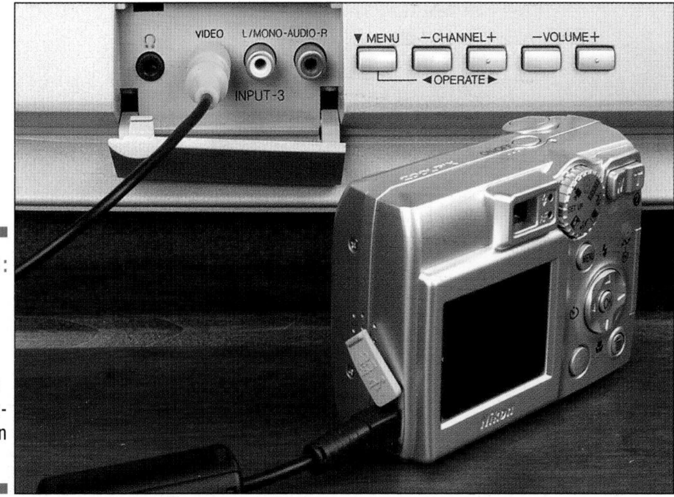


**Figure 10.10 :** Beaucoup d'appareils photo permettent de visionner les images directement sur un téléviseur.

La procédure d'affichage des images sur une télévision est identique à celle qui permet de revoir vos photos sur l'écran LCD de l'appareil. Mais, cette fois encore, consultez la documentation de votre appareil.

Si votre appareil photo n'est pas équipé d'une sortie vidéo, rien n'est perdu. Il existe des périphériques qui permettent de lire les cartes mémoire sur un téléviseur ou tout autre équipement apparenté.

Même si votre appareil photo dispose d'une connexion mini HDMI, il est plutôt rare que le câble correspondant soit fourni dans la boîte. Encore un achat supplémentaire à envisager, surtout que le terme « mini » peut recouvrir différentes réalités.

# Quatrième partie

# Sélection et correction des photos

"Avec mon logiciel de retouche, je me suis permis d'effacer quelques grosses taches entre les nuages. Inutile de me remercier."

## *Dans cette partie...*

Modifier, optimiser et améliorer des images.

Sélectionner et modifier le contenu d'une image pour appliquer des corrections localisées (sélectives), et en extraire des éléments que vous insérerez dans d'autres photos.

Corriger le contraste, la luminosité, et la couleur.

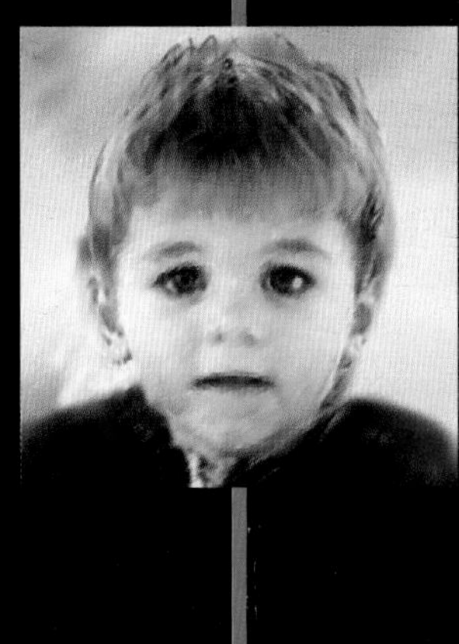

11

# Définissez des sélections et modifiez leur contenu

***Dans ce chapitre :***

- Définissez des sélections à l'aide des outils Lasso, Baguette magique et autres.
- Utilisez l'outil Emporte-pièce.
- Effacez avec les outils Gomme.
- Mémorisez et récupérez vos sélections.

Si votre objectif se résume simplement à admirer vos photos à l'état brut, sans aucune retouche, sautez ce chapitre et passez aux sujets suivants. En revanche, si vous voulez vous amuser à extraire un élément de son environnement pour le coller dans un autre paysage ou appliquer un réglage à une portion de votre image, ce chapitre va vous intéresser.

La maîtrise de l'art des sélections est une compétence qui mérite amplement le temps investi. Dans ce chapitre, nous allons étudier tous les outils et techniques de sélection possible. Nous vous aiderons à choisir l'outil de sélection le mieux adapté en fonction des circonstances. Il existe généralement plusieurs façons d'obtenir un même résultat, et au final, c'est à vous de choisir la méthode que vous allez emprunter.

## Définissez des sélections

Avant de plonger dans le vif du sujet, arrêtons-nous un instant sur la signification de l'expression *définir une sélection*. Lorsque vous définissez une sélection, vous spécifiez la partie de l'image sur laquelle vous voulez travailler. Tout ce qui est inclus dans la sélection est considéré comme sélectionné. Tout ce qui se situe hors de la sélection n'est pas sélectionné. Quand il y a une sélection dans l'image, les commandes et outils d'Elements s'appliquent uniquement à la portion sélectionnée. De plus, sélectionner une portion vous permet de l'extraire pour la copier dans une autre image. Vous rêvez de vous téléporter de votre bureau vers une plage de sable fin ? Sélectionnez-vous sur une photo quelconque, recherchez sur Internet la photo d'une île tropicale et glissez-vous dans ce paysage de rêve à l'aide de l'outil Déplacement. Rien de plus facile.

Lorsque vous effectuez une sélection, un tracé en pointillé – appelé *contour de sélection* – apparaît autour de la zone sélectionnée. Elements est suffisamment perfectionné pour vous permettre de sélectionner partiellement les pixels en bordure de manière à estomper le contour des sélections. Pour ce faire, vous devez appliquer un contour progressif à la sélection, la lisser ou faire appel à un masque. Mais rassurez-vous, nous détaillerons ces techniques à la section « Définissez les paramètres de sélection », plus loin dans ce chapitre.

Toutes les techniques de sélection décrites dans ce chapitre concernent les images ouvertes en mode Expert.

## Créez des sélections de forme rectangulaire ou ovale

Si vous savez cliquer et faire glisser le pointeur de votre souris, vous n'aurez aucune difficulté à gérer les outils Rectangle et Ellipse de sélection. Il n'existe pas d'outil plus simple à utiliser. Par conséquent, si vous avez juste besoin d'une sélection de forme rectangulaire ou ovale, n'allez pas chercher ailleurs.

L'outil Rectangle de sélection a pour simple objectif de réaliser des sélections rectangulaires ou carrées. Il est idéal pour recadrer une photo, en conserver la partie essentielle et éliminer les portions superflues de l'arrière-plan.

Voici comment effectuer une sélection rectangulaire :

1. **Dans la palette d'outils, sélectionnez l'outil Rectangle de sélection.**

   Son icône est un rectangle en pointillé. Vous pouvez également appuyer sur la touche M. Si cette icône n'est pas visible, appuyez une nouvelle fois sur M.

2. **Faites glisser le pointeur en diagonale de manière à encadrer la zone à sélectionner.**

   Le cadre de sélection se forme à mesure que vous faites glisser le pointeur de la souris sur l'image. La forme du cadre varie en fonction du déplacement du pointeur.

3. **Relâchez le bouton de la souris.**

   Vous avez dans l'image une sélection rectangulaire, comme le montre la Figure 11.1.

**Figure 11.1 :** Servez-vous de l'outil Rectangle de sélection pour tracer des sélections de forme rectangulaire.

L'outil Ellipse de sélection, regroupé avec le Rectangle de sélection, sert à créer des sélections de forme ovale ou circulaire. Il convient parfaitement pour sélectionner des ballons, des horloges et tout autre élément rond.

Voici comment l'utiliser :

1. **Activez le Rectangle de sélection, puis cliquez sur l'icône de l'outil Ellipse de sélection dans les options d'outil.**

   Son icône est un ovale en pointillé. Vous pouvez aussi appuyer sur M pour le sélectionner s'il est visible. Sinon, appuyez deux fois sur M.

2. **Placez le pointeur près de la zone à sélectionner et faites-le glisser à travers l'élément souhaité de manière à l'englober.**

   Avec cet outil, vous partez d'un point donné de l'ellipse. Un contour de sélection se dessine à mesure que vous faites glisser le pointeur.

3. **Quand la sélection vous convient, relâchez le bouton de la souris.**

   Votre sélection est terminée, comme le montre la Figure 11.2. Si elle n'est pas tout à fait centrée autour de l'élément ciblé, il vous suffit de décaler le contour de sélection en faisant glisser le pointeur à l'intérieur du contour.

Quand vous tracez une sélection avec le Rectangle ou l'Ellipse de sélection, vous pouvez déplacer le contour en appuyant sur la barre d'espace puis continuer à définir la sélection.

## Tracez des carrés et des cercles parfaits

Il est parfois nécessaire de créer une sélection parfaitement carrée ou circulaire. Pour ce faire, appuyez sur la touche Maj pendant que vous faites glisser le pointeur. Une fois la sélection terminée, relâchez d'abord le bouton de la souris, puis la touche Maj. Autrement, dans les options d'outils, sélectionnez Prop. fixes dans le menu Aspect avec la valeur 1 pour Largeur et Hauteur.

Les sélections ovales sont souvent plus faciles à tracer à partir du centre. Pour ce faire, cliquez au centre de la zone à sélectionner, appuyez sur Alt (Option sous Mac), puis faites glisser le pointeur. Une fois la sélection terminée, relâchez d'abord le bouton de la souris, puis la touche Alt (Option sous Mac).

**Figure 11.2 :** L'outil Ellipse de sélection est idéal pour sélectionner des objets ronds.

Pour tracer la sélection à partir du centre *et* obtenir un cercle ou un carré parfait, appuyez simultanément sur les touches Maj et Alt (Option sous Mac). Une fois la sélection terminée, relâchez d'abord le bouton de la souris, puis les touches Maj + Alt (Maj + Option sous Mac).

## Définissez les paramètres de sélection

Les options du Rectangle et de l'Ellipse de sélection permettent de définir des dimensions précises et d'estomper le contour des sélections.

N'oubliez pas de définir les options de l'outil (voir Figure 11.3) avant d'effectuer la sélection à l'aide des outils de sélection. Il est impossible d'appliquer une option une fois la sélection terminée, à l'exception du contour progressif, qui peut se définir après coup par la commande Sélection/Contour progressif.

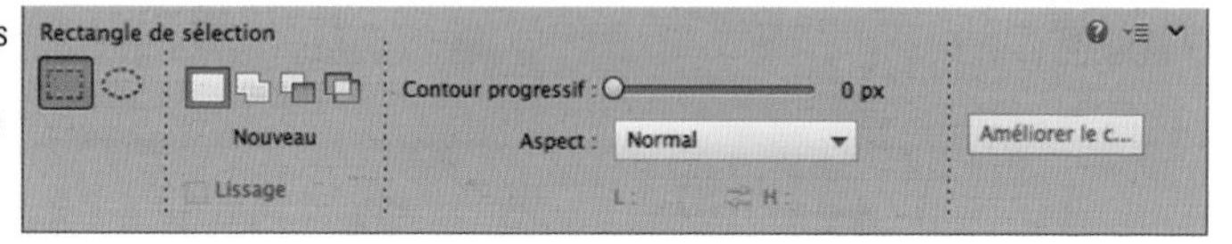


**Figure 11.3 :** Définissez les paramètres du Rectangle de sélection dans les options d'outil.

Voici les différentes options disponibles :

- **Contour progressif :** estompe le contour de la sélection. L'intensité de l'effet dépend de la valeur que vous tapez (0 à 250 pixels). Avec une valeur élevée, le contour s'estompe sur une plus grande distance autour de la sélection, comme le montre la Figure 11.4. Pour obtenir une transition subtile dans un collage, on définit un contour progressif avec une faible valeur. Vous estomperez davantage les contours quand vous combinerez plusieurs calques de manière à transformer progressivement une image en une autre. Pour adoucir le contour d'un élément et éliminer l'arrière-plan, choisissez Sélection/Intervertir et supprimez l'arrière-plan. Reportez-vous à cet effet à la section « Modifiez vos sélections », plus loin dans ce chapitre.

**Figure 11.4 :** Le contour progressif crée des sélections au bord estompé.

L'effet de contour progressif est obtenu par une sélection partielle des pixels en bordure, qui deviennent de plus en plus transparents.

- **Lissage :** estompe légèrement le contour d'une sélection ovale ou de forme irrégulière de manière à réduire l'aspect dentelé du contour. Le lissage s'applique sur une largeur d'un pixel autour de la sélection. Il est généralement conseillé d'activer cette option, car le lissage produit des transitions plus naturelles entre les sélections combinées dans un collage.
- **Aspect :** la liste déroulante Aspect contient trois paramètres :
  - *Normal :* paramètre par défaut, qui permet de tracer la sélection sans aucune contrainte.
  - *Prop. fixes :* permet de spécifier un rapport fixe entre la largeur et la hauteur. Par exemple, si vous définissez la largeur à 3 et la hauteur à 1, vous créez une sélection qui est trois fois plus large que haute, quelle qu'en soit la taille.
  - *Taille fixe :* permet de déterminer les valeurs de largeur et de hauteur. Ce paramètre est très pratique lorsque vous devez créer plusieurs sélections de taille identique.
- **Largeur (L) et Hauteur (H) :** si vous sélectionnez Prop. fixes ou Taille fixe dans la liste Aspect, vous devez saisir des valeurs dans les champs L et H. Pour intervertir les deux valeurs, cliquez sur la double flèche entre les deux champs de texte.
- **Améliorer le contour :** vous en saurez plus à propos de cette option en lisant la section « Améliorez le contour d'une sélection » plus loin dans ce chapitre.

L'unité de mesure par défaut des champs Largeur et Hauteur est le *pixel*, mais il est possible d'en choisir une autre. Vous pouvez utiliser les unités : centimètres (cm), millimètres (mm), pouces (po), points (pt), picas (pica) et pourcentage (%). Tapez une valeur suivie de l'abréviation de l'unité de mesure.

## Créez des sélections libres avec les outils Lasso

Il est naturellement impossible de tout sélectionner avec un rectangle ou une ellipse. En effet, la forme de la plupart des objets animés et inanimés n'est pas régulière. Heureusement, Elements répond à ce besoin et offre à cet effet les outils Lasso.

Les outils Lasso permettent de créer des sélections de forme libre. Ils se déclinent sous trois formes :

- Lasso.
- Lasso polygonal.
- Lasso magnétique.

Ces trois outils sont tous conçus pour créer des sélections libres, mais leur mode de fonctionnement diffère quelque peu, comme nous le verrons dans les sections qui suivent.

Pour obtenir un résultat satisfaisant, le contour doit être tracé d'une main ferme. Vous progresserez vite avec la pratique. Si votre première sélection au lasso n'est pas absolument parfaite, ne vous inquiétez pas. Il est toujours possible de la modifier en ajoutant et en soustrayant des pixels. Consultez à cet effet la section « Modifiez vos sélections », plus loin dans ce chapitre.

Si vous appréciez particulièrement les outils Lasso, pensez à vous procurer une tablette graphique avec stylet. Avec cet appareil, vous tracez et dessinez sur l'ordinateur de manière plus intuitive, car vous retrouvez les sensations du crayon et du papier. Essayez l'emploi d'une tablette graphique, et vous serez conquis.

## Sélectionnez avec le Lasso

Avec l'outil Lasso, il suffit de suivre le contour d'un objet pour le sélectionner. Vous n'avez que trois options disponibles pour les outils Lasso : Contour progressif, Lissage et Améliorer le contour. Pour en savoir plus sur le contour progressif et le lissage, lisez la section « Définissez les paramètres de sélection », précédemment dans ce chapitre. La fonction Améliorer le contour est étudiée à la section « Améliorez le contour d'une sélection », plus loin dans ce chapitre.

Voici comment effectuer une sélection avec l'outil Lasso :

1. **Dans la palette d'outils, sélectionnez l'outil Lasso.**

   Son icône représente une corde nouée en lasso. Vous pouvez aussi appuyer sur la touche L. Si l'outil Lasso n'est pas visible, appuyez sur L pour défiler parmi ses variantes.

2. **Placez le pointeur sur un point du contour de l'objet à sélectionner.**

   Le point d'impact du Lasso se situe au bout de la corde, comme le montre la Figure 11.5. Pour mieux distinguer le contour de

**Figure 11.5 :** L'outil Lasso trace des sélections de forme libre.

l'objet, n'hésitez pas à zoomer avec l'outil Zoom ou le raccourci Ctrl + + (⌘ + + sous Mac). Dans cet exemple, nous avons démarré la sélection au sommet de la tulipe.

3. **Maintenez enfoncé le bouton de la souris pendant que vous suivez le contour de l'objet.**

   Essayez de n'inclure que la partie à sélectionner. À mesure que vous faites glisser l'outil, une ligne de contour se forme sous le pointeur de la souris.

Essayez de ne pas relâcher le bouton de la souris avant d'avoir rejoint votre point de départ. Sinon, Elements suppose que vous avez terminé et ferme la sélection en joignant le point où vous avez relâché le bouton et le point de départ par une ligne droite.

4. **Continuez de tracer le contour de l'objet jusqu'à rejoindre votre point de départ, puis relâchez le bouton de la souris pour fermer la sélection.**

   Un contour de sélection en pointillé met en évidence la portion délimitée par le tracé du Lasso. Lorsque vous approchez du point de départ de la sélection, surveillez l'apparition d'un petit cercle près du pointeur du Lasso. Cette icône signale que vous êtes sur le point de fermer la sélection.

## Utilisez le Lasso polygonal

L'objectif de l'outil Lasso polygonal est simple : sélectionner un élément dont les bords sont droits comme une pyramide, un escalier ou un immeuble. Il ne fonctionne pas tout à fait comme le Lasso, car vous n'allez pas suivre le contour de l'élément en faisant glisser le pointeur. Avec le Lasso polygonal, vous cliquez sur les angles de l'élément à sélectionner sans maintenir la pression pendant le déplacement de l'outil.

Voici comment créer une sélection avec le Lasso polygonal :

1. **Dans la palette d'outils, sélectionnez l'outil Lasso polygonal.**

   Vous pouvez aussi appuyer sur la touche L pour défiler entre les variantes de Lasso. Le Lasso polygonal est représenté par un nœud coulant en forme de M.

2. **Cliquez et relâchez le bouton de la souris là où vous voulez commencer la sélection.**

   Généralement, on démarre la sélection dans un angle.

3. **Déplacez le pointeur, sans pression sur le bouton de la souris, et cliquez sur l'angle suivant de l'objet. Continuez de cliquer sur les angles de l'élément.**

   Le contour grandit d'un segment à chaque point cliqué.

4. **Rejoignez votre point de départ et cliquez pour fermer la sélection.**

   Un petit cercle apparaît en regard du pointeur lorsque vous rejoignez le point de départ. Il indique que vous fermez la sélection au bon endroit.

   Vous pouvez également double-cliquer à n'importe quel endroit pour fermer la sélection entre ce point et le point de départ.

   Une fois que vous avez terminé le tracé, un contour de sélection apparaît, comme le montre la Figure 11.6.

Contour de sélection du Lasso polygonal

**Figure 11.6 :** Une fois que vous avez fermé la sélection avec le Lasso polygonal, un contour de sélection apparaît autour de l'objet.

## *Exploitez le Lasso magnétique*

La troisième variante de lasso est l'outil Lasso magnétique. Il est parfois difficile à manier, mais vous devez en connaître le fonctionnement pour décider vous-même lequel des trois lassos choisir. L'outil Lasso magnétique définit des zones en fonction du contraste dans l'image et se colle au contour des zones à fort contraste, comme si le contour avait un pouvoir d'attraction.

Pour obtenir un résultat optimal avec cet outil, votre image doit comporter un objet qui se détache nettement de l'arrière-plan, comme une montagne sombre sur un ciel clair.

L'outil Lasso magnétique possède ses propres paramètres, que l'on définit dans les options d'outil avant de commencer la sélection.

- **Largeur :** détermine à quelle distance du contour contrasté (entre 1 et 256 pixels) placer la souris pour que l'outil Lasso magnétique s'y colle. Choisissez une valeur faible si le contour de l'objet comporte de nombreux détails ou si le contraste de l'image est faible. Augmentez la valeur si le contraste est élevé ou si les bords sont lisses.

- **Contraste :** spécifie le pourcentage de contraste (de 1 à 100 %) requis pour que le Lasso magnétique se colle au contour. Augmentez le pourcentage si le contraste est fort entre l'élément et l'arrière-plan.

- **Fréquence :** spécifie la densité de points d'ancrage (de 1 à 100) à placer sur le contour de sélection. Plus la valeur est élevée, plus le nombre de points sera important. En règle générale, si l'élément à sélectionner possède un contour lisse, définissez une valeur faible. Si le contour est irrégulier avec de nombreux détails, augmentez la fréquence.
- **Pression du stylet (icône de stylet) :** si vous possédez une tablette graphique sensible à la pression, sélectionnez cette option pour qu'une pression plus forte du stylet commande de détecter le contour sur une plus faible largeur.

Voici comment employer le Lasso magnétique :

1. **Dans la palette d'outils, activez l'outil Lasso magnétique.**

   Vous pouvez aussi appuyer sur la touche L pour défiler entre les variantes de Lasso. L'icône du Lasso magnétique est un lasso orné d'un aimant.

2. **Cliquez sur le bord de l'objet à sélectionner pour poser le premier point d'ancrage.**

   Les points d'ancrage se collent sur un contour contrasté, comme le montre la Figure 11.7. Le point de départ n'a pas d'importance. Assurez-vous simplement de cliquer sur le contour qui délimite l'objet à sélectionner de l'arrière-plan à éliminer.

3. **Poursuivez votre progression autour de l'objet, sans cliquer.**

   Une fois qu'un point d'ancrage est créé, le tracé de la sélection est fixé ; seule la dernière portion reste active.

   Si le Lasso magnétique a tendance à dévier du contour de l'objet, revenez en arrière et cliquez pour poser un point d'ancrage manuel. À l'inverse, si le Lasso magnétique ajoute un point d'ancrage indésirable, appuyez sur la touche Suppr ou Retour arrière pour le supprimer. Pour retirer plusieurs points d'ancrage, appuyez plusieurs fois sur la touche Suppr/Retour arrière.

Si le Lasso magnétique ne donne pas satisfaction, choisissez temporairement une autre variante. Pour activer le Lasso, maintenez enfoncée la touche Alt (Option sous Mac) pendant que vous faites glisser le pointeur. Pour activer le Lasso polygonal, maintenez enfoncée la touche Alt (Option sous Mac) et cliquez.

**Figure 11.7 :** L'outil Lasso magnétique se colle au contour de l'élément et pose des points d'ancrage qui définissent la sélection.

4. **Rejoignez le point de départ et cliquez pour fermer la sélection.**

   Un petit cercle apparaît en regard du pointeur pour signaler que vous êtes au bon endroit pour fermer la sélection. Vous pouvez aussi double-cliquer et fermer la sélection à cet endroit pour rejoindre le point de départ. Le contour de sélection apparaît lorsque la sélection est fermée.

# Sélectionnez avec la Baguette magique

L'outil Baguette magique est l'un des plus anciens outils dans l'univers de l'imagerie numérique. Il est arrivé avec les premières versions de Photoshop. S'il est très simple d'utilisation, son résultat est parfois difficile à prévoir et par conséquent un peu hasardeux.

Voici comment il fonctionne : vous cliquez dans l'image et la Baguette magique définit une sélection en fonction de la couleur du pixel sur lequel vous avez cliqué. Elements inclut dans la sélection tous les pixels de la même couleur, ou presque, que celle du pixel de référence. Il est parfois difficile de savoir à quel point la couleur doit être identique pour que l'outil la sélectionne. Heureusement, il existe une option destinée à cet effet : Tolérance. Dans les sections qui suivent, nous allons étudier ce paramètre et expliquer comment manier la Baguette magique.

## Tolérance

Le paramètre Tolérance détermine la plage de couleurs que la Baguette magique va sélectionner d'après leur différence de luminosité sur une échelle de 0 à 255 :

- Avec une tolérance définie à 0, la Baguette magique ne sélectionne qu'une seule couleur.
- Avec une tolérance de 255, on sélectionne toutes les couleurs, soit la totalité de l'image.

La Tolérance est définie par défaut à 32. Ainsi, chaque fois que vous cliquez sur un pixel, Elements analyse la couleur de référence et sélectionne tous les pixels dont la valeur de luminosité se situe entre 16 niveaux plus clairs et 16 niveaux plus foncés.

Et si l'image contient des dégradés de la même couleur ? Aucun problème. Cliquez à plusieurs reprises avec la Baguette magique pour prélever les autres pixels à inclure dans la sélection. Consultez à cet effet la section « Modifiez vos sélections », plus loin dans ce chapitre. Autrement, vous pouvez augmenter la valeur de Tolérance. À l'inverse, si la Baguette magique effectue une sélection trop large, diminuez le paramètre Tolérance.

Vous pouvez en déduire que la Baguette magique fonctionne mieux lorsque le contraste de l'image est élevé ou que l'image compte un nombre limité de couleurs. Par exemple, l'image idéale pour cet outil comporterait un objet sombre sur un arrière-plan blanc. Oubliez la Baguette magique si l'image contient des dégradés et pas de réel contraste entre l'élément à sélectionner et l'arrière-plan.

## Maniez la Baguette magique

Pour sélectionner avec la Baguette magique, procédez comme suit :

1. **Dans la palette d'outils, activez l'outil Baguette magique.**

   Son icône est une baguette avec un éclair au bout. Vous pouvez également appuyer sur la touche A pour défiler entre la Baguette magique et les outils Sélection rapide, Forme de sélection et Améliorer la forme de sélection.

2. **Cliquez n'importe où dans l'élément à sélectionner en conservant le paramètre Tolérance à 32.**

   N'OUBLIEZ PAS

   Le pixel sur lequel vous cliquez détermine la couleur de référence.

Si vous avez de la chance et que vous avez sélectionné tout ce que vous vouliez, le tour est joué. Si vous avez besoin de modifier la sélection, comme dans le cas de la Figure 11.8, poursuivez avec l'Étape 3.

3. **Changez la valeur du paramètre Tolérance dans les options d'outils.**

   Si la Baguette magique sélectionne trop de pixels, diminuez la Tolérance. Si l'outil n'en a pas sélectionné suffisamment, augmentez la valeur. Voici les autres options de la Baguette magique qu'il vous faut connaître :

   - *Échantillonner tous les calques :* si l'image comporte plusieurs calques et que vous cochez cette option, la Baguette magique sélectionne les pixels de tous les calques visibles. Sinon, l'outil sélectionne uniquement les pixels du calque actif.

   - *Pixels contigus :* commande à la Baguette magique de ne sélectionner que les pixels adjacents. Sans cette option, l'outil sélectionne tous les pixels compris dans la plage de tolérance, qu'il y ait ou non continuité des surfaces sélectionnées.

   - *Lissage :* estompe le contour de la sélection sur une largeur d'un pixel. Reportez-vous à cet effet à la section « Définissez les paramètres de sélection », précédemment dans ce chapitre.

   - *Améliorer le contour : cliquez sur ce bouton pour accéder à des options complémentaires. Dans la boîte de dialogue Améliorer le contour,* unifiez le contour de la sélection à l'aide du curseur Lisser pour réduire l'effet dentelé. Le paramètre Contour progressif fonctionne comme celui étudié à la section « Définissez les paramètres de sélection », précédemment dans ce chapitre. Déplacez le curseur Décalage du contour vers la gauche ou vers la droite pour réduire ou augmenter la surface sélectionnée. Pour de plus amples informations, lisez la section « Améliorez le contour d'une sélection », plus loin dans ce chapitre. La section « Appliquez les commandes Étendre et Généraliser », également plus loin dans ce chapitre, présente une autre méthode pour modifier le contour de sélection.

4. **Cliquez à nouveau sur l'élément à sélectionner.**

   Refaites la sélection avec la nouvelle valeur de Tolérance. Par défaut, la première sélection disparaît quand l'outil en définit une nouvelle. Si le résultat n'est toujours pas satisfaisant, modifiez à nouveau la Tolérance. Persévérez jusqu'à trouver la bonne valeur.

# Modifiez vos sélections

Passons maintenant à un autre aspect des outils de sélection. Dans cette section, vous allez découvrir comment améliorer les sélections réalisées à l'aide des outils Rectangle/Ellipse de sélection, Lasso ou Baguette magique.

Vous n'êtes pas limité aux méthodes manuelles décrites ci-après avec les touches Alt et Maj. Vous disposez également des quatre boutons de modes dans la partie droite des options d'outils pour définir une nouvelle sélection (par défaut), ajouter à la sélection, soustraire de la sélection ou retenir l'intersection de deux sélections. Activez un outil de sélection, cliquez sur un bouton de mode et faites glisser l'outil (ou cliquez dans le cas de la Baguette magique ou du Lasso polygonal).

## Ajoutez ou soustrayez à la sélection et retenez son intersection

Même si les outils de sélection permettent de définir des sélections satisfaisantes, si vous prenez le temps nécessaire pour ajouter ou soustraire des pixels au contour de sélection, vous pouvez obtenir un résultat très précis :

- **Ajouter :** si la sélection n'englobe pas entièrement tout ce que vous voulez isoler, vous pouvez ajouter les portions manquantes. Pour ce faire, appuyez sur la touche Maj et faites glisser le pointeur autour de la zone à inclure. Si vous employez le Lasso polygonal, cliquez autour de la zone. Avec la Baguette magique, vous devez appuyer sur la touche Maj et cliquer dans la zone à ajouter.

  Il n'est pas nécessaire de continuer avec le même outil que celui qui a créé la sélection initiale. Sélectionnez l'outil qui vous semble le plus approprié. Il est courant de commencer avec la Baguette magique et de poursuivre avec le Lasso.

- **Soustraire :** la sélection a débordé ? Aucun problème. Si vous devez retirer des pixels d'une sélection, appuyez sur la touche Alt (Option sous Mac) et faites glisser le pointeur autour des pixels à soustraire. En maintenant enfoncée la touche Alt (Option sous

Mac), procédez de la même manière que pour ajouter des pixels avec la Baguette magique et le Lasso polygonal.

- **Intersection :** pour sélectionner la partie commune entre deux sélections, appuyez sur Maj + Alt (Maj + Option sous Mac) et faites glisser le Lasso. Si vous utilisez la Baguette magique ou le Lasso polygonal, appuyez sur ces touches et cliquez sans faire glisser.

## Ne vous emmêlez pas les crayons

Si vous avez lu le début de ce chapitre, vous avez appris qu'en appuyant sur la touche Maj vous tracez une sélection carrée ou circulaire. Dans la section précédente, vous avez vu comment agrandir la sélection en appuyant sur la touche Maj. Qu'en est-il, par conséquent, si vous voulez créer un carré parfait tout en ajoutant des pixels à la sélection ? De même, comment faire pour supprimer une partie de la sélection tout en faisant glisser le pointeur à partir du centre ? Les deux tâches nécessitent l'emploi de la touche Alt (Option sous Mac). Comment Elements peut-il savoir ce que vous voulez faire ? Voici quelques astuces qui permettent d'éviter les conflits avec les touches du clavier (sélectionnez préalablement l'outil Rectangle ou Ellipse de sélection) :

- **Pour ajouter à la sélection une portion carrée ou circulaire, appuyez sur Maj et faites glisser le pointeur.** Tout en faisant glisser le pointeur, maintenez enfoncé le bouton de la souris, relâchez la touche Maj pendant une seconde et appuyez à nouveau dessus. La nouvelle zone sélectionnée prend automatiquement une forme carrée ou ronde. Relâchez d'abord le bouton de la souris, puis la touche Maj.
- **Pour supprimer des pixels de la sélection tout en traçant depuis le centre, appuyez sur la touche Alt (Option sous Mac) et faites glisser le pointeur.** Tout en faisant glisser le pointeur, maintenez enfoncé le bouton de la souris, relâchez la touche Alt (Option sous Mac) pendant une seconde et appuyez à nouveau dessus. La sélection se forme maintenant du centre vers l'extérieur. À nouveau, relâchez d'abord le bouton de la souris, puis la touche Alt (Option sous Mac).

Les boutons de mode disponible dans les options d'outil peuvent aussi vous servir à ajouter ou supprimer à la sélection.

# Sélectionnez au pinceau avec l'outil Forme de sélection

Si vous aimez le côté intuitif du dessin au pinceau, vous allez apprécier l'outil Forme de sélection. Selon le mode que vous choisissez, vous allez peindre sur les zones à sélectionner ou sur celles à ne pas sélectionner. Cet outil permet également de créer une première sélection avec un autre outil, tel que le Lasso, et de l'affiner en ajoutant des pixels au pinceau dans la sélection ou dans la zone à exclure.

Voici comment effectuer une sélection à l'aide de l'outil Forme de sélection :

1. **Dans la palette d'outils, activez l'outil Forme de sélection.**

   Son icône est un pinceau orné d'un cercle pointillé. Vous pouvez aussi appuyer sur la touche A pour défiler entre les outils Forme de sélection, Sélection rapide, Baguette magique et Améliorer la forme de sélection.

   Cet outil est disponible en modes Expert et Rapide.

2. **Définissez les options de l'outil.**

   Voici un tour d'horizon des options disponibles :

   - *Mode :* choisissez Sélection pour délimiter au pinceau la portion à sélectionner et Masque pour définir la zone à ne pas sélectionner.

     En mode Masque, vous devez définir les options relatives à l'incrustation. L'*incrustation* est un voile de couleur qui n'apparaît qu'à l'écran et qui couvre l'image pour mettre en évidence les zones protégées (non sélectionnées). Vous définirez l'opacité du voile par une valeur comprise entre 1 et 100 % (voir l'astuce en fin de section). Vous pouvez aussi changer la couleur d'incrustation, rouge par défaut, ce qui est utile si votre image contient beaucoup de rouge.

   - *Formes prédéfinies :* choisissez une forme dans la palette déroulante de formes prédéfinies. Pour charger d'autres formes, cliquez sur l'intitulé Formes par défaut et choisissez la bibliothèque de votre choix. Pour accéder à d'autres formes, sélectionnez la commande Charger les formes à partir du menu d'options de la palette (depuis l'angle supérieur droit).

- *Taille :* spécifiez le diamètre de la forme (1 à 2500 pixels). Tapez une valeur ou déplacez le curseur.
- *Dureté :* définissez la dureté de la forme en saisissant une valeur comprise entre 1 et 100 % pour un contour plus ou moins estompé.

3. **Peignez, c'est-à-dire appliquez l'outil, sur la zone à sélectionner :**

   - *Si le mode est défini sur Sélection*, faites glisser l'outil sur les zones à sélectionner.

     Un contour de sélection apparaît. Chaque coup de pinceau ajoute des pixels à la sélection. Si vous ajoutez par inadvertance une zone superflue, appuyez sur la touche Alt (Option sous Mac) et passez le pinceau sur la zone indésirable. C'est tout simple. Vous disposez aussi du bouton Soustraire de la sélection, dans les options d'outil. Quand vous cessez d'utiliser l'outil, la sélection est prête à l'emploi.

   - *Si le mode est positionné sur Masque*, faites glisser l'outil sur les zones à *ne pas* sélectionner.

     Une fois le masque défini, choisissez Sélection dans la liste Mode ou activez un autre outil dans la palette d'outils afin de transformer le masque en contour de sélection. Retenez que le masque délimite ce qui va se trouver en dehors de la sélection.

     La forme de sélection dessine un voile rouge sur l'image (on parle d'incrustation). Chaque coup de pinceau ajoute des pixels à la zone protégée, comme le montre la Figure 11.9. Dans cet exemple, le ciel est masqué (par le voile rouge) afin de le remplacer par un autre ciel. Lorsque vous travaillez en mode Masque, vous recouvrez, ou *masquez*, les zones à préserver de toute manipulation (les commandes agissent sur la zone non masquée). Pour supprimer des parties de la zone masquée, appuyez sur Alt (Option sous Mac) et faites glisser l'outil.

Si vous avez défini la sélection en mode Masque en couvrant de rouge la portion à sélectionner, il faut l'intervertir par la commande Sélection/Intervertir puisque le contour de sélection entoure ce que vous ne voulez pas.

Quel mode utiliser ? À vous de voir. L'avantage de travailler en mode Masque est qu'il est possible de sélectionner partiellement des zones. En peignant avec des formes douces (faible

Figure 11.9 : L'outil Forme de sélection permet de définir une sélection (à droite) en créant un masque (à gauche).

pourcentage de Dureté), vous obtenez des sélections au contour estompé, les pixels en bordure étant partiellement sélectionnés, comme avec l'option Contour progressif des autres outils de sélection. La valeur d'opacité de l'incrustation agit uniquement sur la visibilité du masque à l'écran.

## Sélectionnez avec l'outil Sélection rapide

L'outil Sélection rapide est une sorte de combinaison des outils Forme de sélection, Baguette magique et Lasso. L'avantage de cet outil est qu'il est rapide, comme son nom l'indique. De plus, il est simple d'emploi et produit des résultats très satisfaisants.

Voici comment effectuer une sélection avec cet outil :

1. **Dans la palette d'outils, activez l'outil Sélection rapide.**

   Son icône ressemble à une baguette munie d'un cercle pointillé à son extrémité, et on le trouve regroupé avec les outils Forme de sélection, Baguette magique et Améliorer la forme de sélection. Vous pouvez aussi appuyer sur la touche A pour défiler entre les quatre outils du groupe.

   Cet outil est disponible en modes Expert et Rapide.

2. **Définissez les options.**

   En voici une description :

   • *Nouvelle sélection :* l'option par défaut permet de créer une nouvelle sélection. Avec les autres, vous ajoutez ou soustrayez des pixels de la sélection.

   • *Taille* : définissez le diamètre de l'outil entre 1 et 2500 pixels.

- *Paramètres de forme :* ces paramètres définissent la dureté, le pas, l'angle et l'arrondi de la forme d'outil.
- *Échantillonner tous les calques :* si l'image contient plusieurs calques et que vous voulez sélectionner sur tous les calques, cochez cette option. Sinon, vous ne sélectionnez qu'à partir du calque actif.
- *Accentuation automatique :* avec cette option, Elements améliore automatiquement la sélection à l'aide d'un algorithme.

**3. Faites glisser le pointeur sur les zones de l'image à sélectionner.**

La sélection se crée à mesure que vous avancez l'outil, comme le montre la Figure 11.10. Si vous vous arrêtez et que vous cliquez sur une autre portion de l'image, la zone cliquée s'ajoute à la sélection.

**Figure 11.10 :** Tracez une sélection à l'aide de l'outil Sélection rapide.

**4. Ajoutez des pixels à votre sélection ou retirez-en, à votre guise :**

- *Pour étendre la sélection :* il est inutile d'appuyer sur la touche Maj, car l'outil se met automatiquement en mode Ajouter quand vous commencez à tracer une sélection.

- *Pour réduire la sélection :* appuyez sur la touche Alt (Option sous Mac) tout en faisant glisser le pointeur sur les zones à retirer de la sélection ou activez le mode Soustraire.

Vous pouvez également activer le mode Ajouter à la sélection ou Soustraire de la sélection dans les options de l'outil Sélection rapide.

5. **Si vous devez affiner le contour de sélection, cliquez sur l'option Améliorer le contour dans les options d'outil et modifiez les paramètres à votre convenance.**

Les paramètres sont analysés en détail à la section « Améliorez le contour d'une sélection », plus loin dans ce chapitre.

Si le contour de l'objet est plutôt complexe, vous pourriez avoir besoin de recourir au Lasso ou à un autre outil pour retoucher la sélection et parvenir au final à une sélection très précise.

# Perfectionnez le contour avec l'outil Améliorer la forme de sélection

Comme nous l'indiquons au début de ce chapitre, la capacité à définir rapidement des sélections précises est une compétence précieuse. C'est dans cette optique qu'Elements s'est doté d'un nouvel outil performant. L'outil Améliorer la forme de sélection vous aide à ajouter ou supprimer des portions de votre sélection par détection automatique des bords de l'objet sélectionné.

Voici comment préciser un contour de sélection avec ce nouvel outil :

1 **Définissez une sélection à l'aide de l'outil Sélection rapide, Forme de sélection ou tout autre outil de sélection.**

Le choix de l'outil de sélection initial n'a aucune incidence sur la suite. Ne vous inquiétez pas si la première sélection est imprécise, puisque l'outil Améliorer la forme de sélection sert justement à la corriger.

2. **Activez l'outil Améliorer la forme de sélection.**

Cet outil est groupé avec les outils Sélection rapide, Baguette magique et Forme de sélection.

Son pointeur est représenté par deux cercles concentriques (voir Figure 11.11). Le cercle externe reflète la tolérance définie pour la détection du contour. Pour en savoir plus à propos de la

**Figure 11.11 :** Servez-vous de l'outil Améliorer la forme de sélection pour affiner la sélection.

tolérance, reportez-vous à la section « Tolérance » plus tôt dans ce chapitre.

3. **Spécifiez les paramètres dans les options d'outil.**

   Il s'agit des options suivantes :

   - *Taille* : déplacez le curseur pour régler le diamètre de l'outil entre 1 et 2500 pixels.
   - *Intensité du magnétisme* : déplacez le curseur pour régler la force d'attraction entre 0 et 100 %.
   - *Ajouter/Soustraire* : choisissez cette option pour ajouter ou soustraire à la sélection.
   - *Décaler* : placez l'outil à l'intérieur du contour de sélection pour augmenter la sélection dans la limite du cercle externe du pointeur. Le contour de sélection va alors se coller sur le bord de l'élément le plus proche du pointeur. Placez l'outil à l'extérieur du contour de sélection pour réduire la sélection dans la limite du cercle externe du pointeur.
   - *Lisser* : si le contour de sélection semble trop dentelé, activez cette option pour le lisser.

4. **Continuez d'utiliser l'outil Améliorer la forme de sélection pour préciser la sélection jusqu'à obtention du résultat souhaité.**

## Exploitez l'outil Emporte-pièce

L'outil Emporte-pièce est très pratique. En apparence, il donne le même résultat que l'outil Forme personnalisée. En revanche, si ce dernier crée une forme qui recouvre partiellement la photo, l'outil Emporte-pièce découpe tout ce qui dépasse de la forme. Les bibliothèques prédéfinies offrent une grande variété de formes, comme des animaux ou des fruits.

Voici comment employer l'Emporte-pièce :

1. **Dans la palette d'outils, activez l'outil Emporte-pièce.**

   Vous ne pouvez pas le rater, il a la forme d'une fleur. Vous pouvez aussi appuyer sur la touche C autant de fois que nécessaire pour l'activer. Il se trouve désormais groupé avec l'outil Recadrage et donc accessible depuis les options de l'outil Recadrage.

2. **Définissez ses options.**

   En voici la liste :

   - *Forme :* choisissez une forme prédéfinie dans la bibliothèque. Pour charger d'autres bibliothèques, cliquez sur le menu de la palette et sélectionnez une bibliothèque.
   - *Options de forme* : servez-vous des options de ce menu pour tracer la forme avec certains paramètres :

     **Libre :** permet de tracer la forme sans restriction.

     **Proportions définies :** conserve les proportions de la forme prédéfinie.

     **Taille définie :** cliquez pour découper la forme que vous pourrez ensuite transformer.

     **Taille fixe :** permet de saisir une largeur et une hauteur.

   - *À partir du centre* : cochez cette case pour tracer la forme par glissement à partir du centre.
   - *Contour progressif :* adoucit le contour de la forme découpée dans l'image. Reportez-vous à la section « Définissez les paramètres de sélection », précédemment dans ce chapitre.
   - *Recadrage :* cochez cette option pour recadrer l'image aux dimensions de la forme de sorte qu'elle remplisse la fenêtre d'image.

3. **Faites glisser le pointeur dans l'image pour tracer la forme, réglez sa taille à l'aide des poignées du cadre, puis repositionnez la forme en plaçant le pointeur dans la forme et en le faisant glisser.**

   D'autres types de transformation sont possibles, comme la rotation et l'inclinaison. Vous pouvez transformer la forme en agissant sur son cadre ou en réglant les options disponibles sous la fenêtre d'image.

4. **Cliquez sur la coche de validation sous le cadre ou appuyez sur Entrée pour appliquer la découpe.**

   Observez la Figure 11.12, où l'image est découpée en forme de feuille d'érable. Si vous préférez ne pas valider l'opération, cliquez sur le bouton d'annulation ou appuyez sur Échap.

**Figure 11.12 :** Découpez la photo selon une forme fantaisie à l'aide de l'Emporte-pièce.

# Effacez avec les outils Gomme

Les outils Gomme permettent d'effacer des pixels dans une image. Il existe trois variantes : Gomme, Gomme d'arrière-plan et Gomme magique. Ils sont représentés dans la palette d'outils par une gomme rose d'écolier, facile à identifier. Vous pouvez activer chacune des variantes en appuyant sur E.

Lorsque vous effacez des pixels, vous les supprimez, tout simplement. Par conséquent, avant d'utiliser une gomme, il peut être judicieux de sauvegarder une copie de l'image.

## Outil Gomme

Les pixels effacés par l'outil Gomme prennent la couleur d'arrière-plan ou deviennent transparents si vous travaillez sur un calque, comme le montre la Figure 11.13.

**Figure 11.13 :** La Gomme fait apparaître soit la couleur d'arrière-plan (à gauche), soit l'arrière-plan transparent (à droite).

Pour utiliser cet outil, commencez par l'activer, puis faites glisser le pointeur sur la zone à effacer dans l'image. Pour une retouche minutieuse, il est préférable de zoomer et de choisir une forme de petit diamètre.

Vous disposez des options suivantes pour l'emploi de la Gomme :

- **Formes prédéfinies :** cliquez sur la vignette de forme pour dérouler la palette de formes prédéfinies. Choisissez la forme qui convient. Vous disposez également d'autres bibliothèques de formes dans le menu de la palette de formes.
- **Taille :** faites glisser le curseur pour définir le diamètre de la forme entre 1 et 2500 pixels.

- **Opacité :** spécifiez le pourcentage de transparence des zones effacées. Plus il est bas, moins l'outil efface. Ce paramètre n'est pas disponible avec le type Carré.
- **Type :** choisissez entre Forme, Crayon et Carré. Le mode Carré impose une taille fixe de 16 × 16 pixels.

## Outil Gomme d'arrière-plan

L'outil Gomme d'arrière-plan est plus perfectionné que l'outil Gomme, car il est capable d'effacer l'arrière-plan sans toucher aux pixels de premier plan. Il rend les pixels transparents lorsque vous l'utilisez sur un calque. Quand vous effacez sur le calque Arrière-plan, celui-ci est automatiquement converti en Calque 0.

Pour bien utiliser la Gomme d'arrière-plan, il faut prendre garde de maintenir le centre du pointeur, marqué par une croix, sur les pixels d'arrière-plan, pendant le déplacement. La croix du pointeur prélève la couleur des pixels et supprime les pixels de couleur similaire qui se trouvent dans la circonférence du pointeur. Si vous touchez par inadvertance un pixel de l'objet de premier plan avec le centre du pointeur, vous l'effacez également, ce qui peut poser problème. Cet outil fonctionne particulièrement bien avec les images dont le contraste de couleurs entre les objets d'arrière-plan et de premier plan est net, comme dans la Figure 11.14.

Voici les options disponibles avec la Gomme d'arrière-plan :

- **Paramètres de forme :** propose des paramètres qui personnalisent la taille, la dureté, le pas, l'arrondi et l'angle de la forme d'outil. Les paramètres Taille et Tolérance, au bas de la palette Paramètres de forme, concernent les tablettes graphiques sensibles à la pression.
- **Limites :** *Discontiguës* efface tous les pixels de couleur similaire compris dans l'image. *Contiguës* efface tous les pixels de couleur similaire situés à proximité de ceux qui se trouvent sous le pointeur.
- **Tolérance :** le pourcentage de tolérance détermine le degré de similarité nécessaire entre les couleurs et celle prélevée par le pointeur pour que l'outil les efface. Avec une valeur élevée, davantage de couleurs sont effacées et inversement. Reportez-vous à la section « Tolérance », précédemment dans ce chapitre.

Figure 11.14 : La Gomme d'arrière-plan efface les pixels de couleur similaire à ceux prélevés au centre du pointeur.

## Outil Gomme magique

La Gomme magique combine les fonctions de la Gomme et de la Baguette magique. Elle sélectionne et efface simultanément les pixels de couleur similaire. Les pixels effacés deviennent transparents, sauf si vous travaillez sur un calque dont la transparence est verrouillée. Si l'image contient seulement un calque d'arrière-plan, l'emploi de la Gomme magique le transforme en calque ordinaire, comme le fait la Gomme d'arrière-plan.

La Gomme magique partage les options des autres gommes, auxquelles s'ajoutent celles-ci :

- **Échantillonner tous les calques :** prélève les couleurs de tous les calques visibles, mais efface uniquement les pixels du calque actif.

- **Contigus :** sélectionne et efface tous les pixels de couleur similaire qui sont adjacents à ceux situés sous le centre du pointeur.
- **Lissage :** adoucit le contour des zones transparentes.

# Utilisez le menu Sélection

Les sections suivantes présentent brièvement le menu Sélection. À l'instar des méthodes étudiées à la section « Modifiez vos sélections », précédemment dans ce chapitre, ce menu permet de modifier des sélections en proposant de nombreuses commandes. Si vous ne trouvez pas ici une réponse à vos besoins, vous ne la trouverez jamais.

## Sélectionnez toute l'image sinon rien

Les commandes Tout sélectionner et Désélectionner sont évidentes. Pour sélectionner la totalité de l'image, choisissez Sélection/Tout sélectionner ou appuyez sur Ctrl + A (⌘ + A sous Mac). Pour tout désélectionner, choisissez Sélection/Désélectionner ou appuyez sur Ctrl + D (⌘ + D sous Mac) ou sur la touche Échap. La commande Tout sélectionner sert rarement, puisque s'il n'y a pas de contour de sélection, les commandes et outils agissent sur l'image entière.

## Resélectionnez une zone

Si vous avez passé beaucoup de temps à définir une sélection parfaite, vous ne voudrez surtout pas la perdre avant de passer à l'étape suivante. Un simple clic en dehors de la sélection suffit pourtant à l'annuler. Heureusement, Elements vous offre une solution. En choisissant la commande Sélection/Resélectionner, vous rétablissez la dernière sélection.

La commande Resélectionner ne rétablit que la dernière sélection. Par conséquent, ne vous attendez pas à pouvoir resélectionner une sélection créée mardi dernier ou même cinq minutes auparavant, si entre-temps vous avez réalisé d'autres sélections. Pour conserver et réutiliser une sélection, il vous faut l'enregistrer, comme l'explique la section « Mémorisez et récupérez des sélections », plus loin dans ce chapitre.

## Intervertir une sélection

Il est parfois plus simple de sélectionner la zone superflue que celle qui vous intéresse. Par exemple, si vous essayez de sélectionner une personne sur une photo, il peut être plus facile de cliquer sur l'arrière-plan avec la Baguette magique et d'inverser la sélection en choisissant Sélection/Intervertir.

## Définissez un contour progressif

La section « Définissez les paramètres de sélection », précédemment dans ce chapitre, explique comment adoucir le contour d'une sélection avec les outils Lasso et Rectangle de sélection (à l'aide de l'option Contour progressif). Avec cette méthode, vous devez définir la valeur du Contour progressif *avant* de créer la sélection. Sachez maintenant qu'il existe un moyen d'appliquer un contour progressif *après* avoir tracé la sélection.

Choisissez Sélection/Contour progressif et tapez la distance sur laquelle appliquer l'effet, entre 0,2 et 250 pixels. Le contour de votre sélection est alors estompé.

Cette méthode est préférable, car plus flexible. Servez-vous des méthodes décrites précédemment pour créer et améliorer une sélection. Adoucissez ensuite le contour *via* le menu Sélection. Quand vous voulez modifier une sélection avec un contour adouci à l'origine, l'effet du contour progressif peut devenir gênant. En effet, si vous tracez une sélection avec un contour progressif, le contour s'élargit du nombre de pixels défini pour l'effet d'estompage. Il en résulte une sélection au contour moins précis, et il est plus difficile de la modifier.

## Améliorez le contour d'une sélection

La commande Améliorer le contour permet de retoucher le contour d'une sélection après coup. Cette commande se trouve parmi les options des outils Baguette magique, Lasso, Lasso magnétique, Sélection rapide et Améliorer la forme de sélection. Vous la retrouvez également dans le menu Sélection. Voici un aperçu des différents paramètres à régler dans la boîte de dialogue illustrée par la Figure 11.15 :

- **Affichage :** sélectionnez une vignette dans le menu pour choisir la manière de représenter la sélection. Si besoin, survolez chacune des vignettes pour voir une description en infobulle. Le mode Sélection active affiche le contour de sélection. Incrustation ajoute un voile rouge sur la portion non sélectionnée.

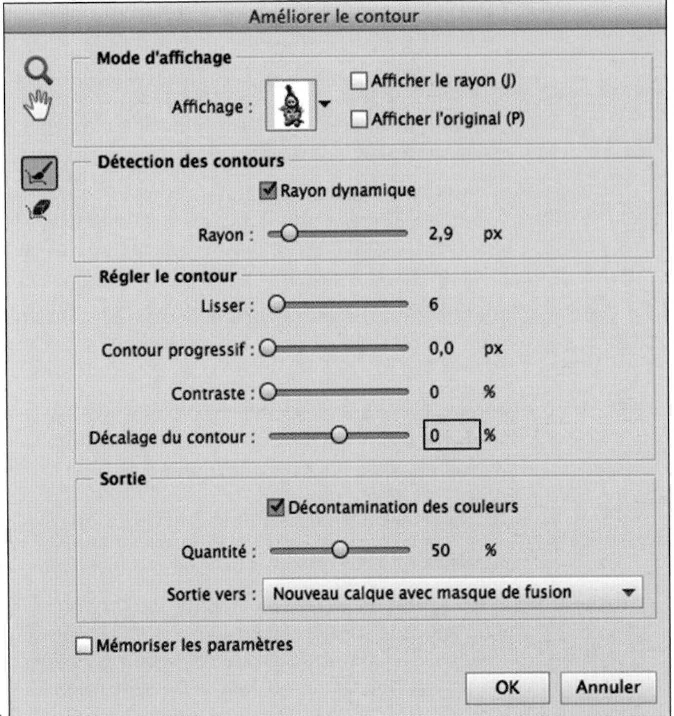


**Figure 11.15 :** Améliorez le contour pour une sélection plus précise avec des bords plus ou moins estompés.

Sur noir, Sur blanc et Sur calques présentent la portion sélectionnée sur un fond noir, blanc ou transparent. Noir et blanc représente la sélection par une zone blanche sur fond noir. Le dernier mode, Afficher le calque, affiche l'image sans contour de sélection. L'option Afficher le rayon présente la zone d'amélioration définie par le rayon. L'option Afficher l'original présente le contenu de la sélection à l'intérieur de la zone du rayon.

- **Rayon dynamique :** cochez cette option pour laisser Elements régler la plage de pixels sur laquelle agir selon que les bords sont plus ou moins nets. Si les bords de la sélection sont uniformément nets ou flous, ne cochez pas cette option afin de conserver un plus grand contrôle sur l'application du paramètre Rayon.

- **Rayon :** définissez la plage de pixels en bordure sur laquelle agir pour améliorer le contour de la sélection. Choisissez une valeur élevée pour agir sur des zones avec des transitions subtiles ou contenant beaucoup de détails. Déplacez le curseur en observant votre image pour trouver le bon réglage

- **Lisser :** réduit l'effet dentelé sur le pourtour de la sélection.
- **Contour progressif :** déplacez le curseur pour adoucir le contour, le rendre flou par effet de transparence.
- **Contraste :** supprime des défauts et renforce la netteté des contours flous en bordure si vous définissez une valeur élevée. Essayez d'abord l'option Rayon dynamique, plus efficace, avant d'augmenter le paramètre Contraste.
- **Décalage du contour :** réduit ou augmente la surface sélectionnée. Une faible contraction du contour de sélection aide à éliminer la frange (pixels indésirables en bordure).
- **Décontamination des couleurs :** remplace la frange avec les couleurs de la sélection. Comme cette option agit sur les pixels du calque, vous devrez choisir Nouveau calque ou Nouveau document pour l'option Sortie vers. Pour voir l'effet de la décontamination, choisissez le mode d'affichage Sur calque.
- **Quantité :** définit l'étendue de la décontamination.
- **Sortie vers :** choisissez d'obtenir le résultat des réglages sur une sélection dans le calque actif, sur un masque de fusion, un calque, un calque avec masque de fusion, un nouveau document ou un nouveau document avec masque de fusion.
- **Outil Amélioration du contour :** activez le pinceau à gauche et passez-le autour du contour pour préciser la zone à améliorer. Pour voir quelle zone est incluse ou exclue, choisissez le mode d'affichage Sélection active. Réglez le diamètre de l'outil à l'aide du curseur Taille dans la zone Options d'outil en bas.
- **Outil Effacement des améliorations :** utilisez cette gomme, également disponible à gauche, pour éliminer les améliorations apportées par le pinceau d'amélioration du contour.
- **Outil Zoom :** permet de grossir l'affichage pour vérifier l'effet des paramètres.
- **Outil Main :** sert à déplacer l'image dans la fenêtre pour visualiser l'effet des paramètres.

## Exploitez les commandes Modifier

Les commandes du sous-menu Modifier sont d'une utilité marginale mais non négligeable. En voici un tour d'horizon :

- **Cadre :** transforme le contour en une bande sélectionnée d'une largeur de 1 à 200 pixels. Vous pouvez ensuite choisir Édition/Remplir la sélection pour colorer cette bordure.
- **Lisser :** lisse les contours dentelés. Saisissez une valeur comprise entre 1 et 100 pixels. Elements inclut ou exclut les pixels du pourtour de la sélection en fonction de la valeur définie. Commencez avec une valeur faible comme 1, 2 ou 3 pixels. Autrement, vous risquez de dégrader la sélection, qui perd alors en précision.
- **Dilater :** augmente la taille de la sélection en ajoutant au pourtour le nombre de pixels spécifié, entre 1 et 100. Cette commande est très utile lorsque vous êtes très proche du bord d'une sélection et que vous voulez juste l'agrandir un peu.
- **Contracter :** réduit la sélection en retirant au pourtour le nombre de pixels spécifié, entre 1 et 100. Pour les collages, il est souvent judicieux de contracter légèrement la sélection avant de lui appliquer un contour progressif. De cette manière, vous évitez l'intrusion de pixels issus de l'arrière-plan en pourtour de la sélection.

## Appliquez les commandes Étendre et Généraliser

Les commandes Étendre et Généraliser s'emploient souvent de concert avec l'outil Baguette magique. Si vous avez défini la sélection avec la Baguette magique, mais que vous n'êtes pas pleinement satisfait, essayez la commande Sélection/Étendre. Elle agrandit la sélection en y ajoutant les pixels adjacents compris dans la plage de tolérance. La commande Généraliser est identique, sauf qu'elle ajoute tous les pixels de couleur similaire, en respect du degré de tolérance, même s'ils ne sont pas adjacents à la sélection.

Ces commandes ne possèdent pas leur propre option de tolérance. Elles exploitent la valeur Tolérance actuellement définie dans les options d'outil de la Baguette magique. En réglant le paramètre Tolérance, vous inclurez plus ou moins de couleurs.

## Mémorisez et récupérez des sélections

Si une sélection complexe a nécessité beaucoup d'efforts et de temps, il peut être judicieux de l'enregistrer pour une utilisation ultérieure. Cet enregistrement est non seulement possible, mais également fortement conseillé. C'est très simple. Voici comment procéder :

1. **Une fois la sélection terminée, choisissez Sélection/Mémoriser la sélection.**

2. **Dans la boîte de dialogue Mémoriser la sélection, illustrée par la Figure 11.16, laissez l'option Sélection définie à Nouvelle et tapez le nom de votre sélection.**

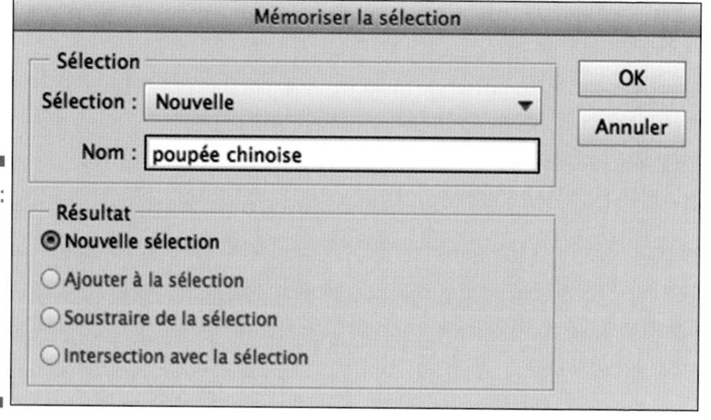


**Figure 11.16 :** Enregistrez votre sélection pour la récupérer rapidement en cas de besoin.

L'option Nouvelle sélection est définie automatiquement.

3. **Cliquez sur OK.**

4. **Pour retrouver ultérieurement la sélection, choisissez Sélection/Récupérer la sélection, puis sélectionnez un nom dans la liste déroulante Sélection.**

# 12

# Retouchez vos images en toute simplicité

***Dans ce chapitre :***

- Recadrez, redressez et recomposez vos images.
- Effectuez des corrections automatiques.
- Retouchez des images en mode Rapide.
- Corrigez les petites imperfections.

La retouche rapide est l'une des fonctionnalités les plus appréciables et pratiques d'Elements. En effet, que vous soyez photographe professionnel ou amateur, vous avez souvent affaire à des images qu'il faut recadrer pour supprimer l'arrière-plan superflu, dont il faut améliorer la luminosité ou les couleurs, ou supprimer de petites imperfections. Grâce aux outils de correction d'Elements, un clic ou quelques coups de pinceau suffisent pour accomplir toutes ces tâches incontournables.

## Recadrez et redressez des images

Le recadrage est l'une des tâches les plus simples que vous puissiez effectuer pour améliorer la composition d'une photo. En éliminant une partie superflue de l'arrière-plan autour du sujet, vous attirez davantage l'attention sur l'élément central. Un autre défaut courant dans les photos d'amateur est la ligne d'horizon inclinée. Aucun problème, Elements vous propose plusieurs manières de redresser vos images. Après votre prochaine séance photo, lancez l'Éditeur d'Elements pour recadrer et redresser vos images avant de les partager.

## Recadrez avec l'outil Recadrage

La manière la plus courante de recadrer une photo consiste à employer l'outil Recadrage. Simple et rapide, il fait tout le travail. Voici comment l'utiliser :

1. **En mode Expert ou Rapide, activez l'outil Recadrage dans la palette d'outils.**

   Vous pouvez aussi appuyer sur la touche C. L'icône de l'outil Recadrage est formée de deux équerres en vis-à-vis. Pour une description détaillée du mode Rapide, reportez-vous à la section « Retouchez en mode Rapide », plus loin dans ce chapitre.

2. **Si vous le souhaitez, sélectionnez l'une des suggestions de recadrage fournies par Elements. Survolez avec la souris chacune des vignettes de suggestion pour voir leur effet sur l'image. Si aucune des suggestions ne vous convient, passez à l'Étape 3.**

3. **Définissez les options relatives aux proportions et à la résolution sous la fenêtre du document.**

   Voici les possibilités :

   - *Aucune restriction :* vous permet de recadrer manuellement l'image.
   - *Utiliser le rapport photo :* recadre avec les proportions d'origine de la photo.
   - *Tailles prédéfinies :* propose plusieurs tailles de photos courantes, exprimées en pouces. Après le recadrage, l'image adopte ces dimensions précises.

   Lorsque vous recadrez une image à une taille précise, Elements ne modifie pas la résolution du fichier (sauf indication contraire de votre part). Par conséquent, pour conserver les dimensions de l'image lorsque vous en supprimez des portions, Elements doit rééchantillonner le fichier, c'est-à-dire recréer des pixels. La résolution doit donc être suffisante pour que les effets du rééchantillonnage ne se remarquent pas. Faites particulièrement attention à ce phénomène si vous choisissez une taille prédéfinie plus grande que l'image d'origine.

- *L. et H. :* spécifiez la largeur et la hauteur de l'image recadrée.
- *Résolution* : indiquez la résolution de l'image après recadrage. Si possible, évitez de rééchantillonner vos photos.
- *Pixels/po ou Pixels/cm :* choisissez l'unité de mesure souhaitée.
- *Incrustation de grille* : cette fonction fournit une aide supplémentaire en affichant des repères sur l'image. Vous avez le choix parmi trois options Sans, Règle tiers et Grille.
- *Grille :* affiche un quadrillage composé de lignes horizontales et verticales.
- *Règle tiers :* la règle des tiers est un principe photographique qui suggère de placer les points d'intérêt de l'image aux points d'intersection de la grille composée de deux lignes verticales et deux lignes horizontales, comme à la Figure 12.1.

4. **Faites glisser le pointeur à travers la partie de l'image à conserver et relâchez le bouton de la souris.**

   Un cadre de recadrage apparaît dans l'image. S'il n'est pas absolument parfait, ne vous inquiétez pas. Vous pourrez le modifier à l'Étape 5.

   La zone située en dehors du cadre de recadrage (appelée voile de protection) devient plus sombre que l'intérieur du cadre. Ainsi, vous visualisez mieux ce qui va rester après recadrage (voir Figure 12.1). Si vous voulez modifier la couleur et l'opacité du voile, ou simplement le masquer, changez les préférences de recadrage en choisissant Édition/Préférences/Affichage et pointeurs sous Windows ou Adobe Photoshop Elements Editor/ Préférences/Affichage et pointeurs sous Mac.

5. **Ajustez le cadre de recadrage par glissement des poignées.**

   Pour déplacer le cadre, placez le pointeur à l'intérieur et faites-le glisser lorsqu'il se transforme en pointe de flèche noire.

   Quand vous placez la souris hors du cadre, le pointeur devient une flèche incurvée. Faites-le glisser pour faire pivoter le cadre. Cette manipulation permet de faire pivoter et de recadrer simultanément l'image, ce qui est parfait pour redresser une photo prise de travers. Sachez que la rotation a pour effet de rééchantillonner l'image, sauf s'il s'agit d'une rotation à 90° ou 180°.

**Figure 12.1 :** L'affichage du voile et des repères Règle tiers facilitent le recadrage.

6. **Double-cliquez à l'intérieur du cadre de recadrage.**

   Vous pouvez également appuyer sur Entrée ou cliquer sur la coche de validation sous le cadre. Elements supprime la portion hors du cadre. Pour annuler le recadrage, cliquez sur l'icône d'annulation ou appuyez sur Échap.

Si vous travaillez dans l'Organiseur, cliquez sur le bouton Retoucher dans l'angle inférieur droit de la fenêtre. Parmi les outils de retouche rapide, vous trouverez l'icône Recadrer.

## Recadrez une image avec un contour de sélection

En mode Expert ou Rapide, la commande Image/Recadrer permet également de recadrer une image mais à partir d'une sélection. Par conséquent, commencez par tracer une sélection à l'aide d'un outil de sélection, puis exécutez cette commande. Cette technique fonctionne avec n'importe quel contour de sélection. Cela signifie que votre sélection ne doit pas nécessairement être rectangulaire. Elle peut être ronde ou de forme libre. L'image recadrée ne va pas prendre cette forme, mais Elements va la recadrer en la rapprochant au plus près du contour de sélection.

## Redressez des photos

Il n'est pas rare de voir des photos de paysages où la ligne d'horizon semble de travers. Le cas se produit également lorsque vous numérisez une photo et que vous ne l'avez pas correctement alignée sur le plateau. Rien de grave. Avec Elements, il est facile de redresser une image.

### Appliquez l'outil Redressement

L'outil Redressement permet de spécifier un nouveau bord à l'équerre, puis il fait pivoter l'image selon cette ligne de référence. Voici comment procéder :

1. **En mode Expert, activez l'outil Redressement dans la palette d'outils ou appuyez sur la touche P.**
2. **Définissez les options de l'outil.**

   Voici les possibilités :

   - *Agrandissement ou réduction :* fait pivoter l'image et augmente ou réduit la taille du document pour l'adapter à la zone de l'image.
   - *Supprimer l'arrière-plan :* découpe ce qui dépasse de la zone de l'image. Cette option est utile pour supprimer la bande blanche autour d'une ancienne photo que vous avez numérisée.
   - *Taille originale :* produit une image pivotée ayant les mêmes dimensions que l'image originale.

Si vous choisissez Agrandissement ou réduction ou Taille originale, vous pouvez cocher l'option Remplir automatiquement les contours. Ainsi, les espaces vides généralement créés par le redressement de l'image seront automatiquement comblés par l'algorithme du contenu pris en compte d'Adobe. Sachez enfin qu'il est possible de redresser verticalement une image en maintenant la touche Ctrl (z) enfoncée pendant que vous faites glisser l'outil sur un des bords verticaux de votre image.

3. **(Facultatif) Cochez Rotation de tous les calques.**

   Si l'image comporte plusieurs calques et que vous voulez tous les faire pivoter, cochez cette option.

4. **Tracez un trait le long de la ligne d'horizon inclinée dans la photo.**

   Elements redresse l'image et la recadre si vous avez choisi l'une des options de recadrage à l'Étape 2.

### Utilisez les commandes Redresser

Outre l'outil Redressement, il existe deux commandes du menu Image qui permettent de redresser les images en mode Expert ou Rapide.

- **Pour redresser automatiquement une image sans la recadrer :** choisissez Image/Rotation/Redresser l'image. Par cette méthode, le redressement laisse des zones blanches en bordure.
- **Pour redresser et recadrer automatiquement l'image :** choisissez Image/Rotation/Redresser et rogner l'image.

## Recomposez des photos

L'outil Recomposition permet à la fois de changer les dimensions et la composition d'une photo en conservant les sujets principaux. Vous l'utiliserez, par exemple, quand vous voudrez rapprocher les sujets et obtenir une image plus carrée que rectangulaire. Voici le mode d'emploi de cet outil :

1. **En mode Expert, activez l'outil Recomposition dans la palette d'outils.**

   Vous pouvez aussi appuyer sur W. L'icône de l'outil est un carré orné d'une roue dentelée.

2. **Dans les options d'outil, activez l'outil Marquer pour protection (pinceau orné d'un signe plus) et passez le pointeur sur les zones à conserver.**

   Vous pouvez changer le diamètre de l'outil à l'aide du curseur Taille. Vous effacerez les éventuels débordements en activant l'outil Effacer les zones en surbrillance marquées pour protection (gomme ornée d'un signe plus).

3. **Avec l'outil Marquer pour suppression (pinceau orné d'un signe moins), passez le pointeur sur les zones à éliminer de la photo (voir Figure 12.2).**

**Figure 12.2 :** Marquez les zones à conserver et à éliminer.

   Vous pouvez changer le diamètre de l'outil à l'aide du curseur Taille. Vous effacerez les éventuels débordements en activant l'outil Effacer les zones en surbrillance marquées pour suppression (gomme ornée d'un signe moins).

4. **Spécifiez les autres options.**

   Vous disposez des paramètres suivants :

   - *Seuil :* le curseur définit l'ampleur de la recomposition. 100 % recompose entièrement l'image. Faites des essais pour obtenir le résultat souhaité.
   - *Tailles prédéfinies :* sélectionnez une taille ou des proportions prédéfinies pour l'image recomposée. Avec l'option Aucune restriction, vous avez le champ libre.

- *Largeur et Hauteur :* spécifiez éventuellement des dimensions précises.
- *Mise en surbrillance de la coloration de peau (icône d'une personne) :* cliquez sur ce bouton pour éviter de dénaturer la carnation des sujets quand la photo est redimensionnée.

5. **Faites glisser l'une des poignées pour redimensionner l'image.**

Dans l'exemple de la Figure 12.3, nous rapprochons les cyclistes.

Figure 12.3 : Recomposez votre photo à la taille et aux proportions voulues sans perdre son contenu vital.

6. **Cliquez sur la coche de validation si la recomposition vous convient.**

# Appliquez des corrections automatiques

Elements possède sept commandes de retouche automatique pour corriger la luminosité, le contraste et la couleur afin d'améliorer l'apparence de vos images d'un simple clic. Ces commandes sont disponibles en modes Expert et Rapide et se trouvent toutes dans le menu Réglages. Pour en savoir plus sur la retouche rapide, reportez-vous à la section « Retouchez en mode Rapide », plus loin dans ce chapitre.

L'avantage des corrections automatiques est leur simplicité d'emploi. Vous n'avez pas besoin de savoir quoi que ce soit sur la couleur ou le contraste pour retoucher vos photos. En contrepartie, le résultat obtenu n'est pas toujours aussi bon que celui d'une correction manuelle. Il arrive même que l'effet de ces commandes soit négatif et qu'elles produisent des couleurs bizarres. Mais comme elles s'emploient facilement et rapidement, n'hésitez pas à les tester sur vos images. Il n'est généralement pas nécessaire d'appliquer plusieurs corrections automatiques. Si l'une d'elles n'a pas l'effet escompté, annulez la modification et essayez-en une autre.

## *Réglage optimisé et automatique des tons*

Cette fonction sert à régler les valeurs tonales de votre image.

Voici comment l'appliquer :

1. **Ouvrez une photo en mode Expert ou Rapide, puis choisissez Réglages/Réglage optimisé et automatique des tons.**

   Elements applique une correction par défaut.

2. **Affinez cette retouche automatique à l'aide du pointeur de la souris.**

   Les aperçus illustrés à la Figure 12.4 montrent l'apparence que va prendre la photo si vous déplacez le pointeur dans l'une des quatre directions.

**Figure 12.4 :** Corriger rapidement les valeurs tonales.

Placez le bouton en position Avant et Après afin d'apprécier l'impact du réglage sur la photo.

3. **Dans le menu d'options situé dans l'angle inférieur gauche de la fenêtre de correction, choisissez Garder cette correction en mémoire.**

   Cette option permet à Photoshop Elements de mémoriser la correction et de proposer le même réglage pour la prochaine photo que vous voudrez corriger avec cette fonction. Plus vous corrigerez de photos avec cette fonction et plus elle deviendra précise. En effet, ses algorithmes sont capables d'analyser la tonalité des images et de proposer la correction correspondant à votre sens esthétique.

   Si les corrections proposées deviennent incohérentes, cliquez sur Édition/Préférences/Général (Adobe Photoshop Elements Editor/Préférences), et cliquez sur le bouton Réinitialiser le réglage optimisé et automatique des tons en mémoire.

4. **Dès que vous êtes satisfait des réglages, cliquez sur le bouton OK.**

   Pour revenir à l'image d'origine, cliquez sur le bouton Réinitialiser.

## Retouche optimisée automatique

Cette commande tout-en-un est censée tout régler. Elle améliore la luminosité, les détails des tons clairs et foncés et corrige la balance des couleurs, comme le montre la Figure 12.5. L'image surexposée de gauche a été améliorée *via* la commande Retouche optimisée automatique.

Les commandes Retouche optimisée automatique, Couleur automatique, Niveaux automatiques, Contraste automatique, Netteté automatique et Correction automatique des yeux rouges sont aussi disponibles dans l'Organiseur (dans le panneau Options de retouche des photos), où vous pouvez les appliquer simultanément à toutes les images sélectionnées.

Si vous trouvez la commande Retouche optimisée automatique un peu trop « automatique », libre à vous d'adapter son effet en essayant la commande Régler la retouche optimisée du menu Réglages. Il s'agit de la même commande, à la différence qu'elle propose un curseur qui vous permet de définir l'intensité de la correction à appliquer à l'image.

**Figure 12.5 :** Si vous êtes pressé, appliquez la commande Retouche optimisée automatique pour améliorer l'image d'un seul clic.

## *Niveaux automatiques*

La commande Niveaux automatiques améliore le contraste global de l'image. Le résultat obtenu est meilleur avec les images dont le contraste est suffisamment marqué au départ (gamme régulière de tons et de détails dans les zones foncées, claires et moyennes) et nécessite juste un petit réglage. Niveaux automatiques augmente les contrastes en convertissant les pixels les plus clairs et les plus foncés de l'image en blanc et en noir, ce qui a pour effet d'éclaircir les tons clairs et d'assombrir les tons foncés, comme le montre la Figure 12.6.

**Figure 12.6 :** Niveaux automatiques règle le contraste global de l'image.

La commande Niveaux automatiques améliore le contraste, mais il arrive qu'elle produise une dominante couleur indésirable (voile de couleur). Dans ce cas, annulez la commande et essayez Contraste automatique. Si cette dernière n'améliore pas le contraste, vous ferez le réglage vous-même dans la boîte de dialogue Niveaux.

## Contraste automatique

La commande Contraste automatique est conçue pour régler le contraste global d'une image sans toucher à la couleur. Elle n'améliore peut-être pas aussi bien le contraste que la commande Niveaux automatiques, mais elle est plus efficace pour préserver la balance des couleurs de l'image. De plus, elle ne produit pas de dominante couleur. Elle fonctionne parfaitement sur les images brumeuses, comme celle de la Figure 12.7.

**Figure 12.7 :** La commande Contraste automatique est très efficace sur les photos brumeuses.

## Correction colorimétrique automatique

La commande Correction colorimétrique automatique règle la couleur et le contraste d'une image en fonction des tons clairs, moyens et foncés détectés dans l'image et d'un jeu de valeurs par défaut. Ces valeurs déterminent la quantité de pixels noirs et blancs qui sont supprimés des zones les plus foncées et les plus claires de l'image. Cette commande sert généralement à supprimer une dominante couleur ou à régler la balance des couleurs d'une image, comme le montre la Figure 12.8. Elle peut également corriger des couleurs trop ou pas assez saturées.

## Netteté automatique

La mise au point des photos prises avec un appareil photo numérique ou numérisées par un scanner n'est pas toujours parfaite. En renforçant la netteté, vous créez l'illusion d'avoir amélioré la mise au point en accentuant le contraste entre les pixels. Netteté automatique sert à améliorer la mise au point, comme le montre la Figure 12.9, sans l'exagérer. En cas de correction excessive de la netteté, du grain et du bruit apparaissent dans la photo.

**Figure 12.8 :** Appliquez Correction colorimétrique automatique pour supprimer une dominante couleur.

**Figure 12.9 :** Faites appel à Netteté automatique pour améliorer la mise au point.

N'OUBLIEZ PAS

Le renforcement de la netteté est toujours la dernière étape en retouche, après toutes les autres corrections.

## *Correction automatique des yeux rouges*

Comme son nom l'indique, la commande Correction automatique des yeux rouges détecte et supprime automatiquement les yeux rouges dans les photos. Ce phénomène apparaît lorsque le sujet, humain ou animal, regarde directement le flash.

Si, pour une raison quelconque, la commande Correction automatique des yeux rouges ne fonctionnait pas, faites appel à l'outil Retouche des yeux rouges de la palette d'outils. Voici comment supprimer manuellement l'effet yeux rouges :

1. **Dans la palette d'outils, sélectionnez l'outil Retouche des yeux rouges.**

   Vous pouvez également appuyer sur la touche Y.

2. **En conservant les paramètres par défaut, cliquez sur la pupille rouge.**

   L'outil assombrit la pupille, tout en conservant la gamme de couleurs et la texture du reste de l'œil, comme le montre la Figure 12.10.

**Figure 12.10 :** La commande Correction automatique des yeux rouges et l'outil Retouche des yeux rouges détectent et suppriment les pupilles flamboyantes.

3. **Si la retouche ne vous convient pas, définissez les options appropriées :**

   • *Rayon de la pupille :* changez la valeur pour adapter le diamètre de l'outil à celui de la pupille.

   • *Obscurcir :* changez la valeur pour assombrir ou éclaircir la couleur de la pupille.

Les yeux des animaux peuvent devenir jaunes, verts ou bleus en réaction au flash. Elements fournit une option spéciale, nommée Yeux d'animaux, dans les options de l'outil Retouche des yeux rouges. Si cette option ne donne pas satisfaction, il ne vous reste plus qu'à essayer l'outil Remplacement de couleur selon les instructions de la section « Remplacez une couleur » à la fin de ce chapitre.

# Retouchez en mode Rapide

Le mode Rapide est une version allégée du mode Expert, qui fournit les outils de retouche de base avec en plus l'aperçu Avant et Après de votre image.

Voici comment se déroulent les corrections en mode Rapide :

1. **Sélectionnez une ou plusieurs photos dans l'Organiseur, cliquez sur Éditeur au bas de la fenêtre, puis cliquez sur le bouton Rapide en haut de la fenêtre.**

   Sinon, si vous êtes déjà dans l'Éditeur en mode Expert, activez l'image dans la corbeille des photos et cliquez sur le bouton Rapide.

   Si nécessaire, ouvrez des images en cliquant directement sur le bouton Ouvrir et en sélectionnant les fichiers dans vos dossiers.

2. **Choisissez le mode d'affichage dans le menu Affichage au-dessus de la fenêtre d'image.**

   Choisissez d'afficher uniquement l'image d'origine (Avant seulement), l'image retouchée (Après seulement) ou les deux côte à côte en portrait ou en paysage (Avant et après – Vertical/ Horizontal), comme le montre la Figure 12.11.

3. **Servez-vous des outils Zoom et Main pour agrandir et parcourir l'image.**

Figure 12.11 : Le mode Rapide offre des aperçus Avant et Après de votre image.

Pour spécifier le pourcentage de zoom, utilisez le curseur Zoom en haut à droite du menu Affichage.

4. **Choisissez la taille d'affichage dans les options de l'outil Main : 1:1 (Taille réelle des pixels), Adapter à l'écran (qui remplit tout l'espace vertical), Plein écran (qui remplit tout l'espace horizontal) ou Taille d'impression.**

   L'outil Zoom propose aussi un curseur Zoom dans ses options.

5. **Recadrez l'image à l'aide de l'outil Recadrage de la palette d'outils.**

   Vous pouvez aussi faire appel à l'une des méthodes étudiées à la section « Recadrez et redressez des images », précédemment dans ce chapitre, à l'exception de l'outil Redressement, exclusivement disponible en mode Expert.

6. **Pour faire pivoter l'image de 90°, cliquez sur le bouton Rotation vers la gauche au bas de la fenêtre. Pour faire pivoter dans l'autre sens, cliquez sur la flèche du bouton Rotation et cliquez sur le deuxième bouton de rotation qui apparaît.**

7. **Appliquez les corrections automatiques nécessaires (Retouche optimisée, Niveaux, Contraste ou Couleur).**

   Toutes ces commandes sont accessibles dans le menu Réglages et par un bouton Auto dans les sections Retouche optimisée, Éclairage et Couleur du volet droit.

   L'effet de ces commandes est décrit en détail à la section « Appliquez des corrections automatiques », précédemment dans ce chapitre. N'oubliez pas que, généralement, une seule correction suffit. Ne les additionnez pas. Si la correction n'a pas l'effet escompté, cliquez sur le bouton Rétablir dans l'angle supérieur droit du volet Réglages et essayez un autre réglage. Si vous n'êtes pas satisfait, rendez-vous à l'Étape 8. Sinon, passez directement à l'Étape 9.

8. **Si les corrections automatiques ne sont pas satisfaisantes, apportez-leur des modifications en agissant sur les curseurs disponibles dans les sections Retouche optimisée, Exposition, Niveaux, Couleur et Balance du volet droit.**

   En plaçant le pointeur de la souris sur une vignette illustrant un réglage, vous bénéficiez d'un aperçu de son impact dans la version Après de la retouche Rapide. Le curseur se déplace automatiquement pour chaque réglage prédéfini.

   Voici une brève description des réglages disponibles :

- *Exposition :* règle la luminosité globale de l'image. Déplacez le curseur vers la gauche pour assombrir et vers la droite pour éclaircir. Les valeurs proposées sont étalonnées en valeurs d'ouverture de diaphragme, de –4 à 4.
- *Tons foncés :* déplacez le curseur vers la droite pour éclaircir les tons foncés de l'image sans toucher aux tons clairs.
- *Tons moyens :* règle la luminosité des valeurs moyennes sans affecter les tons clairs et foncés.
- *Tons clairs :* déplacez le curseur vers la droite pour assombrir les tons clairs de l'image sans toucher aux tons foncés.
- *Saturation :* règle l'intensité des couleurs.
- *Teinte :* modifie toutes les couleurs de l'image. Définissez une sélection pour limiter la retouche à certaines portions. Sinon, utilisez ce réglage avec modération.
- *Vibrance* : règle sélectivement les couleurs de l'image en augmentant la saturation des couleurs fades plus que celles des zones déjà saturées. Cette commande évite la saturation excessive et préserve les teintes naturelles de la peau. Déplacez le curseur vers la droite pour augmenter la saturation. Les valeurs se définissent entre –100 et +100.
- *Température :* rend les couleurs plus chaudes (rouges) ou plus froides (bleues.) Ce réglage permet de corriger les couleurs de peau ou les images trop froides, comme un paysage enneigé, ou trop chaudes, comme un coucher de soleil.
- *Teinte :* s'utilise après le réglage de la température pour ajouter du vert ou du magenta aux couleurs de la photo.

Vous pouvez également appliquer des corrections à des portions sélectionnées dans l'image. Pour ce faire, le mode Rapide donne accès à l'outil Sélection rapide.

9. **Terminez vos corrections à l'aide des outils de la palette d'outils.**

   Voici les outils du mode Rapide :

   - *Retouche des yeux rouges :* cliquez sur le bouton Correction automatique dans les options d'outil pour essayer la correction automatique des yeux rouges. En cas d'échec, utilisez l'outil selon les instructions fournies à la section « Correction automatique des yeux rouges », précédemment dans ce chapitre.

- *Blanchir les dents :* cet outil magique sert à blanchir les dents. Choisissez au préalable le diamètre de l'outil avec le curseur Taille dans les options d'outil. Cliquez sur le bouton Paramètres de forme pour choisir la dureté, le pas, l'arrondi et l'angle de la forme d'outil . Avec un diamètre de forme supérieur aux dents du sujet, vous éclaircissez tout ce que vous touchez – lèvres, menton, etc. Cliquez sur les dents. Cet outil crée une sélection et la blanchit simultanément. Après votre premier clic, l'option Nouvelle sélection devient Ajouter à la sélection. Si vous débordez de la surface des dents, cliquez sur le bouton Soustraire de la sélection et cliquez sur la zone à retirer. Lorsque vous avez terminé, choisissez Sélection/Désélectionner ou appuyez sur Ctrl + D (z + D sous Mac).

- *Correcteur localisé/Correcteur :* ces deux outils sont parfaits pour corriger de petits défauts (Correcteur localisé) ou de gros défauts (Correcteur). L'emploi de ces outils est expliqué plus loin dans les sections « Retouchez l'image à l'aide du Correcteur » et « Éliminez un petit défaut avec le Correcteur localisé ».

10. **(Facultatif) Ajoutez du texte en cliquant dans l'image avec l'outil Texte.**

    Utilisez l'outil Déplacement du mode Rapide pour positionner facilement votre texte sur l'image.

11. **Enfin, réglez la netteté de l'image de manière automatique, en cliquant sur le bouton Auto de la section Plus net du volet Réglages.**

    Vous pouvez également accentuer la netteté de l'image via Réglages/Netteté automatique. Pour un réglage manuel, déplacez le curseur Plus net.

    Cette correction doit toujours être la dernière que vous apportez à votre image.

Le mode Rapide contient des panneaux supplémentaires. Cliquez sur l'icône Effets dans l'angle inférieur droit de l'interface pour accéder à une série de vignettes illustrant différents traitements de l'image, tels que Effets ludiques et Développement croisé. Dans le même ordre d'idées, cliquez sur l'icône Cadres pour appliquer à vos photos des bordures comme Scrapbook ou Bande dessinée. Si vous cliquez sur Textures, vous donnez l'illusion d'un effet de relief comme Peinture craquelée ou Toile. Après quoi, cliquez sur l'icône Réglages pour retrouver les options habituelles du volet droit. Pour appliquer un effet, une texture ou un cadre, il suffit de cliquer sur la vignette correspondante dans le panneau.

# Retouchez de petites imperfections avec les outils

Photoshop Elements fournit une série d'outils utiles pour corriger localement de petites imperfections dans les photos. Le Tampon de duplication recopie de petites portions de l'image. Les outils Correcteur et Correcteur localisé effacent un défaut ; Densité + et Densité – servent à assombrir ou à éclaircir des zones de l'image ; Goutte d'eau et Netteté accentuent localement le flou ou la netteté ; l'Éponge et l'outil Remplacement de couleur agissent sur les couleurs.

## Dupliquez à l'aide du Tampon de duplication

Vous avez la possibilité de dupliquer des portions d'une photo dans Elements. L'outil Tampon de duplication prélève des pixels d'une zone et les copie, ou les *duplique*, ailleurs. Par rapport à une sélection copiée et collée, la duplication conserve mieux les contours estompés des éléments, tels que les ombres, comme le montre la Figure 12.12.

**Figure 12.12 :** L'outil Tampon de duplication permet de dupliquer de manière réaliste les éléments dont le contour est estompé, comme les ombres.

Le potentiel de cet outil ne s'arrête pas là. Il sert également à masquer des défauts comme des rayures, l'horodatage ajouté par l'appareil photo et tout autre élément indésirable. Les outils Correcteur (étudiés à la section suivante) ont quelque peu détrôné le Tampon de duplication pour les retouches locales, mais le Tampon reste utile en certaines circonstances.

Voici comment utiliser l'outil Tampon de duplication :

1. **Dans la palette d'outils du mode Expert, activez l'outil Tampon de duplication.**

   Son icône représente un tampon encreur.

2. **Dans les options d'outil, choisissez une forme dans la palette de formes prédéfinies. Si besoin, définissez son diamètre à l'aide du curseur Taille.**

   Choisissez le diamètre de la forme en fonction de ce que vous allez dupliquer ou retoucher. Si vous dupliquez un objet de grande taille, définissez une grande taille. Pour réparer de petits défauts, choisissez une forme de taille réduite. Les retouches sont plus naturelles avec une forme douce, au contour estompé.

3. **Définissez les options Mode et Opacité.**

   Pour une retouche plus subtile ou une duplication semi-opaque, tapez un pourcentage d'opacité inférieur à 100 %.

4. **Cochez ou désactivez l'option Aligné.**

   Si Aligné est activé, la zone de prélèvement se déplace avec le pointeur. Si vous voulez recopier partout les pixels du point de prélèvement initial, ne cochez pas l'option Aligné.

5. **Cochez ou désactivez l'option Éch. tous calques.**

   Avec cette option, vous pouvez prélever les pixels de tous les calques visibles. Si elle n'est pas cochée, l'outil ne duplique qu'à partir du calque actif.

6. **Cliquez sur le bouton Incrustation de clone si vous voulez afficher l'incrustation.**

   Avec l'incrustation, l'outil affiche en transparence un aperçu de ce qui va être dupliqué. Cet aperçu vous aide à aligner la portion recopiée. Dans la boîte de dialogue Incrustation de clone, cochez l'option Afficher l'incrustation et réglez l'opacité de l'aperçu. Si vous cochez Masquage automatique, l'incrustation n'apparaît pas pendant que vous faites glisser l'outil, mais seulement quand vous relâchez la souris Avec l'option Écrêtage, l'aperçu est visible seulement dans le diamètre de la forme d'outil. Cette solution est pratique pour contrôler précisément l'action de l'outil. L'option Inverser l'incrustation inverse les couleurs et la tonalité de l'incrustation.

7. **En appuyant sur Alt (Option sous Mac), cliquez dans l'image sur la portion à dupliquer pour définir la source de prélèvement.**

8. **Cliquez ou faites glisser le pointeur sur la zone où faire apparaître la portion dupliquée.**

   Pendant que vous déplacez le pointeur de l'outil, une icône de croix suit votre mouvement. La croix survole la portion que vous êtes en train de dupliquer ; le pointeur de l'outil, quant à lui, se trouve à l'endroit où les pixels sont recopiés. La croix suit le déplacement de la souris et vous indique sur quelle zone de l'image se fait le prélèvement. Surveillez sa position pour éviter de dupliquer des portions indésirables.

9. **Répétez les Étapes 7 et 8 jusqu'au clonage complet de l'élément.**

Pour dupliquer un élément lorsque l'option Aligné est active, évitez de soulever la souris pour repositionner le pointeur. Par ailleurs, tâchez d'avoir la main légère pour masquer un petit défaut. Un ou deux clics devraient suffire. Les retouches excessives avec le Tampon de duplication sont faciles à déceler, parce qu'elles génèrent des taches et traînées dans l'image.

## Retouchez l'image à l'aide du Correcteur

L'outil Correcteur ressemble au Tampon de duplication dans la mesure où il duplique des pixels d'une zone vers une autre. En revanche, le Correcteur est plus perfectionné, car il prend en compte la tonalité (tons clairs, foncés et moyens) de la zone à retoucher. Il récupère la *texture* de la zone prélevée (*source*), puis reprend les *couleurs* autour du pointeur pendant que vous le déplacez sur la zone à corriger (*destination*). Les tons clairs, moyens et foncés sont préservés, ce qui donne une retouche plus naturelle qu'avec le Tampon de duplication.

Voici comment corriger une photo :

1. **Ouvrez une image nécessitant une retouche et activez l'outil Correcteur dans la palette d'outils du mode Expert.**

   Son icône représente un pansement. Vous pouvez aussi l'activer en appuyant sur la touche J de votre clavier. Chaque pression sur cette touche permet de basculer entre l'outil Correcteur et l'outil Correcteur localisé. Autrement, sélectionnez l'un des outils Correcteur et activez sa variante dans les options d'outils.

Il est possible d'effectuer la correction entre deux images, mais il faut que leur mode de couleur soit identique, par exemple RVB dans les deux cas. La Figure 12.13 présente la photo d'un couple rajeuni grâce à l'outil Correcteur.

**Figure 12.13 :** Rajeunissez vos portraits de dix ans en deux minutes à l'aide de l'outil Correcteur.

2. **Définissez le diamètre de la forme dans les options d'outil.**

   Si besoin, définissez également la dureté, le pas, l'angle et l'arrondi dans les Paramètres de forme. Ajustez la taille de la forme en fonction du défaut à corriger. Le choix du diamètre de la forme est capital pour obtenir une retouche invisible.

3. **Choisissez un mode de fusion.**

   Dans la plupart des cas, il est préférable de conserver le mode Normal. Le mode Remplacer conserve les textures, comme le bruit ou le grain, autour de la zone corrigée.

4. **Choisissez l'une des options Source :**

   - *Échantillon :* prélève des pixels dans l'image. La plupart des corrections se font avec cette option.
   - *Motif :* utilise les pixels du motif choisi dans la palette de motifs.

5. **Cochez ou désactivez l'option Aligné.**

   Dans la majorité des cas, il est conseillé d'activer l'alignement. Voici comment il agit :

   - *Aligné est activé :* lorsque vous cliquez ou déplacez le pointeur de l'outil, une croix apparaît pour signaler le point de prélèvement, ou source. Quand vous interrompez le tracé et reprenez plus loin, l'écart entre le pointeur est la croix reste inchangé.

- *Aligné est désactivé :* l'outil reprend toujours comme source le point de prélèvement initial chaque fois que vous interrompez et reprenez l'opération.

6. **Cochez l'option Éch. tous calques pour prélever sur tous les calques visibles de l'image.**

   Si cette option est désactivée, le prélèvement se fait sur le calque actif uniquement.

Pour avoir la possibilité d'affiner la retouche, cochez Éch. tous calques et ajoutez un calque vide sur l'image à retoucher. La correction se fait sur le nouveau calque et non pas sur celui de la photo, ce qui vous permet ensuite de régler l'opacité et le mode de fusion du calque contenant les corrections.

7. **(Facultatif) Cliquez sur le bouton Incrustation.**

   Voir la section précédente consacrée au Tampon de duplication.

8. **Définissez le point source en cliquant tout en appuyant sur Alt (Option sous Mac).**

   Cliquez sur la zone de l'image à définir comme source de prélèvement. Dans notre exemple, nous avons cliqué sur une zone lisse du front.

9. **Relâchez la touche Alt/Option et cliquez ou faites glisser le pointeur sur la zone à retoucher.**

   Gardez toujours un œil sur la croix, car elle indique la zone source. Nous avons appliqué l'outil sur les rides autour des yeux et de la bouche et sur le front pour les atténuer (voir Figure 12.13). Nos sujets paraissent immédiatement plus jeunes.

## Éliminez un petit défaut avec le Correcteur localisé

Alors que le Correcteur permet de retoucher une grande surface, le Correcteur localisé est idéal pour masquer de petites imperfections, sauf avec l'option Contenu pris en compte décrite à l'Étape 3 des instructions suivantes. Cet outil ne requiert pas de définir la source d'échantillonnage. Il prélève automatiquement un échantillon autour de la zone à retoucher. Vous avez là un outil rapide, simple et souvent efficace. En revanche, vous ne contrôlez pas la zone source, donc surveillez toujours l'opération pour éviter une correction désastreuse.

Voici comment corriger rapidement des petits défauts avec l'outil Correcteur localisé :

1. **Ouvrez une image en mode Expert et activez l'outil Correcteur localisé dans la palette d'outils.**

   Son icône représente un pansement orné d'un demi-cercle en pointillé. Vous pouvez également appuyer sur la touche J de votre clavier pour basculer entre le Correcteur et le Correcteur localisé ou activer la variante dans les options de l'outil Correcteur.

2. **Dans les options d'outil, déroulez la palette de formes prédéfinies et sélectionnez une forme d'outil. Si nécessaire, changez son diamètre à l'aide du curseur Taille.**

   Sélectionnez une forme un peu plus grande que la zone à corriger.

3. **Choisissez le type de correction :**

   - *Similarité des couleurs :* prélève des pixels autour du pointeur pour corriger la zone.
   - *Nouvelle texture :* combine tous les pixels survolés par le pointeur pour créer la texture qui va servir à corriger le défaut.
   - *Contenu pris en compte :* si vous cherchez à éliminer un objet plus imposant qu'un grain de beauté ou une griffure, cette option vous servira à cacher le gros défaut derrière une portion recomposée de l'image. Il est ainsi possible d'éliminer des objets ou des personnes d'une photo, comme le prouve la Figure 12.14 où l'option Contenu pris en compte a permis de faire disparaître le plongeur. Vous pourriez avoir besoin de passer l'outil plusieurs fois sur le défaut pour obtenir l'effet escompté ou de compléter la retouche par l'emploi du Tampon de duplication ou d'autres outils de retouche locale.

Commencez par essayer Similarité des couleurs et, si le résultat ne vous convient pas, annulez et essayez Nouvelle texture ou Contenu pris en compte.

4. **Cochez Éch. tous calques pour prélever sur tous les calques visibles de l'image.**

Si l'option est désactivée, les couleurs sont uniquement prélevées sur le calque actif.

5. **Cliquez ou faites glisser le pointeur sur la zone à retoucher.**

   Dans l'exemple de la Figure 12.14, nous avons passé l'outil sur le plongeur et obtenu une retouche invisible.

**Figure 12.14 :** Servez-vous de l'option Contenu pris en compte pour éliminer les objets ou personnes indésirables dans la photo, comme le plongeur dans cet exemple.

## Repositionnez un élément avec l'outil Déplacement basé sur le contenu

L'outil Déplacement basé sur le contenu permet de sélectionner et de déplacer (couper) une partie de l'image en remplissant cette section avec le contenu environnant. Elements analyse la zone entourant la portion sélectionnée que vous déplacez et remplit l'espace libéré par du contenu approprié.

Voici comment profiter de cet extraordinaire outil :

1. **En mode Expert, ouvrez une image et activez l'outil Déplacement basé sur le contenu.**

   Son icône représente deux flèches en biais. Vous pouvez aussi l'activer en appuyant sur la touche Q.

2. **Choisissez le mode Déplacer ou Étendre.**

   • *Déplacer :* déplace votre sélection à un nouvel emplacement, puis remplit l'espace vide en appliquant les algorithmes de la fonction Contenu pris en compte. Ce mode est idéal lorsque vous déplacez des objets. Il donne de meilleurs résultats lorsque l'arrière-plan du nouvel emplacement de l'objet est similaire à celui où il se situait à l'origine.

   • *Étendre :* Elements étend la zone sélectionnée tout en préservant les lignes et les structures et en fusionnant les éléments dans un objet existant. Cette option est idéale pour augmenter ou réduire le volume de certains éléments comme des cheveux, de la fourrure, des arbres, des bâtiments, *etc.*

   Dans l'exemple de la Figure 12.15, nous avons appliqué le mode Déplacer pour décaler la fillette vers la droite afin d'avoir la place d'ajouter du texte.

3. **Réglez le paramètre Correcteur.**

   Ce paramètre détermine un seuil par lequel Elements va sélectionner les pixels qui couvriront l'espace laissé vide par l'objet déplacé. Faites des tests afin d'obtenir la valeur adaptée à votre image.

   Vous pouvez également cocher la case Échantillonner tous les calques pour que le contenu de tous les calques soit pris en compte lors du remplissage de l'espace vide.

4. **Tracez une sélection autour de la partie de l'image à déplacer ou à étendre.**

   Si vous avez besoin d'affiner la sélection, activez le mode Addition, Soustraction ou Intersection, à gauche dans les options de l'outil. Autrement, appuyez sur Maj pour ajouter à la sélection ou sur Alt (Option sous Mac) pour en retirer une portion.

5. **Faites glisser la sélection pour la déplacer ailleurs dans l'image.**

6. **Retouchez les portions de l'image qui en ont besoin.**

   Utilisez les outils Correcteur et Tampon de duplication pour éliminer les éventuelles discordances autour de l'objet déplacé. Nous avons corrigé quelques endroits autour de la fillette dans l'exemple de la Figure 12.15. Nous avons aussi éliminé avec l'outil Correcteur localisé le spot qui dépassait en haut de la photo.

Figure 12.15 : Recomposez une photo avec l'outil Déplacement basé sur le contenu.

Une autre solution consiste à remplir une zone sélectionnée avec l'option Contenu pris en compte. Tracez une sélection et choisissez Édition/Remplir. Sous Remplir, choisissez Contenu pris en compte dans la liste Avec.

## Éclaircissez et foncez avec Densité + et Densité –

Les outils Densité + et Densité – reproduisent les techniques de correction utilisées dans les chambres noires. Au moment du tirage, on peut corriger les négatifs comportant des zones trop claires ou trop sombres par réduction ou augmentation ciblée de l'exposition. Les outils de correction numérique sont encore plus efficaces, car ils sont plus flexibles et plus précis. En effet, le choix d'une forme d'outil permet de spécifier la taille et la dureté de l'outil Densité. Vous pouvez également cibler la correction sur certaines plages de tonalité : tons foncés, moyens ou clairs. Enfin, vous réglez l'intensité de la correction en spécifiant un pourcentage d'exposition.

N'utilisez ces outils que sur des zones restreintes, comme le visage de la fillette de la Figure 12.16, et avec modération. Si nécessaire, tracez une sélection au préalable pour limiter l'application de l'outil Densité. En outre, n'oubliez pas qu'il est impossible d'ajouter des détails inexistants. Si vous essayez d'éclaircir des ombres contenant peu de détails, vous obtenez juste du gris. De même, si vous foncez des zones trop claires, vous allez obtenir des taches blanchâtres.

Figure 12.16 : Servez-vous des outils Densité + et Densité – pour éclaircir et foncer de petites zones.

Voici comment procéder :

1. **Choisissez l'outil Densité + (pour foncer) ou Densité – (pour éclaircir) dans la palette d'outils du mode Expert.**

   Leurs icônes représentent une spatule ronde et une main formant un O. Appuyez sur la touche O de votre clavier pour activer successivement les outils Densité –, Densité + et Éponge. Vous pourriez aussi activer l'un de ces trois outils et choisir une variante dans les options d'outil.

2. **Dans la palette de formes prédéfinies, sélectionnez une forme et réglez sa taille si nécessaire.**

   Les formes douces de grande taille répartissent l'effet sur une plus grande surface, ce qui produit une retouche plus naturelle.

3. **Dans le menu Gamme, sélectionnez Tons foncés, Tons moyens ou Tons clairs.**

   Choisissez Tons foncés pour foncer ou éclaircir les zones les plus sombres de l'image. Sélectionnez Tons moyens pour régler les zones de tonalité intermédiaire. Choisissez Tons clairs pour agir sur les zones claires.

   Dans l'exemple de la Figure 12.16, nous avons éclairci les ombres.

4. **Déplacez le curseur Exposition pour déterminer le degré de correction à appliquer à chaque passage de l'outil.**

   Commencez avec un faible pourcentage pour contrôler l'intensité de la correction. Ce paramètre correspond à l'opacité que vous définissez pour l'outil Pinceau. Nous l'avons défini à 10 % dans notre exemple.

5. **Passez l'outil sur les zones à éclaircir ou à foncer.**

   Si les résultats ne vous conviennent pas, appuyez sur Ctrl + Z (cmd + Z sous Mac) pour annuler.

## Étalez la couleur au doigt

L'outil Doigt étale la couleur des pixels situés sous le pointeur quand vous commencez à le faire glisser. Le résultat est le même qu'en passant le doigt sur de la peinture fraîche. Cet outil sert à créer différents effets. Utilisé avec abus, il déforme l'image. Avec une application plus subtile, il adoucit les contours des objets de manière plus naturelle que l'outil Goutte d'eau. Vous pouvez également appliquer un effet de peinture à des photos, comme dans la Figure 12.17. Appliquez toutefois cet outil avec modération, car il peut supprimer des détails et causer des ravages.

**Figure 12.17 :** Les déformations générées par l'outil Doigt donnent l'impression que l'image a été peinte.

Voici comment se servir de l'outil Doigt :

1. **Dans la palette d'outils du mode Expert, activez l'outil Doigt.**

Son icône représente une main avec l'index pointé. Appuyez sur la touche R de votre clavier pour activer successivement les outils Doigt, Goutte d'eau et Netteté. Vous pourriez aussi activer l'un de ces trois outils et choisir une variante dans les options d'outil.

2. **Choisissez une forme dans la palette de formes prédéfinies et réglez son diamètre à l'aide du curseur Taille.**

   Sélectionnez une petite forme pour agir sur des zones précises, comme des contours. Les formes plus grandes produisent un effet plus marqué.

3. **Sélectionnez un mode de fusion dans la liste Mode.**

4. **Servez-vous du curseur Intensité ou du champ de texte pour définir l'intensité de l'effet.**

   Plus la valeur est faible, plus l'effet est subtil.

5. **Si l'image comporte plusieurs calques, cochez l'option Échantillonner tous les calques pour utiliser les pixels de tous les calques visibles.**

   L'effet d'étalement n'apparaît que sur le calque actif, mais le résultat diffère selon les couleurs des calques inférieurs.

6. **Cochez l'option Peinture au doigt pour débuter le trait avec la couleur de premier plan.**

   Au lieu d'utiliser la couleur située sous le pointeur, cette option étale la couleur de premier plan au début de chaque trait, puis les couleurs se mélangent. Il est possible d'activer le mode Peinture au doigt en appuyant sur la touche Alt/Option avant de commencer un trait. Relâchez la touche pour revenir au mode Normal.

7. **Faites glisser l'outil sur les zones à étaler.**

   Surveillez le résultat, car cet outil est capable de transformer complètement l'image. Si l'effet ne vous convient pas, appuyez sur Ctrl + Z (cmd + Z sous Mac) pour annuler, puis diminuez le pourcentage Intensité (voir Étape 4) avant de recommencer.

## Ajoutez du flou avec l'outil Goutte d'eau

L'outil Goutte d'eau peut remplir deux objectifs : réparer et créer des effets artistiques. Il peut adoucir un petit défaut ou une partie d'un contour trop net. Ajoutez un peu de flou pour donner une impression de mouvement ou pour concentrer l'attention sur le sujet principal, comme dans la Figure 12.18, où nous avons tout atténué sauf le visage de la jeune fille. L'outil Goutte d'eau diminue le contraste des pixels adjacents dans la zone retouchée.

Son emploi et ses options sont les mêmes que ceux de l'outil Doigt, présenté à la section précédente. Assurez-vous de choisir une petite forme pour appliquer le flou sur une petite surface.

**Figure 12.18 :** L'outil Goutte d'eau ajoute du flou pour attirer l'attention sur le sujet principal.

## Accentuez les détails avec l'outil Netteté

L'outil Netteté produit l'effet opposé de l'outil Goutte d'eau. Il renforce le contraste des pixels adjacents pour donner l'illusion que les détails sont plus nets. Employez-le toutefois avec modération, car vous risquez de créer du grain et du bruit dans vos photos.

Gardez la main légère et concentrez-vous sur des zones restreintes. L'outil Netteté peut servir à retoucher les yeux dans un portrait un peu flou, comme dans la Figure 12.19. Vous pouvez aussi accentuer la netteté d'une zone pour la mettre en évidence par rapport à son arrière-plan plus flou.

Pour appliquer l'outil Netteté, activez-le dans la palette d'outils et suivez les étapes de la section « Ajoutez du flou avec l'outil Goutte d'eau ». Voici en outre quelques conseils relatifs à l'outil Netteté :

Choisissez une faible intensité, de l'ordre de 25 % ou moins.

- Appliquez l'outil plusieurs fois pour accentuer progressivement et éviter l'apparition de grain et de bruit.
- Puisque l'accentuation avec l'outil Netteté augmente le contraste, si vous appliquez d'autres réglages de contraste, comme Niveaux, vous allez renforcer davantage le contraste de la zone retouchée.
- Cochez l'option Protéger les détails pour accentuer les détails en limitant l'apparition de défauts. La correction est plus prononcée lorsque cette option est désactivée.

Pour renforcer la netteté dans toute l'image, choisissez plutôt la commande Réglages/Accentuation ou Réglages/Régler la netteté. Elles offrent davantage d'options et un contrôle plus précis.

**Figure 12.19 :** Réservez l'outil Netteté à de petites zones, comme les yeux.

## Modifiez la saturation avec l'outil Éponge

L'outil Éponge sert à saturer ou désaturer les couleurs. Saturer signifie augmenter l'intensité, ou *saturation*, d'une couleur pour la rendre plus vive. Inversement, la désaturation rend les couleurs plus ternes. Dans le cas d'images en niveaux de gris, l'Éponge agit sur la luminosité des pixels.

À l'instar des outils Goutte d'eau et Netteté, l'Éponge peut servir à diminuer ou augmenter l'impact de certaines zones pour les mettre en retrait ou en évidence.

Voici comment appliquer l'outil Éponge sur une image :

1. **Dans la palette d'outils du mode Expert, activez l'outil Éponge.**

   Son icône représente une éponge. Appuyez sur la touche O pour basculer entre les outils Éponge, Densité + et Densité –. Vous pourriez aussi activer l'un de ces trois outils et choisir une variante dans les options d'outil.

2. **Choisissez une forme dans la palette de formes prédéfinies et réglez sa taille si nécessaire.**

   Choisissez une forme douce de grande taille pour modifier la saturation sur une grande surface.

3. **Dans la liste Mode, choisissez Désaturer ou Saturer pour diminuer ou augmenter respectivement l'intensité des couleurs.**

4. **Spécifiez le pourcentage de Flux à l'aide du curseur ou du champ de texte.**

   Le flux représente la rapidité à laquelle l'outil agit pendant que vous le faites glisser.

5. **Passez l'outil sur les zones dont vous voulez modifier la saturation des couleurs.**

   Dans l'exemple de la Figure 12.20, nous avons utilisé l'Éponge pour attirer l'attention sur l'un des étudiants en désaturant les autres.

## Remplacez une couleur

L'outil Remplacement de couleur remplace la couleur d'origine d'une image par celle de premier plan. Cet outil remplit plusieurs objectifs :

- Coloriser une image en niveaux de gris pour donner l'aspect d'une photo peinte à la main.
- Changer complètement la couleur d'un ou de plusieurs éléments de l'image, comme dans la Figure 12.21 où nous avons utilisé l'outil Remplacement de couleur avec la couleur noire sur les citrouilles en arrière-plan.
- Éliminer l'effet yeux rouges (ou jaunes chez les animaux) si les autres méthodes ne conviennent pas.

**Figure 12.20 :** L'outil Éponge augmente ou diminue l'intensité des couleurs dans la photo.

**Figure 12.21 :** L'outil Remplacement de couleur remplace la couleur de l'image par celle de premier plan.

Cet outil est très performant, car il préserve toutes les tonalités dans l'image. La couleur qui s'applique n'est pas opaque comme celle que vous peignez avec l'outil Pinceau. Lorsque vous remplacez une couleur, les tons moyens, foncés et clairs sont conservés. L'outil Remplacement de couleur prélève d'abord les couleurs d'origine de l'image, puis les remplace par la couleur de premier plan. En spécifiant le mode, les limites et la tolérance, vous contrôlez la plage des couleurs qui seront remplacées.

Pour remplacer une couleur par la couleur de premier plan, procédez comme suit :

1. **Dans la palette d'outils du mode Expert, activez l'outil Remplacement de couleur.**

   Son icône représente un pinceau orné d'un petit carré bleu. Appuyez sur la touche B de votre clavier pour activer successivement les outils Pinceau, Forme impressionniste et Remplacement de couleur. Vous pourriez aussi activer l'un de ces trois outils et choisir une variante dans les options d'outil.

2. **Choisissez une forme d'outil dans la palette de formes prédéfinies et réglez sa taille. Définissez la dureté, le pas, l'arrondi et l'angle de la forme dans les Paramètres de forme.**

3. **Choisissez l'un des modes :**

   - *Couleur :* ce mode par défaut convient dans quasiment tous les cas. Il fonctionne particulièrement bien pour supprimer l'effet yeux rouges.
   - *Teinte :* semblable à Couleur, il est moins intense et produit un effet plus subtil.
   - *Saturation :* ce mode agit sur la saturation des couleurs ; il convertit la couleur de l'image en niveaux de gris. Choisissez le noir comme couleur de premier plan dans la palette d'outils.
   - Luminosité : ce mode agit sur la luminosité. Il a essentiellement pour effet d'éclaircir ou d'assombrir.

4. **Sélectionnez une des options du paramètre Limites.**

   Vous avez deux possibilités :

   - *Contiguës :* remplace les pixels adjacents dont la couleur est proche de celle échantillonnée au centre du pointeur.
   - *Discontiguës :* remplace la couleur échantillonnée partout où elle apparaît sous le pointeur.

5. **Définissez le pourcentage de Tolérance.**

   La tolérance définit la plage de couleurs à remplacer en référence à la couleur échantillonnée. Plus la tolérance est élevée, plus la plage de couleurs est large et vice versa.

6. **Choisissez la méthode d'échantillonnage.**

   Trois méthodes sont proposées :

- *Continu :* échantillonne en permanence la couleur à remplacer sous le passage de l'outil.
- *Une fois :* remplace uniquement la couleur échantillonnée au départ du trait.
- *Nuance de fond :* recolore uniquement les pixels ayant la même couleur que la couleur d'arrière-plan actuelle.

7. **Cochez l'option Lissage.**

   Le lissage estompe légèrement les bords des zones recolorées.

8. **Cliquez dans l'image ou faites glisser le pointeur.**

   La couleur de premier plan remplace les couleurs d'origine sous le passage de l'outil. Dans l'exemple de la Figure 12.21, nous avons défini le noir comme couleur de premier plan.

Pour une retouche très précise, effectuez une sélection avant de remplacer les couleurs. Une sélection nous a permis de ne pas « déborder » sur la fillette dans notre exemple et de nous en tenir à la zone avoisinante.

# Lexique

Vous ne vous rappelez plus la différence entre un pixel et un octet ? La différence entre la résolution et le redimensionnement d'une image ? Inutile de vous replonger dans les chapitres de ce livre. Le lexique est là pour éclaircir les méandres obscurcis de votre cerveau.

**8 bits :** codage informatique des images autorisant une palette de 256 nuances de gris ou de couleur. Ce codage est généralement appliqué à chacune des trois couches chromatiques rouge, verte et bleue de la photo, d'où un affichage sur 24 bits au total, soit 256 x (256 x 256) = 16 777 216 couleurs.

**Balance des blancs :** réglage de l'appareil photo numérique qui permet de compenser la température de couleur d'une source de lumière.

**Bit** (*binary digit, élément binaire*) : la plus petite unité informatique, équivalent à 0 ou 1.

**BMP :** format graphique propre à l'environnement Windows. Peut être considéré aujourd'hui comme périmé.

**Bridge :** 1. Modèle d'appareil photo numérique apparenté aux appareils reflex, aux deux différences près d'une part que l'image qui traverse l'objectif n'est pas renvoyée vers le viseur par un miroir, mais affichée par un écran à cristaux liquides interne, et d'autre part que l'objectif n'est pas interchangeable. 2. Logiciel d'archivage et de visualisation développé par Adobe. Il est automatiquement installé en même temps que Photoshop.

**Bruit :** grain aléatoire causé par une sensibilité insuffisante du capteur CCD.

**CCD** (*Charge-Coupled Device,* dispositif à transfert de charge) : l'une des technologies utilisées par le capteur photo d'un appareil photo numérique.

**CIE Lab :** modèle de couleur développé par la Commission Internationale de l'Eclairage. Utilisé surtout dans la retouche d'images.

**CMJN :** espace colorimétrique basé sur quatre couleurs primaires, Cyan, Magenta, Jaune et Noir. Il est utilisé pour l'impression des images.

**CMOS** (*Complementary Metal-Oxide Semiconductor,* semiconducteur à oxyde métallique complémentaire) : l'une des technologies utilisées par le capteur photo d'un appareil photo numérique.

**CompactFlash :** carte mémoire amovible utilisée par certains appareils photo numériques pour stocker les images. Leur capacité peut aller de 8 à 128 Go.

**Composite :** montage d'images dans un logiciel de retouche. Se dit aussi, dans un logiciel de retouche, de la couche montrant la superposition de chacune des couches chromatiques de l'image (autrement dit, l'image elle-même).

**Compression :** procédé consistant à réduire la taille d'une image en éliminant ou en indexant ses données redondantes.

**Compression avec pertes de données :** méthode de compression par élimination de données supposées superflues, qui dégrade la qualité d'une image, et cela d'autant plus que le taux de compression est élevé.

**Compression sans perte de données :** méthode de compression qui n'altère pas les pixels d'une image, préservant ainsi sa qualité d'origine.

**Contour de sélection :** cadre en pointillé, parfois animé, qui délimite une sélection.

**Correction colorimétrique :** opération consistant à corriger la quantité de couleurs dans chacune des composantes chromatiques.

**Correction IL** (indice de lumination) **:** commande qui augmente ou diminue sensiblement l'exposition automatique de l'appareil. Une valeur de -1 ou +1 équivaut à un *stop* (un cran de diaphragme ou un cran de vitesse).

**Crénelage :** effet d'escalier qui apparaît sur les lignes obliques et les cercles lorsque la résolution de l'image est trop faible.

**Diaphragme :** orifice de diamètre variable situé à l'intérieur du groupe optique d'un objectif; il règle le flux de lumière pénétrant dans l'appareil photo.

**Digital :** anglicisme hélas couramment utilisé pour « numérique ». En anglais, *a digit* est un chiffre, alors qu'en français, « digital » est de la même famille que « doigt ». Une empreinte digitale n'est pas une empreinte numérique (sauf peut-être pour une recherche d'ADN).

**dpi** (*dots per inch,* points par pouce) : mesure anglo-saxonne utilisée pour exprimer le nombre de points qu'une imprimante est capable d'aligner par pouce linéaire.

**Éditer :** afficher et modifier le contenu d'un fichier informatique.

**EXIF** (*Exchangeable Image File,* fichier d'image échangeable) : informations techniques introduites automatiquement dans la photo par l'appareil. Ce sont notamment la marque et le modèle de l'appareil photo, la date de prise de vue, les focales minimale et maximale du zoom ainsi que la focale utilisée, l'ouverture et la vitesse, l'usage ou non du flash, *etc.* La plupart des logiciels d'archivage et de visualisation sont capables d'afficher tout ou partie des métadonnées EXIF.

**EV :** *Exposure Value,* indice de lumination (*voir* IL).

**Flash :** 1. Complément de l'appareil photo numérique qui sert à illuminer une scène lorsque les conditions d'éclairage sont insuffisantes. 2. Format graphique développé par Adobe qui permet en particulier d'insérer des animations et des vidéos interactives dans les pages Web. Il est utilisé dans la plupart des sites actuels, et en particulier dans les publicités qui les envahissent.

**Flou gaussien :** filtre couramment proposé par les logiciels de retouche d'images. Il permet de rendre flou tout ou partie d'une image. Idéal pour simuler une faible profondeur de champ ou encore pour atténuer certains défauts.

**Format de fichier :** codage des données graphiques dans un fichier informatique. Les formats des fichiers graphiques les plus courants sont JPEG, TIFF et GIF.

**Gamut :** (anglicisme) plage de couleurs qu'un moniteur, une imprimante ou tout autre périphérique peut produire. Les couleurs qu'un périphérique ne peut pas créer sont dites *hors gamut* (ou parfois *non imprimables*).

**GIF** (*Graphics Interchange Format,* format d'échange de fichiers graphiques) : format graphique autrefois largement utilisé sur Internet. Codées sur 8 bits et compressées, mais limitées à 256 couleurs, les images GIF sont employées pour des éléments graphiques simples sur le Web – dessins, boutons, filets… – en raison de leur faible encombrement.

**GIF animé :** fichier GIF contenant plusieurs images affichées tour à tour durant un laps de temps prédéfini, permettant ainsi de créer de petites animations. Ne sert plus que pour des objets visuels très simples, le format Flash s'étant imposé depuis plusieurs années.

**GIF transparent :** image GIF contenant des zones transparentes. Ceci permet d'intégrer, dans une page Web, un graphisme de forme irrégulière sur un arrière-plan.

**Gigaoctet (Go) :** 1 024 Mo, soit plus d'un milliard d'octets.

**Histogramme :** graphique à barre représentant la répartition des tons foncés, moyens et clairs d'une image numérique.

**Hybride :** se dit d'un appareil photo semblable à un modèle de base, mais dont les objectifs sont interchangeables comme sur un reflex.

**IL** (Indice de Lumination) **:** valeur d'exposition représentée par le couple vitesse/diaphragme.

**IPTC** (*International Press and Telecommunications Council,* Conseil international de la presse et des télécommunications) **:** informations personnelles introduites dans une photo par l'utilisateur. Il s'agit notamment du nom de l'auteur de la photo, des mots-clés permettant de la localiser rapidement grâce à un logiciel d'archivage, de la légende et d'une description plus ou moins détaillée.

**ISO** (*International Standards Organization,* organisme des standards internationaux) **:** norme indiquant la sensibilité d'une pellicule. Plus la valeur ISO est élevée, plus le film est sensible. Augmenter cette valeur sur un appareil photo numérique permet de photographier à une vitesse plus élevée. Mais, plus la sensibilité ISO est élevée, plus le grain augmente. Cette norme a remplacé les ASA (*American Standardization Association*) d'antan, dont l'échelle basée sur une progression arithmétique du simple au double était identique.

**JPEG** (*Join Photographic Experts Group,* groupe de travail d'experts en photographie) **:** format graphique affichant 16 millions de couleurs et autorisant des compressions très importantes. Comme pour le format GIF, les images JPEG sont couramment utilisées sur le Web en raison de leur faible encombrement. Cependant, un taux de compression trop élevé altère la qualité des images.

**JPEG 2000 :** version du format JPEG qui ne dégrade pas l'image proportionnellement aux taux de compression, comme son parent le JPEG. Elle n'est pas reconnue par tous les navigateurs Web ni par tous les logiciels, et semble en voie d'obsolescence rapide.

**Kelvin :** unité de mesure de la température basée sur le zéro absolu (-273,15° C). Elle est utilisée pour quantifier la température de couleur (environ 5 500 K à 5 600 K pour la lumière naturelle). Le symbole du Kelvin est K (et non °K).

**Kilo-octet (Ko)** : unité de mesure correspondant à 1 024 octets.

**Latence** : délai qui s'écoule entre le déclenchement (acquisition de l'image par le capteur) et le transfert de l'image dans la mémoire de l'appareil. Pendant cette durée, l'appareil photo est indisponible.

**LCD** (*Liquid Crystal Display,* affichage à cristaux liquides) : écran à cristaux liquides équipant la plupart des appareils photo numériques.

**Mégaoctet (Mo)** : unité de mesure correspondant à 1 024 Ko.

**Mégapixel** : million de pixels. Unité servant à quantifier la définition d'un appareil photo. Les modèles de 12 à 14 ou 16 mégapixels sont aujourd'hui la norme pour des appareils compacts et les bridge. Les boîtiers professionnels sont équipés de capteurs allant jusqu'à 24 MP, voire plus.

**Memory Stick** : carte mémoire mise au point par Sony et qu'il destine uniquement à ses appareils photo et autres périphériques numériques de la marque.

**Mesure de l'exposition** : elle s'effectue généralement sur le centre de l'image. Une mesure *pondérée* prend en considération toute la scène mais en privilégiant la zone centrale. Une mesure *matricielle* ou *multizone* calcule une exposition globale d'après plusieurs zones de l'image.

**Métadonnées** : informations techniques automatiquement stockées dans le fichier image par l'appareil photo (EXIF) ou des informations personnelles (IPTC). La plupart des logiciels d'archivage et de retouche sont capables de les afficher.

**Micro SD** (Micro Secure Digital) : format de carte mémoire dont la taille est extrêmement petite. Il est utilisé par certains appareils photo numériques compacts, mais surtout par des téléphones portables. Peut contenir de 4 à 32 (voire 64) Go de données.

**Modèle de couleur** : structure servant à définir le dosage des composants chromatiques d'une image. Les modèles les plus courants sont RVB et CMJN. On parle le plus souvent de *mode colorimétrique*.

**Niveaux de gris** : se dit d'une image composée exclusivement de nuances de gris (ce que l'on appelle communément, mais à tort, *le noir et blanc*).

**NTSC** (*National Television System Committee,* comité du système de télévision national) : format de télévision utilisé notamment en Amérique du Nord et au Japon. De nombreux appareils photo numériques peuvent envoyer leurs signaux dans ce format pour un affichage TV ou un enregistrement vidéo.

**Octet** : ensemble de 8 bits. *Voir* Bit.

**PAL** (*Phase Alternating Line,* ligne à alternance de phase) : format vidéo répandu en Europe. Les caméscopes et appareils photo numériques vendus en France doivent être à la norme PAL.

**Photosite** : élément de base d'un capteur photosensible. Il faut au moins trois photosites (rouge, vert et bleu) pour produire un pixel coloré.

**PICT** : format graphique propre à l'environnement Macintosh. L'équivalent du BMP sous Windows, en quelque sorte.

**Pixel** : point lumineux élémentaire d'un écran cathodique ou LCD. C'est la plus petite unité graphique.

**Pixellisé** : se dit d'une image numérique composée de pixels, par opposition à une image vectorielle, dont les traits sont produits par des formules mathématiques. Se dit aussi d'une image lorsque ses pixels, grossis, deviennent apparents.

**Plate-forme** : synonyme de « type d'ordinateur ». Les PC et les Macintosh sont deux plates-formes différentes.

**ppp** (*pixel par pouce*) : mesure exprimant le nombre de pixels par pouce linéaire, utilisée pour définir la résolution d'une image.

**Profondeur de champ** : zone de tolérance de la netteté d'une image. L'image est parfaitement nette sur le plan de mise au point ; la netteté décroît de part et d'autre de ce plan, dans la zone de profondeur de champ, jusqu'au point où le flou se manifeste.

**RAM** (*Random Access Memory,* mémoire à accès aléatoire) : terme anglais pour « mémoire vive », abondamment utilisé dans la littérature technique. C'est dans la RAM que sont stockés les programmes et les données en cours d'exécution et de traitement.

**Raw** : ou « brut », en anglais. Format de fichier enregistrant les images telles qu'elles ont été captées, sans aucun traitement ultérieur. Les réglages que contient ce type de fichier sont des paramètres modifiables à l'aide d'un convertisseur comme Camera Raw, Lightroom, Bibble, Silkypix et bien d'autres.

**Redimensionnement :** modification des dimensions physiques d'une image.

**Rééchantillonnage :** ajout ou suppression de pixels dans une image, selon qu'elle est agrandie ou réduite. Des algorithmes sophistiqués, basés sur l'interpolation, sont utilisés pour lisser l'image après le rééchantillonnage. La technique la plus efficace est appelée *rééchantillonnage bicubique*.

**Résolution :** nombre de pixels par pouce (ppp) d'une image. Plus la résolution est importante, plus la définition de l'image est élevée. Ce terme est également employé pour spécifier la définition des scanners, des moniteurs et des imprimantes.

**RVB :** modèle de couleur utilisé pour afficher des images numériques à l'écran. Le modèle RVB est constitué de trois couleurs primaires : Rouge, Vert, Bleu.

**SD** (*Secure Digital*) **:** format de carte mémoire de la taille d'un timbre poste, très largement utilisés par les appareils photo numériques compacts. Une carte de grande capacité (SDHC) peut contenir jusqu'à 64 voire 128 Go de données.

**Sublimation thermique :** technique d'impression reposant sur la vaporisation d'encres chauffées. Elle produit des tirages d'une très grande qualité.

**Téléchargement :** transfert de données entre deux ordinateurs. Il peut s'effectuer en voie descendante (de l'ordinateur distant vers l'ordinateur local) ou en voie montante (de l'ordinateur local vers l'ordinateur distant).

**Température de couleur :** lumière émise par un corps noir, exprimée en degré Kelvin. Plus la température de couleur est élevée, plus la lumière est riche en bleu. À l'inverse, une température de couleur faible est riche en rouge. Voir aussi *Kelvin*.

**Téraoctet (To) :** unité de mesure correspondant à plus de mille milliards d'octets.

**TIFF** (*Tagged Image File Format,* format de fichier d'image à balises) **:** format d'image très apprécié, reconnu aussi bien sous Windows que sur Macintosh.

**Tirage :** épreuve sur papier.

**TSL :** modèle de couleur défini par la Teinte (couleur), la Saturation (intensité) et la Luminosité.

**TWAIN** (*Technology Without Any Important Name,* technologie sans nom significatif) : protocole d'interface entre les logiciels graphiques et les périphériques tels que les scanners ou certains appareils photo numériques.

**USB** (*Universal Serial Bus,* bus série universel) : type de port rapide (voire ultrarapide dans sa nouvelle configuration 3.0) permettant aux ordinateurs de communiquer plus facilement avec toutes sortes de périphériques externes comme des disques durs, des appareils photo numériques, des scanners, des imprimantes, des lecteurs de cartes mémoire, des smartphones, des tablettes, *etc*. De nos jours, de plus en plus de téléviseurs sont équipés d'un port USB pour afficher des photos ou des vidéos.

**Vitesse d'obturation** : durée qui sépare l'ouverture et la fermeture de l'obturateur. Plus celui-ci reste ouvert longtemps, plus la quantité de lumière pénétrant dans l'appareil est élevée, et plus l'image est exposée.

**WIA** (*Windows Image Acquisition,* Acquisition d'image sous Windows) : protocole d'interface entre les logiciels graphiques et les périphériques tels que les scanners ou certains appareils photo numériques. Identique à TWAIN, mais conçu par Microsoft uniquement pour Windows XP et ultérieur.

# Index

## C

## D



## E



## F

## J



## K



## L



## M

## N



## O



## P

## S



## T

# Notes

# Notes

# Notes

# Notes